Fábián Janka

Adél és Aliz

A szerzőtől az Ulpius-ház Könyvkiadónál megjelent:
Emma szerelme
Emma fiai
Emma lánya
Az angyalos ház
Virágszál
A német lány
Lotti öröksége

Előkészületben:
A francia nő

ISBN 978 963 254 689 6

Fábián Janka

Adél és Aliz

Ulpius-ház Könyvkiadó
Budapest, 2013

PROLÓGUS

1919. augusztus eleje

Már hajnalodott, és az ég szürkeségét az egyelőre bágyadt napsugarak lassan sárgásfehérre festették. Ma is szép, meleg nyári nap ígérkezett. Szemben, a Margitszigeten már csicseregtek a madarak, amit ebben a korai süket csendben eléggé jól lehetett hallani itt, a pesti parton is. De csak addig, amíg egy nagyméretű, nyitott tetejű fekete autó be nem fordult a rakpartra, majd nagy robajjal, csikorogva fékezett, és megállt közvetlenül a folyó homokos partján, a kövek mellett. A hatalmas, batárszerű automobil ajtóit gyors egymásutánban kinyitották, és az enyhe idő ellenére tetőtől talpig feketébe öltözött, fiatal férfiak ugrottak ki belőle fürgén. Négyen voltak, a kezükben fegyvert tartottak. Habár óriási zajt csaptak, körülöttük mintha még nagyobb csend támadt volna. A félelem csendje, amelyet a főváros utcáin az utóbbi hónapokban nagyon is jól megismertek a környéken lakók.

A hosszú, vesztes háború után amúgy is kivérzett, csak lassan talpra álló fővárosra idén márciusban egy újabb, váratlan katasztrófa szakadt rá. A kommün, az életidegen és erőszakosan egyenlősítő kommunista agyrém megvalósításának a kísérlete. És az utcákon csakhamar megjelentek a rendszer megtestesítői, ezek a fekete ruhás, csontos arcú, szúrós szemű fiatalemberek.

A *Lenin-fiúk.*

Ahol csak megjelentek, akár a város legforgalmasabb helyein is, ott azonnal súlyos, baljóslatú csend állt be, és az emberek behúzott nyakkal igyekeztek kitérni az útjukból. Ám még így is könnyű volt bajba keveredni – ugyanis minél jobban próbálta elkerülni őket valaki, annál valószínűbb volt, hogy felhívja magára a figyelmüket, és akkor nem volt pardon…

Övék volt a hatalom, senki sem ellenőrizte őket, gyakorlatilag azt csináltak, amit csak akartak, mindenféle következmény nélkül, és mindehhez még fegyvereket is kaptak a kezükbe.

Most azonban egy külső szemlélő (ha akadt volna ilyen), elcsodálkozott volna, mi a csudát keresnek ezen a kihalt környéken hajnalok hajnalán. A négy fiatalember viszont nagyon is tisztában volt a küldetése mibenlétével, és ennek megfelelően pillanatok alatt mind felsorakoztak a vezetőjük előtt. Ő valamivel idősebb volt a többieknél, ám hozzájuk hasonlóan hosszú fekete bőrkabátot viselt, ami mostanra amolyan egyenruhává vált a Lenin-fiúk körében. Nyilván példaképüket és tulajdonképpeni vezérüket, Szamuely Tibort utánozták ezzel. A férfi szájában lustán parázsló cigaretta fityegett, a nyakát vörös gyapjúsál védte, és fekete sildes sapkája alatt alig lehetett látni a tekintetét.

– Na, mire vártok? – mordult rájuk, a cigarettát ki sem véve a szájából.

A sor folyó felőli végén álló fiatalember mozdult meg elsőként. Odalépett az automobil hátsó oldalához, kinyitotta az ajtót, és lehajolva előcibált valamit, ami eddig a jármű padlóján hevert. Ledobta a földre, az autó hátsó kereke mellé. Egy emberi test volt. A fiú egy darabig lihegve hajolt fölé, majd megfordult, és a sapkáját hátratolva a vezetőre nézett.

– A kurvaistenit, Jóska, ez még él.

Erre a Jóskának nevezett férfi is közelebb lépett, és a bakancsa orrával megbökdöste a földön heverő test oldalát. Majd lehajolt, és egy mozdulattal a hasáról a hátára fordította.

Most látszott csak, hogy fiatal, jól öltözött férfi fekszik a földön. Sűrű, gesztenyebarna haja ziláltan hullott a homlokába, a szemébe. Az arcvonásait alig lehetett kivenni a rengeteg zúzódás, véraláfutás és a rozsdabarna, alvadt vérfoltok miatt, ám az sejthető volt, hogy valamikor jóképű lehetett. Egyidősforma volt a fölé hajoló, vörös sálas Jóskával, azaz a harmincas éveinek az elején járhatott.

Nemrég borzalmasan összeverték, és a Lenin–fiúk már nyilván halottnak hitték. Azért hozták most ide. Ám, hogy mi volt a tervük a holttesttel, azt csak sejteni lehetett. Nyilván minden feltűnés nélkül akartak megszabadulni tőle, de ha még életben van…

A földön fekvő férfi valószínűleg a friss folyóparti levegőtől tért lassan magához. Alig észrevehetően megmozdította a fejét, majd a szempillái is megrezdültek. A ráfolyt és megalvadt vértől összeragadt a szeme, most azonban erőlködve résnyire kinyitotta. Meglátta a még mindig fölé hajoló Jóska arcát. Nagyot nyelt, majd megnyalta kicserepesedett ajkát, és halkan, rekedten megszólalt.

– Ne öljetek meg – mondta. – Feleségem van, kislányom…

Nem könyörögve, vagy esdekelve beszélt, csak mintha szikár tényeket állapítana meg. Jóska felegyenesedett, és a mellette álló fiatalabb fiúra nézett.

– Végezz vele – utasította.

A fiú bólintott, levette a válláról a puskáját, és a férfi fejének szegezte,ám Jóska megragadta a karját. Kissé idegesen nézett körül.

– Ne! – förmedt rá. – Nem kell mindenkit felverni a környéken. Ennek már kevesebb is elég – intett a fejével megvetően az összevert férfi felé, majd a szájából kivett cigarettacsikket gyakorlott mozdulattal egyenesen a Dunába pöckölte.

A fiú ismét bólintott, majd megfordította a fegyvert, és a puskatussal néhányszor teljes erőből a férfi fejére és arcába sújtott. Halk reccsenéseket lehetett hallani, és a férfi arca immár teljesen felismerhetetlen, véres masszává változott. A többiek rezzenéstelen tekintettel nézték. A fiú egyszer csak megállt, sóhajtott, majd a sapkáját hátratolva (ez úgy látszik, szokása volt) újra a vezetőjük felé fordult.

– Na, kész. Ez már bekrepált.

Jóska elégedetten bólintott, majd intett a többieknek, akik rögtön tudták, mi a dolguk. A holttesthez léptek, az egyikük megragadta a hóna alatt, a másik kettő a két lábát, és a köveken egyensúlyozva, néhányszor meglódították, majd belehajították a Dunába, olyan messzire, amilyenre csak tudták.

A test szinte azonnal elmerült, de Jóska tudta, hogy hamarosan újra fel fog bukkanni, a víz felszínén lebegve, széttárt végtagokkal úszva lefelé a közönyösen hömpölygő folyóban.

Nem baj. Mindenki tudni fogja, hogy valószínűleg a Lenin-fiúk műve ez is, és mindenki inkább elfordítja a fejét… Jóska elvigyorodott, majd megfordult, és megveregette a fiatal fiú vállát, aki már a véres puskatust törölgette egy óriási zsebkendővel.

– Remek. Pazar, öregem. Akkor mehetünk is.

A Lenin-fiúk visszaültek az automobilba, és ugyanolyan zajosan, ahogyan érkeztek, elhajtottak a helyszínről.

Éppen időben. A pesti hajnal első hírnöke, a tejesember ebben a pillanatban fordult ki a sarkon a rakpartra, nyikorgó biciklijén maga előtt tolva a fehér tartályt, amelyből nemsokára a friss tejet fogja meregetni a környékbeli háziasszonyoknak a reggelihez.

1. FEJEZET

1919. szeptember elseje

A ragyogó verőfényben egy hatalmas, nyitott tetejű fekete taxi állt meg csikorogva az árnyas budai utca közepén. Az iskola, az *Erzsébet Királyné Leányiskola és Kollégium* előtt már nagy volt a sürgés-forgás. A taxiból egy egyenruhás sofőr szállt ki, és kinyitotta az autó hátsó ajtaját.

– Megérkeztünk, nagyságos asszonyom – mondta a fejét kissé meghajtva.

A jármű belsejéből nem érkezett válasz, de néhány pillanat múlva egy karcsú, magas nő lépett ki. Gyászruhát viselt, az arcát fekete fátyol takarta. Nagyot sóhajtott, majd a kezében tartott gyöngyökkel kivarrt kis selyemretikülből kivett egy húszkoronás bankjegyet.

– Köszönöm szépen! – rebegte a nő, mire a sofőr, az összeget látva, még mélyebben meghajolt.

– Én köszönöm, méltóságos asszonyom. Állok szolgálatára!

A nő erre csak fáradtan biccentett, majd lehajolt, és beszólt a taxi hátsó ülésére.

– Adél, az isten szerelmére… – mondta fásult, kicsit sírós hangon.

Unszolására nem érkezett válasz. A nő felegyenesedett és ismét felsóhajtott. Fekete kesztyűs kezét egy pillanatra bágyadtan a homlokához emelte.

– Nagyságos asszonyom… – szólította meg a sofőr tétován. – Ha esetleg segíthetnék valamiben…

– Áh, hagyja… – legyintett a nő kecsesen. – Csak vegye ki a bőröndöt, kérem.

A sofőr készségesen ugrott, és a taxi hátuljából kivett egy közepes méretű, disznóbőr bőröndöt, majd óvatosan letette az utcára, a nő mellé. Az ügyet sem vetett rá. Ismét lehajolt és benézett a hátsó ülésre.

– Adél! – szólt be ismét, ezúttal kissé hangosabban.

A kocsi hátsó ülésén – úgy tűnik – már értettek ebből az erélyesebb hanghordozásból. Válasz még mindig nem érkezett, ám rövidke hatásszünet után egy durcás arcú, ugyancsak fekete ruhás kislány kászálódott elő a taxiból. Gesztenyebarna haja divatos apródfrizurára volt vágva, és ez a *garçonne* hajviselet remekül kiemelte a lány csinos, pimasz arcocskáját. Miután kiszállt, zöldesbarna macskaszemét az édesanyjára villantotta, majd megvetően legörbített szájjal megállt az automobil mellett.

– Na, végre! – sóhajtott újra a nő, majd intett a sofőrnek, hogy most már elmehet. A sofőr még tétován a bőröndre pillantott, majd ismét a nőre, de amikor látta, hogy az nem tart tovább igényt a szolgálataira, újra meghajolt, majd visszaült a kocsiba és elhajtott. Ha valaki utána nézett, láthatta, hogy a bajusza alatt elmosolyodott, és a fejét csóválta.

A nő és a kislánya azonban nem néztek utána. A nő a leányt nézte, aki azonban dacosan lehajtotta a fejét, és úgy tett, mintha fekete lakkcipője orrát vizsgálgatná elmélyülten.

– Adél… – szólította meg ismét az anyja, ezúttal gyengédebb, rábeszélő hangon.

A kislány erre toppantott, és karba fonta a kezét.

– Nem megyek sehová – sziszegte. – Megmondtam! Nem és nem! Nem megyek ebbe az utálatos iskolába!

– Adél!

– Adélozhatsz itt napestig!

Erre már elcsattant egy pofon. Illetve nem csattanhatott, hiszen a nő fekete selyemkesztyűt viselt kecses, vékony kezén, és maga a mozdulat is tétova, erélytelen volt. Inkább csak amolyan jelképes pofon volt ez, ám Adél azonnal az arcához kapott, és hangtalanul zokogni kezdett. Az anya maga is az arcához emelte a kezét, mintha neki magának is fájt volna az ütés, majd óvatosan megérintette a síró gyerek vállát.

– Adél.

A kislány egy vállrándítással ellökte magától a simogató kezet.

– Hagyj békén! – mondta fojtottan, és a következő pillanatban fekete ruhája zsebéből előhúzott egy gyászszegélyes zsebkendőt, majd szándékosan otrombán, zajosan kifújta az orrát. Tudta, hogy ez mennyire bosszantja az édesanyját, most azonban a nő nem szólt semmit. A gyerek háta mögött állva várta, mi lesz a jelenet vége. Tudta, hogy jobb, ha most nem korholja emiatt a lányát. Különben is… amiken az utóbbi hónapban keresztülment ez a szegény gyerek. Most még ez is… egy új iskola, ráadásul bentlakásos. Adél lassan, szertartásosan összehajtogatta a zsebkendőt, visszagyűrte a zsebébe, majd egy nagyot sóhajtott.

– Mehetünk.

A nő bólintott, és a kislány mellé lépve a kezét nyújtotta neki. Adél azonban színpadias mozdulattal a zsebébe süllyesztette a kezét, és összeszorított szájjal nézett az anyjára. Ő megcsóválta a fejét.

– Jól van, menjünk. De vedd ki a kezed a zsebedből!

Úrilány nem járkál így, mint egy, mint egy... közönséges rikkancs.

Adél erre elvigyorodott. Rikkancs! Micsoda ötlet! Ámbár... ha jobban belegondolt, ebben a pillanatban sokkal szívesebben lett volna rikkancs, mint úrilány. Már a nyelve hegyén volt, hogy ezt közölje is az anyjával, ám meggondolta magát, és inkább nem szólt semmit. Érezte, hogy jobb, ha ma már nem feszíti tovább a húrt.

Kihúzott derékkal, hátra sem tekintve elindult az árnyas park közepén álló, fehér falú Erzsébet királyné nevét viselő leányiskola felé. A hátában azonban érezte az édesanyja vádló tekintetét – a mai csúf viselkedése miatt, no meg azért, mert hagyta, hogy az asszony egymaga bajlódjon a bőrönddel.

Úgy kell neki – gondolta dacosan. – *Minek rúgta ki a Fánit. Most lenne, aki cipeli a bőröndöt. Hogy már nincs szükségünk cselédre, elég egy bejárónő? Nos, ha így van, hát csak hadd cipekedjen. Az úrinő!*

Mikor azonban a hatalmas, kovácsoltvas kapuhoz ért, amelyen egymás után tódultak be az évnyitóra érkező növendékek a szüleikkel, hogy lassan élettel, színekkel és zsivajjal töltsék meg az iskola körül elterülő tágas parkot, hirtelen megtorpant. Egyszeriben kicsinek, kiszolgáltatottnak és árvának érezte magát. Váratlan mozdulattal sarkon fordult, és kis híján feldöntötte a közvetlenül mögötte lépkedő édesanyját.

– Adél! – szólt rá a nő, ma már vagy századszor. – Mondd, mit művelsz?

Adél megragadta anyja gyászruhájának mindkét ujját, és szorosan hozzábújt.

– Vigyél haza, Mama, kérlek! – szipogta. – Nem akarok itt maradni.

A nő ismét nagyot sóhajtott, letette a bőröndöt, és óvatosan megsimogatta a kislány kalapja alól kibukkanó rövid fürtöket.

– Ezt már megbeszéltük, édesem. Emlékszel, mit mondtam…

A nő hirtelen elhallgatott. Cirógató keze megállt a levegőben, és az egész testét mintha áramütés érte volna – furcsán megmerevedett a kislánya ölelő karjaiban. Adél lassan, csodálkozva felemelte a fejét, és oldalra fordulva követte anyja tekintetét. Kipislogta a szeméből a könnyeket, és ekkor ő is meglátta, mit vett észre mamája a közelükben. Habár érteni nem értette a dolgot… Igaz, nem mindennapi látvány tárult a szeme elé mindössze pár lépésre tőlük, a kerítés mögött.

Egy fiatalember állt ott kék nadrágban és fekete gumicsizmában, ámde meztelen felsőtesttel. Olcsó kék flanelingét csak egy pillanattal előbb vehette le, és most azzal törölgette verejtékező homlokát. Mikor leengedte a kezét, láthatóvá vált az arca, és sűrű, zilált fekete haja, amely az izzadságtól csapzottan hullott a homlokába.

Azt még az alig tízesztendős Adél is meg tudta állapítani, hogy pokolian jóképű fickó volt, a júniusi itáliai körutazásukon látott szobrokéihoz hasonló izmokkal. De vajon Mama csak ezért bámulta ilyen meredten? Ráadásul nem sokkal azután, hogy Papa…

A férfi azonban észre sem vette a két fekete ruhás alakot, akik néhány méterre álltak tőle, mivel maga is tátott szájjal bámult valamit, messzebb, egészen a kovácsoltvas kapu közelében. Adél ismét elfordította a fejét, ezúttal az ő tekintetét követve, és mi tagadás, neki is leesett az álla az elé táruló látványtól.

Egy óriási, feketén-ezüstösen csillogó automobil állt

meg nem messze a kaputól. Az elején míves ezüst angyalszobor látszott, akárcsak a hajók tatján egykor a faragott angyalok. Csupán néhány pillanattal azelőtt érkezhetett, legalábbis Adélnak nem tűnt fel, amikor az imént a kapu felé tartott. Ám olyan neszteleníul állt meg, hogy egyikük sem hallotta az ilyenkor szokásos robajt és fékcsikorgást. De egy ilyen hatalmas, gyönyörű jármű e nélkül is igazán feltűnést kelt mindenhol, ahol csak megfordul. Adél ugyan nem értett ezekhez a masinákhoz, és jól tudta, hogy Mama sem. Bezzeg, ha Papa itt lenne… tőle megkérdezhetné, vajon milyen gyártmány, és ő biztosan akár kérés nélkül percekig tudna beszélni róla. Egyszerre újra könnyek futották el a szemét, ám győzött a kíváncsiság, és egy-két gyors pislogás után újra kitisztult a tekintete. Fúrta az oldalát a kíváncsiság, hogy vajon kik szállhatnak ki ebből a csodamasinából.

Az autót egy fehér egyenruhás sofőr vezette – nyilván a család saját alkalmazottja, és nem holmi taxisofőr, akivel ők érkeztek. Világos, nyári öltönyt, bézs kalapot viselő kifogástalan eleganciájú úr szállt ki mellőle. Bizonyára az automobil tulajdonosa. A sofőr a másik oldalon kinyitotta a hátsó ajtót, és mélyen meghajolt a kiszálló hölgy és kislány előtt. Az Adél felőli oldalon lévő ajtó már magától nyílt ki: egy fiatal, karcsú nő libbent elő, könnyű, virágos nyári ruhában, ami azonban hangsúlyozottan egyszerűbb volt, mint a másik két hölgy öltözete.

Egy nevelőnő – gondolta Adél, és nyomban elöntötte a sárga irigység. Ó, nemrégiben még neki is volt nevelőnője, a kis kövér, nevetős *Mamzi**, aki nem volt túl okos terem-

---

* A *mademoiselle* (magyarul: kisasszony) francia szó régies becézett változata (mamzell, mamzi).

tés, de *francia* volt! Ám miután *az* megtörtént, Mamzit is el kellett küldeniük. Adél őt is napokig siratta, de Mama csak a vállát vonogatta (egyáltalán nem úrinősen).

– Ugyan, hát már nem is lesz rá szükséged. Hamarosan kezdődik az iskola, és ott lesz majd *rendes* franciatanárotok.

Mama soha nem szívelte Mamzit... nos, úgy tűnik, nem minden anya gondolkodott így a nevelőnőkről.

Adél figyelme ekkor az anya és lánya kettősére irányult. Elsőre az tűnt fel neki, mennyire hasonlítanak egymásra. Mindketten tetőtől talpig fehérbe öltöztek, könnyű szalmakalapjuk alatt pedig aranyszőke hajuk koszorúba fonva keretezte halvány, szív alakú arcukat. *Vidékiek* – állapította meg Adél szinte ösztönösen, a fővárosban született és nevelkedett nőnemű lény csalhatatlanságával. Igen, igen nagyon elegánsak, és szinte sugárzik róluk a kényelmes jólét – de *borzasztó* ódivatúak. Ez a frizura! És azok a cipők, harisnyák, te jó ég!

– Adél, ne bámuld őket, ez nem illendő – hallotta meg hirtelen az édesanyja hangját, és ekkor eszébe jutott, hogy nemcsak ő volt illetlen. Ismét a kerítés felé fordult, ahol az imént a félmeztelen Adoniszt látta. Nos, még mindig ott volt, de már visszavette az ingét, és ezúttal nem figyelt a káprázatos gépcsodára, sem a belőle kiszálló családra. Egy idős, ősz kontyos nő állt előtte, és hangosan szidalmazta, amit a fiú lehajtott fejjel, összeszorított szájjal hallgatott. Adél nem hallotta, miket vágott a fejéhez, de nagyon jól el tudta képzelni. Halkan kuncogott, és ebben a minutumban a szívébe zárta a fickót, bárki is legyen az.

– Menjünk, keressük meg a leendő osztályfőnivőködet – jelentette ki az anyja, egyik kezébe a bőröndöt fogva, a másikkal Adél kezét megragadva. – És nem akarok ma már több *szcénát**, megértetted?

A lány egy szót sem szólt, de ezúttal nem is ellenkezett. Mikor végre elindultak, a gyászruhás nő még egyszer viszszanézett a kerítés mellett álló fiatalemberre.

Vajon hol látta már ezt az embert? Hol? És miért dobbant akkorát a szíve, amikor megpillantotta?

Özvegy Groó Gáborné azonban elhessegette magától ezeket a gondolatokat. Most egészen mással kell foglalkoznia – valahogyan el kell érnie, hogy Adél minden különösebb bonyodalom és botrány nélkül itt maradjon ma, a híresen szigorú bentlakásos iskolában, amelyet annak idején még a férjével együtt választottak ki neki.

Különben is, lehet, hogy csak az idegei űznek csúf játékot vele. Talán soha nem látta azelőtt ezt a fiatalembert. Ugyan, hol is látta volna?

Az özvegy azonban annak mégis örült, hogy az ő arcát fekete gyászfátyol takarta. Az a fiatal fickó semmiképpen nem ismerhette fel őt, akárki volt is. Valamiért úgy érezte, hogy *ez* szerencsés fejlemény.

Azon majd otthon ráér gondolkodni, mégis ki a csuda lehetett.

* * *

Az Erzsébet királyné leányiskolát a városi folklórban csak „Pálmaház" néven emlegették. Igaz ugyan, hogy annak idején, az 1880-as években valóban Ferenc József hitvese, Sissi támogatásával épült fel, és a megnyitót maga a császárné is megtisztelte a jelenlétével, ma már azonban erre

---

* Jelenetet

17

kevesen emlékeztek. (Az iskola persze büszke volt fenséges alapítójára, és a bejáratnál az érkezőket egy nagyméretű Sissit ábrázoló mellszobor fogadta, amelyen a királyné híres koronázási frizuráját és ékszereit viselte). A Pálmaház elnevezés azonban rövidebb, találóbb és aktuálisabb volt, hogy mindenki ezt használta – maguk között még a tanárok is, persze csak akkor, ha a szigorú igazgatónő nem volt hallótávolságban.

Kőrösi Pálma nagyságos igazgató asszony már tizenöt éve volt teljhatalmú uralkodónője Buda leghíresebb leánynevelő intézetének, és nagyrészt az ő érdeme volt, hogy az iskola az ország legnépszerűbb intézményévé vált a lányos szülők körében. Annak ellenére – vagy talán éppen amiatt –, hogy az igazgató asszony ragaszkodott hozzá: itt *mindenki* bentlakó legyen. Még a csak néhány utcányira lakó budai úrilányok is. Leányokat csak így lehetséges hatékonyan nevelni – vallotta Kőrösi Pálma. Márpedig az évek hosszú során bebizonyosodott, hogy az iskola módszerei valóban hatásosak, és a kolostorszerűen vastag, fehér falak közül csupa kifogástalanul viselkedő, művelt és egyben házias úri hölgy került ki.

A Pálmaház név természetesen az igazgatónő keresztnevéből adódott, de egyébként is telitalálat volt a hely jellemzésére, ahol szinte hermetikus elzártságban, drága egzotikus növényekként cseperedtek a növendék leányok.

Groó Gábor és a felesége pontosan emiatt választotta ezt az intézetet Adél lányuk számára, annak ellenére, hogy az itteni neveltetés kicsit drágának bizonyult az ő pénztárcájukhoz képest. „Itt biztonságban lesz" – mondogatta Gábor, még az utolsó napokban is, mielőtt eljöttek volna érte… Nos, talán igaza volt, ámde azzal nem számoltak, hogy a kislány önfejűsége nagymértékben meg fogja nehezíteni a kezdeteket. Kivált, hogy ilyen hirtelen elveszítette bálványozott édesapját, és mostanra mamájára maradt a nehéz feladat, hogy közölje a kislánnyal a szülői döntést.

– A te érdekedben határoztunk így – hajtogatta, ám Adél hallani sem akart a dologról. Azt pedig végképp nem volt hajlandó elfogadni, hogy az apja ötlete lett volna az egész. *Nem, nem, az nem lehet*! Mama biztosan csak így akarja elérni, hogy beletörődjön ebbe a lehetetlen helyzetbe.

Még hogy ő *bentlakó* legyen! Micsoda ostobaság ez. Hiszen ő pesti, és vígan el tudna menni minden reggel ebbe a nyavalyás iskolába, ha már ennyire ragaszkodnak hozzá. Ám mama szerint itt ez a szabály. Itt mindenki bentlakó. Adél ezt hitte is meg nem is. Mindenesetre, abban biztos volt, hogy anyja így akar tőle megszabadulni.

– Ugye, tudod, hogy minden hétvégén találkozhatunk? – szólította meg a mamája kissé bűntudatos hangon. Mintha csak olvasna a gondolataiban. Adél összerezzent.

– A vakációkat pedig mindig együtt fogjuk tölteni – folytatta az asszony. – Ki is találom hamarosan, hová utazzunk majd karácsonykor.

Karácsonykor! Szentséges ég, hát akkor lesz az első vakáció? Egy örökkévalóság múlva. Adél szemét újra elhomályosították a könnyek.

Amikor elhaladtak az Erzsébet-szobor előtt, a hátuk mögül nyájas, ám ellentmondást nem tűrő hangon valaki megszólította őket.

– Groóné méltóságos asszony!

Mindketten megfordultak, és egy óriási termetű, őszes, hajdan fekete hajú, zöld selyemruhába öltözött, nyakán dupla gyöngysort viselő, tiszteletet parancsoló matrónát láttak, aki az imént még a hatalmas, ezüstös autóban érkezett családdal beszélgetett, de most sebtében elköszönt tőlük, és minden figyelmével Adélék felé fordult.

– Jó napot kívánok, igazgató asszony – rebegte az anya kissé megilletődötten, miközben gyengéden oldalba bökte Adélt. A kislány ijedten pukedlizett, és vékony hangon csipogta:

– Kezét csókolom!

– Jó napot kívánok! – dörögte a matróna mély alt hangján, amelyben azért bujkált némi kedvesség és derű. – Itt így köszönünk, leányom. Jó napot kívánok, igazgató asszony.

– Jó napot kívánok, igazgató asszony – visszhangozta Adél engedelmesen. Az igazgatónő ekkor az asszonyhoz fordult, aki addigra felhajtotta az arcát eltakaró fátyolt. A lánya vonásai hasonlítottak az övéire, ám az anya színei kevésbé voltak feltűnőek: egyszerű világosbarna haj és szempár. Csinos, fitos orrán nyári szeplők, akárcsak Adélén, és ez kedves, kislányos megjelenést kölcsönzött neki. A szeme és az orra körül a bőr kissé kipirosodott, mintha nemrégen sírt volna. Kőrösi Pálma ezt látva meghajtotta a fejét, és halkabbra fogta a hangját.

– Őszinte részvétem, asszonyom.

– Köszönöm szépen – válaszolta az özvegy, majd gyorsan másra terelte a szót. – Hát ő a mi... az én kislányom, Adél.

– Tudom – bólintott az igazgatónő. – Groó Adél kisasszony, ugyebár – kedvesen a kislányra mosolygott, aki ezt tétován viszonozta. Kőrösi Pálma büszke volt rá, hogy minden volt, jelenlegi és jövendő tanítványát név szerint ismerte. Ezúttal pedig megállapította, hogy erre a leányra nem lesz nehéz emlékeznie. Micsoda kifürkészhetetlen macskaszemek! Nem lehet könnyű eset – állapította meg hosszú évek tapasztalatára hagyatkozva. No, de itt majd szépen megszelídítik, legyen akármilyen vadmacska is. Pálma asszony halkan sóhajtott. Hiába, minden évfolyamon vannak ilyenek is – ettől még izgalmasabb a feladatuk. Nem is volna jó, ha minden leány olyan lenne, mint az imént megismert szőke, jól nevelt kis Szendrey Alice.

– Hát, nagyon örülök, hogy a mi iskolánkat választották, asszonyom – fordult újra az anyához. – Különösen, hogy ez a választás immár a megboldogult férje végakaratának is tekinthető…

Adél érezte, hogy Mama megrezzent, de egyikük sem szólt semmit. Az igazgatónő némi hatásszünet után folytatta:

– Nos, kövessenek, kérem, bemutatom önöket a leány leendő osztályfőnökének.

* * *

Szendrey Alice leszegett fejjel, az édesanyja kezét fogva, és a könnyeit nyelve lépkedett a hűvös, boltozatos folyosókon. Milyen *borzasztó* nagy is ez az iskola. Még meg sem merte nézni istenigazából. Egyáltalán olyan *óriási* itt minden, ezen a félelmetes, ezen a *vörös* Budapesten (Apus az utóbbi időben csak így emlegette a fővárost). Ó, hiszen látott ő már nagyvárosokat – a szüleivel és a bátyjával jártak Rómában, Párizsban, Londonban… mégis, akkor tudta, hogy ott a családja körülötte, amelynek a szeretete úgy védelmezi, óvja, mint egy puha, meleg burok. Most viszont… *itt fogják őt hagyni*. A szemét újra elfutotta a könny, és ha az ösztöneire hallgatott volna, hát bizony elengedi Anyuska kezét, futásnak ered, és meg sem áll hazáig, a végeláthatatlan kisszendrői szántókig. Ámde mit érne vele? Apuska fogná, és nyomban visszahozná. Hiszen a szülei döntöttek úgy, hogy beíratják őt ide, ebbe a kaszárnyaszerű iskolába, és itt hagyják a léptektől kongó, hideg folyosókon és a belőle nyíló termekben és szobákban, amelyekbe még csak be sem mert pillantani, holott fél szemmel látta, hogy némelyik ajtó nyitva van, és egy-kettő mögül még fojtott hangú beszélgetés, kuncogás is kiszűrődött.

Ez is milyen furcsa, hogy egyszeriben mindenki *Alice*-nak szólítja, franciásan ejtve a nevét, akárcsak a nevelőnője, Catherine. Anyuska már így mutatta be az igazgatónőnek: Szendrey *Álisz*. Otthon *soha* nem szólította őt így. Ott ő mindig is Aliz volt, vagy csak egyszerűen Lizi, ahogyan a bátyja, Andor nevezte. Ő maga ezt szerette a legjobban. A cselédek és a falubeliek is így hívták: Lizi kisasszony. Anyus nyilván úgy érezte, ez ide túl parasztos lenne.

Az ismeretlen és valóban tiszteletet parancsoló helyen a kis csapat szó nélkül, lassan, körbe-körbe tekintgetve lépkedett. Az igazgatónő igazította útba őket néhány perce. Mikor már csaknem a folyosó végén jártak, az apa megállt, és óvatosan közelebb lépett egy résnyire nyitott, láthatóan frissen festett fehér ajtóhoz.

– Cecília, kérem – szólította meg Apus Anyuskát, aki erre menten elengedte Aliz kezét. A kislány ösztönösen az eddig mögöttük lépkedő Catherine mellé húzódott, és az ő kezét kereste. Egy pillanatra sem akart magára maradni. Úgyis nemsokára… nemsokára… Nemsokára őt is elveszíti. Igaz, hogy hazamegy Apuskáékkal, de ezentúl a húga, Ágota nevelőnője lesz. Aliz lehajtotta a fejét, és ezúttal eltörött a mécses. Catherine gyengéden megszorította a kezét.

– *Tiens! Ne pleurez pas donc... arrêtez, mademoiselle Alice.**

– Úgy tűnik, megérkeztünk – fordult vissza hozzájuk az apa, miután a feleségével együtt megvizsgálták az ajtóra kifüggesztett névsort. – Ez lesz az osztálytermetek, kislányom – mosolygott Alizra, aki a könnyein keresztül nézett vissza rá. – Hát akkor... – tette hozzá zavartan krákogva. – Cecília, drágám – fejével a lánya felé intett, mire a felesége engedelmesen újra megfogta a kislány kezét. – Talán menjünk be.

Mikor beléptek, Aliznak legelőször az tűnt fel, hogy a többi lánnyal már nem voltak ott a szülei. Bizonyára már mind levonultak az udvarra, és az évnyitó ceremóniát várták a fák alá kihelyezett székeken, a kis kerti színpad előtt, vagy átmentek a kollégiumi szárnyba, hogy leadják a lányaik bőröndjeit. Aliz arca ettől nyomban bíborvörös színt öltött, és legszívesebben odaszólt volna Apusnak, hogy menjenek ki ők is, hagyják őt itt a többiekkel. Másrészt viszont örült neki, hogy még egyelőre itt vannak mellette, alig egy karnyújtásnyira, még akkor is, ha érezte, hogy ők is zavarban vannak. Még Apus is, a szigorú, határozott, és *vele* mégis oly gyengéd és kedves Apus.

Aliz bátortalanul körülnézett, szemével a jövendő osztályfőnökét keresve. Nyilván a szülein és Catherine-on kívüli egyetlen felnőtt lesz az... ám hiába pásztázta körbe kétszer is tekintetével a termet, nem látott mást, csak hozzá hasonlóan riadt, megszeppent kislányokat.

---

* Nohát! Ne sírjon már... hagyja abba, Aliz kisasszony. (francia)

Például rögtön itt mellettük, az első padban az a gyászruhás, nyugtalanító tekintetű lány, akit már az utcán is látott, ugyancsak talpig feketébe öltözött édesanyjával. A lány már akkor is alaposan megbámulta őket, és most sem bírta levenni róluk a szemét. Aliz legszívesebben kinyújtotta volna a nyelvét, és rákiáltott volna: bááá! Ám ezt még otthon sem merte volna Apus előtt megtenni, nemhogy itt.

Ebben a pillanatban az osztályterem végében felállt egy középmagas, húszas évei közepén járó nő, és kedvesen mosolyogva Alizék felé fordult. Eddig azért nem vették őt észre, mert háttal ült nekik, és a legutolsó padban beszélgetett egy pityergő, kövérkés kislánnyal. Így pedig, sötétkék kosztümjében szinte teljesen beleolvadt az ugyancsak kék egyenruhába bújtatott lányok seregébe.

Aliz eltátott szájjal figyelte, ahogyan a fiatal nő a kezét már jó előre kinyújtva odalépett Apushoz, aki lehajolt, és megcsókolta a felajánlott kezet. A nő erre kissé zavartan kuncogott, ám mikor látta, hogy a férfi még nagyobb zavarban van, mint ő, elnevette magát, és kislányos, ám messze csengő hangján bemutatkozott.

– Jó napot kívánok! Kocsis Terézia vagyok, magyar- és franciatanár, egyben a kedves leányuk leendő osztályfőnöke.

– Kisztihand – rebegte Apus. – Nagyon örvendek. Szendrey Emil.

– Ó, gondoltam – csacsogott tovább a tanárnő, miközben Anyuskához lépett, és kezet fogott vele. – Mivel… már csak önök hiányoztak a névsoromból. Ő pedig – fordult mosolyogva, félrehajtott fejjel Aliz felé – bizonyára a mi leendő kis növendékünk, *Alice*.

– Aliz – helyesbített a kislány szinte súgva. – Én jobb szeretem így… – tette hozzá pirulva.

– *Alice*! – szólt rá Anyus halkan, de határozottan.

– Ó, hát akkor legyen Aliz – nevetett a tanárnő. – Milyen bájos név! Igazán illik hozzád!

Erre Aliz boldogan elmosolyodott, és rajongó tekintettel nézte ezt a fiatal karcsú lányt, aki ezentúl – úgy tűnik, valóban igaz! – az osztályfőnökük lesz. Milyen csinos és vidám! Szőke haja rövid, ondolált hullámokban bukkant ki sötétkék kalapkája alól, élénk kék szemét hosszú, fekete pillák árnyékolták. Kocsis Terézia szemmel láthatólag olyan teremtés volt, aki arra törekedett, hogy az égvilágon mindenkit rögtön levegyen a lábáról, legyen az férfi, nő vagy akár egy megszeppent, koszorúba font hajú kislány. És sikerült is neki – ezúttal biztosan. Az egész Szendrey család, beleértve Catherine–t, a nevelőnőt, megbabonázva, kissé ostoba ábrázattal bámulta őt.

Legalábbis ezt gondolta róluk a tőlük pár lépésre álló Groó Adél. *Micsoda birkák*! – biggyesztette el a száját. A csinos kis tanárnő pedig hogy édeleg velük. Bezzeg az ő mamájának épp csak bemutatkozott, és már lépett is tovább, a mellettük álló családhoz. Adél szívét sötét féltékenység szorította össze. Nem is csoda. Ez a lány, ez az *Alice*, vagy Aliz, mennyivel szebb, finomabb nála! Még a lehetetlen vidékies ruhájában is. Nem meglepő, hogy Terézia néni is így bájolog vele. Hiszen hasonlítanak is egymásra. Igen: szőke haj, kék szempár, makulátlan fehér arcbőr. Mintha csak a nővére lenne.

Míg ő! A fekete gyászruhájában amúgy is kilóg a sorból (Mama külön engedélyt kért rá, hogy legalább az évnyitó ünnepségen még ezt viselhesse, és ne az itteni egyenruhát: a fehér blúzt kék szoknyával és köténnyel), és egyébként is furcsa lehet, hiszen amióta Mama kitette innen a lábát, senki egy árva szót sem szólt hozzá. A többi lány már tétován, bátortalanul elkezdett ismerkedni, barátkozni, de ő hiába fordult bármelyikhez, szóra sem méltatták. Mi baj lehet vele? Az eddigi iskolájában sem volt sok barátja, de legalább nem utálták ki.

Talán a fekete ruha teszi. Adél alig várta, hogy végre levehesse, és magára öltse a csúf kötényruhát, amelyben beolvadhat a többiek közé. Papát úgyis élete végéig gyászolni fogja, azon mit sem változtat a ruha, amelyet visel. És akkor talán majd szóba állnak vele.

– Már nincs rá idő, hogy átöltözz, kicsi Aliz – hallotta meg hirtelen Terézia néni hangját. – Nem is baj! Oly édes vagy ebben a fehér ruhában. Akár egy kis angyal!

Adél ebben a pillanatban elhatározta, hogy szívből utálja ezt az *Alice*–t, és azon lesz, hogy megkeserítse minden egyes percét, amelyet ebben az átkozott iskolában tölt.

* * *

Nagy Iván, a fiatal kertész mohón kanalazta a bablevest, egyenesen a tűzhelyről levett bádogtálkából, egy hatalmas karéj fehér kenyeret harapdálva hozzá. Közben a nagyanyja, özvegy Suhajda Pálné, az Erzsébet királyné leányiskola mindenes gondnoka egyfolytában szapulta, ám ő – szokása szerint – a füle botját sem mozgatta.

Az a szerencséd, hogy a nagyságos igazgató asszony nem látott meg – pörölt az asszonyság, a fakanállal hadonászva. – Az menten kitette volna a szűrödet, ne félj! Még hogy meztelenkedni a növendék kislányok meg a szüleik előtt! Elment a maradék eszed is, te istenátka!

– Mondtam már, melegem volt – mordult vissza Iván

teli szájjal. – Egész reggel dolgoztam, és kutya meleg volt. Úgy izzadtam, mint egy ló.

– Márpedig itten meg kell tanulnod viselkedni, Iván – folytatta Suhajdáné kissé megenyhült hangon. – Meg kell becsülnöd magadat. Hálásak lehetünk Kőrösi igazgató asszonynak, amiért befogadott titeket. Neked tisztességes munkát adott, Irmuskát pedig vállalta, hogy kitaníttatja. Ingyen! Hát, megcsókolhatjuk a lába nyomát. Még most is emlékszem minden szavára: „Gizike, drága" – mondta –, „a maga unokáit mindig szívesen látom itt, az iskolában, ha olyan szorgalmasak és tisztességesek, mint maga."

Suhajdáné elhallgatott, és a szemét az ég felé emelve üdvözült mosollyal bámulta a foltos plafont, mintha csak valami szentről beszélne. Talán úgy is hitte; arról beszél. Iván, az unokája azonban csak megvetően horkantott egyet.

– Persze, felvett kertésznek. És mit fizet? Túrhatom itt a földet bagóért. Tudta, hogy nincs más választásom, és vissza is élt vele. Bezzeg, ha még mi lennénk hatalmon!

Suhajdáné erre megfordult a tengelye körül, a fiú elé penderült, és a kezét csípőre téve, fojtott, rémült hangon, közvetlenül az arcába mondta:

– Elment az eszed! Már tényleg elment! Meg ne halljak ilyet még egyszer! Nem elég, hogy... ej – az asszony legyintett –, hagyjuk. Csak azt vésd az eszedbe, fiam, hogy ha Kőrösi Pálma nem lenne, már régen fellógattak volna.

– Még nem – mormolta Iván, de igazából csak azért, hogy az övé legyen az utolsó szó. A nagyanyjának, akit Nyanyának hívott, amúgy igaza volt. Ha nem jöhettek volna ide Irmával, már biztosan elkapták volna. A többieket mind nyakon csípték, és most a dutyiban ülve várják a sorsukat. Ami valóban kötél lesz, efelől nincs kétség. Őt viszont a kutya sem kereste itt, a gazdag kisasszonyok iskolájában.

Az utolsó pillanatban jöttek ide, mivel Ivánnak sehogyan sem akaródzott éppen a Nyanyától segítséget kérni. Ámde hamar kiderült, hogy sajnos nincsen más választásuk.

A nagyanyjával már hosszú évek óta nem tartották a kapcsolatot. Suhajdáné annak idején még a lányával, Iván és Irma anyjával rúgta össze a port, amikor a szép, fekete hajú és fehér arcú Marika se szó, se beszéd férjhez ment egy jöttment angyalföldi hentessegédhez. Suhajdáné ezt sohasem bocsátotta meg a lányának. Iván igazán nem is értette, miért. Mégis, mire tartogatta volna a lányát? Egy egyszerű viciné* gyerekét? Hanem Suhajdáné minden reményét a lánya legendás szépségébe vetette, márpedig Marika híre még a külvároson is messze túljutott. Igazi urak, hivatalnokok, bankfiúk is koslattak utána. Ő meg azt az ágrólszakadt Nagy Józsit választotta, egy közönséges henteslegényt!

Az esküvő után évekig nem is találkoztak, csak amikor Józsit elvitték a háborúba, ahol szinte az elsők között esett el, és Marika betegen magára maradt a két gyerekkel. Ekkor Iván életében felbukkant Nyanya, aki már a puccos lányiskolában dolgozott, és felajánlotta, hogy magához veszi a gyerekeket. Erről az anya hallani sem akart, így újra csúnyán összevesztek, és Nyanya megint faképnél hagyta őket. Marika aztán a halálos ágyán meghagyta Ivánnak, hogy ha ő már nem lesz, mégiscsak béküljön ki a nagyanyjával. A fiú azonban nem teljesítette anyjá-

---

* Segédházmester felesége

nak ezt az utolsó kívánságát. Hiszen akkor már – tizenöt évesen – tudott dolgozni, elvállalt ezt-azt, és valahogy eltengődtek a húgával. Idén márciusban pedig felcsillant a remény, hogy végre révbe érhet, és soha többé nem lesz semmi gondjuk, sem neki, sem Irmusnak. Augusztusban azonban bekövetkezett az összeomlás, és ő menekülni kényszerült. Ekkor jutott eszébe Nyanya, aki szerencsére meglehetős szívesen fogadta őket, és mivel itt, az iskolában megbecsülték őt, különösebb kérdezősködés nélkül befogadták az unokáit is.

Irmusnak, szeretett kishúgának pedig valóban jó dolga lesz itt. Az a karót nyelt nagysád, a Pálma nevezetű tényleg rendesen bánt vele. Berakta a gazdag kisasszonyok, a burzsujok gyerekei közé. Hogy aztán miként fog ott boldogulni, az majd elválik. De legalább kapott egy esélyt. A húga kapott.

De ő, a báty nem marad itt örökké. Nem ám! Ezt a kertészkedést nem neki találták ki. Most egy darabig meg kell húznia magát, az igaz, és ehhez megfelel ez a hely, ámde Iván fejében már most különböző tervek forogtak. Ő már nem éri be ennyivel. Egyszer már belekóstolt, milyen az, amikor az övéi kezében van a hatalom. Amikor ő, a koldusszegény angyalföldi proli gyerek, aki addig alkalmi munkákból tartotta el magát és árván maradt kishúgát, egyszeriben egyenruhát kap, fegyvert adnak a kezébe, fényes autóban furikázzák a városban, és attól kezdve azt csinálhat, amit akar.

Ó, az volt csak a jó világ! Mindent elvenni a burzsujoktól, és a szegényeknek – például saját maguknak – adni. *A Föld fog sarkából kidőlni*[*]. Igen, csakhogy most nem volt

---

[*] Részlet az *Internacionálé*ból

ehhez elég idejük, hiszen alig pár hónapig tartott az egész, márciustól augusztusig. No, de sebaj. Lesznek még olyanok, akik megússzák a most zajló megtorlást, és egy nap még visszatérnek. Akkor pedig nem állnak meg félúton!

Ilyesmiket forgatott a fejében Iván, miközben az utolsó cseppig kikanalazta a bablevest. Egy darabig zajosan kaparászta a bádogedény alját, majd feltekintett a még mindig előtte álló nagyanyjára.

– Nincs még valami kaja, Nyanya?

Suhajdáné elmosolyodott, és megcsóválta a fejét. Hiába, nem lehet haragudni erre az Iván gyerekre! Ahogyan az emberre néz a fekete szemével… ami egészen a Marikáé. Sajnos szegény Irmus nem örökölte az anyja szépségét, de ez a fiú… Kár, hogy ilyen faragatlan, de ezen talán még lehet segíteni.

– Nesze! – mondta, és egy még langyos lekváros buktát tett a fiú elé az asztalra. – De aztán uzsgyi kifelé, gereblyézni. Szeretném, ha a Kőrösi nagyságos asszony látná, ahogyan szorgoskodsz.

Igen, ugyanis az igazgató asszony bizony szemmel tartotta Ivánt. Vagy talán csak a szemét legeltette rajta… Suhajdáné ismét elmosolyodott. Visszaemlékezett rá, hogy Kőrösi Pálma Irma unokáját nagylelkűen rögtön befogadta, ám arról először hallani sem akart, hogy a húszesztendős Ivánt is alkalmazza az iskolában. Végül az idős gondoknő rávette a munkáltatóját, hogy legalább találkozzon a fiúval, és addig ne utasítsa el végleg. Pálma asszony ebbe beleegyezett, hangsúlyozva, hogy csakis Suhajdáné kedvéért teszi ezt meg, és ne várjon tőle sokat. Ő azonban ekkor már biztos volt a dolgában. Tudta, hogy a jóképű Iván akárkit képes levenni a lábáról, kissé érdes modora ellenére (vagy tán éppen azért), legalábbis a női nem képviselői közül. És így is lett. Az igazgatónő a találkozó után menten eldöntötte, hogy mégiscsak szüksége van egy ilyen markos legényre az iskolát övező hatalmas park és kert rendben tartására. A régi kertész, a „bejárós" Zsiga bácsi már úgyis öreg és beteges... őt végül nem bocsátották el, de Nagy Ivánt kinevezték mellé segédkertésznek, és a nagysága abba is belement, hogy a fiú beköltözzön a nagyanyja, Suhajdáné kicsiny „kulipintyójába", amely a park végében lévő gazdasági épületek tőszomszédságában állt.

A növendékeken, az igazgatónőn, és néhány tanáron kívül csak ők laktak az iskola területén. Meg persze Cézár, a hatalmas farkaskutya, akinek szintén hátul volt a düledező ólja, közvetlenül a csirkék mellett. Az állatokat eddig Suhajdáné gondozta, ám Iván megérkezése után elsőként a kutyával barátkozott össze, és most már ő etette, sétáltatta Cézárt. Most is gondosan összeszedte a Nyanya konyhájában fellelhető csontokat és maradékokat.

– A kutyának lesz – magyarázta, mire Suhajdáné csak bólintott. Iván már az ajtóban járt, amikor még visszafordult egy pillanatra. – Benézek Irmushoz is.

Gyorsan kilépett, megelőzve ezzel Nyanya tiltakozását. Az öregasszony nem szerette, ha a kisasszonyok körül ólálkodott. No hiszen, a kisasszonyok. Felőle akárkik is lehetnek. Sápadt, nyeszlett csitrik! Ha tudná, mennyire nem érdeklik őt. Ő valóban csak a húgát szerette volna látni. Meg akarta tudni tőle, milyen volt az évnyitó ünnepség, és hogy ezek a gazdag leányok hogyan fogadták be őt.

Mert ha csak egy is görbén nézett rá, vagy csúnyán szólt hozzá, annak vele gyűlik meg a baja!

* * *

A tágas, fehér falú, egyik oldalán öblös ablakokkal megvilágított ebédlőben a lányok az életkoruk szerint ültek a hosszúkás asztalokhoz. A legfiatalabbak, a leendő elsősök foglaltak helyet a bejárathoz legközelebb, a tanárok emelvényen álló asztalának a közelében. A többi asztaltól szapora kanálcsörömpölés és vidám csevegés hallatszott, ám az „újak" egyelőre gyanakodva méregették egymást, és az ételből is csak ímmel-ámmal csipegettek.

Alizzal szemben a még mindig kisírt szemű, kövér leány ült, akit érkezésekor Terka néni, az osztályfőnökük vigasztalt. Azóta többször is eltörött nála a mécses, de az elfoglalt tanárnő helyett immár a társai próbálták csitítani. Köztük Aliz, akinek a gyengéd szíve mindig megesett a szenvedőkön. Még ha ő magának is éppen elég baja volt... ezekről azonban könnyebben megfeledkezett, ha másokon próbált segíteni. A kis kövér Gács Jolán, azaz Jojó azóta folyton a nyomában volt, akár egy szomorú szemű, lomha kiskutya.

Jojó mellett egy Pozsonyi Lenke nevű lány ült, aki csak itt az ebédlőben sodródott melléjük, ám Aliz rövidesen rájött, hogy mekkora szerencséjük volt vele. Lenke ugyanis bennfentes volt – a nővére már két éve ide járt, a „Pálmaházba", a szülei az igazgatónő jó ismerősei voltak, és Lenke minden tanárt, és ami a fő, minden iskolai pletykát jól ismert, és ezeket most meg is osztotta velük.

Miután az igazgatónőt és a tanárokat jól kibeszélték, Lenke – kissé közelebb húzódva hozzájuk – rátért a társaikra.

– Látjátok azt a rövid hajú lányt, ott az asztal másik végében?

Aliz egy pillanatra odanézett: Lenke arról a fekete ruhás lányról beszélt, aki az osztályteremben úgy megbámulta.

Már nem a fekete ruháját viselte, hanem ugyanolyan az egyenruhát, mint a többiek, csak a mellére tűzött fekete szalag jelezte a gyászát.

– Az igazgatónőtől tudjuk, hogy nemrég halt meg az apja. A Kommünben... a Dunából fogták ki a holttestét.

Aliz rémülten a szája elé kapta a kezét. *Jézusmária!* De hiszen ez borzasztó! Lopva újra a lányra nézett, de ezúttal egészen más szemmel. Szegényke! Ő pedig milyen csúnyákat gondolt róla. Ha tudta volna... Nem csoda, hogy ilyen furcsa... Lenke viszont ncm vesztegetett több szót Groó Adélra, hanem a vele szemben ülő sovány, mogorva arcú, fekete hajú lányra mutatott.

– Az pedig, képzeljétek, a gondnoknőnek, Suhajdánénak az unokája. Olyan... *ösztöndíjas.*

– Az mit jelent? – kérdezte Jojó bátortalanul.

Lenke megvonta a vállát.

– Azt, hogy nem fizet tandíjat. Minden évfolyamban van egy-két ilyen. Ja, és a bátyja is itt van, ő lett az új kertész. Mivel őt az iskolába mégse vehették fel!

Lenke jót kuncogott a saját tréfáján, Jojó pedig udvariasan utánozta őt. Aliznak viszont még mindig a gyászszalagos lányon járt az esze, és a szíve elfacsarodott. El is határozta, hogy ezentúl sokkal kedvesebb lesz hozzá. Ezért, amikor Adél is felé pillantott, és találkozott a tekintetük, rámosolygott. Adél azonban nem viszonozta a mosolyt. Megvonta a vállát, és elfordította a fejét. Aliz felsóhajtott, és újra belemerítette a kanalát a szinte még teli tányér bablevesbe. Nem szerette a bablevest – otthon sem ette meg soha. Most nem merte az egészet ott hagyni, ezért lenyelt egy-két kanállal, de most már úgy érezte, eleget kavargatta és kóstolgatta. Eltolta maga elől a tányért, és inkább nekilátott a desszertként kapott lekváros buktának, ami sokkal inkább ínyére való eledel volt.

Adél még egyszer megvonta a vállát, majd visszafordult Irmushoz, akivel az évnyitó ünnepség óta sülve-főve együtt voltak.

– Mondd, tényleg igaz, hogy neked itt van a nagymamád és a bátyád is? Nagy szerencséd van, hallod!

Irma felnézett a tányérjából. Apró, fekete szemében mindig valami sunyiság és gyanakvás bujkált, mintha folyton résen lenne, és azt figyelné, mikor kell támadnia vagy menekülnie. Legalábbis Adélnak ez volt az érzése, mikor újdonsült barátnője szemébe nézett. Ettől eltekintve *rettentő* érdekesnek találta Irmát – valószínűleg ezzel egyedül ő volt így. De nem biztos, hogy mások tudták, amit ő. Nevezetesen, hogy a vézna, szűkszavú lány annak a jóképű, izmos fickónak a húga, akit Adél az érkezésükkor a kerítésnél látott, és hogy egy teljes évvel idősebb náluk, sőt, már dolgozott is valahol. Nagy Irma tizenegy esztendős volt, habár ezzel egyáltalán nem rítt ki jól táplált, pirospozsgás arcú társnői közül. Valójában azonban kilógott a sorból, akárcsak ő, Groó Adél. A másik ösztöndíjas. A lány csak most, az évnyitó után tudta meg, hogy az igazgatónő az ő esetében is nagylelkűen eltekintett a tandíj befizetésétől „a családban történt sajnálatos tragédia" miatt. Ezt olyan szégyellnivalónak, alantasnak érezte! Amikor megtudta, hogy Irma is hasonló cipőben jár, azonnal odaszegődött az addig ugyancsak magányosan ácsorgó lányhoz. Nem is bánta meg! Hiszen azóta kiderült, hogy a lány bátyja a fiatal kertész, és a kontyos ősz gondnoknő a nagyanyja, akit „Nyanyának" szólított.

Adél pedig ösztönösen érezte, hogy csak hasznára válhat, ha jóban lesz ezzel a lánnyal. Még akkor is, ha Irma mindig olyan savanyú képet vág, mint aki citromba harapott. Arra úgysem igen számíthat, hogy mások barátkozni fognak vele. Legalábbis az első pár óra tapasztalatai ezt mutatták. Talán azért, mert ők az *ösztöndíjasok*? Ezért már kiközösítik őket? Adél elbiggyesztette a száját. Jól van hát, akkor majd ők ketten összefognak. Újra Irmára pillantott, aki elmélyülten kanalazta a bablevesét.

– Mondd csak, nem lehetne, hogy az osztályteremben is egymás mellé üljünk?

– Felőlem – válaszolta Irma közömbösen, majd alig észrevehetően megvonta a vállát.

Minek akaszkodik rá ez a lány? Csak nem azt hiszi, hogy mivel Nyanya és Iván is itt vannak, ebből valami előnye származhat? Na, azt ugyan lesheti!

Mikor végeztek a vacsorával, a tányérjaikat egyenként leadták egy pultnál, ahol a naposok és a konyhalányok átvették őket, és már adogatták is a mosogatóknak. A pultnál kicsit felágaskodva be lehetett kukucskálni a tágas konyhába, ahol a sürgő-forgó személyzetet egy óriási termetű, hájas és nagyhangú asszonyság dirigálta. Lenke oldalba bökte a mellette álló Alizt és Jojót.

– Nézzétek. Az ott Herta néni, a szakácsnő. Vagyis más néven a *Gorilla*.

Aliz kissé tanácstalanul nézett rá. Gorilla? Hiszen igaz, nagydarab, de…

Lenke elvigyorodott.

– Nézd a lábát!

Erre már Aliz is elkezdett kuncogni, fejét a két válla közé húzva. Jojó még ekkor is csak bután nézett rájuk.

Szegény Herta néni a rövid szoknyájához a konyha nagy melegében nem húzott harisnyát, és a lábát bizony sűrű, göndör fekete szőr borította. Lenke és Aliz önfeledten nevetgéltek ezen, amikor valaki fagyos hangon megszólalt a hátuk mögött.

– Nagyon vicces.

Mindketten megfordultak, és Lenkének az arcára fagyott a nevetés, mikor meglátta, hogy a fancsali képű Irma áll mögöttük, no meg a másik ösztöndíjas, a gyászruhás lány. Tudta, hogy Irma nagyanyja, Suhajdáné jó barátságban van a szakácsnővel, és ha beárulja őket, akár Kőrösi igazgatónő fülébe is eljuthat a tiszteletlenségük híre. Na, ez is jól kezdődik! A szülei letörik a derekát.

– Jaj, légy szíves, ne árulj el – kérte Irmát ijedten.

– Mit adsz érte? – kérdezte Irma szenvtelenül.

– Egy hétig… egy hétig megírom minden leckédet.

– Két hétig – vágta rá Irma.

– Rendben van.

Lenke szemmel láthatólag megkönnyebbült. Úgy látszik, egészen olcsón megúszta az egészet. Aliz pedig csak bámult: hát itt így mennek a dolgok? Önkéntelenül Adélra pillantott, aki maga is megrökönyödve nézte a két alkudozó lányt. Mikor azonban észrevette, hogy Aliz őt figyeli, csupán egy fagyos pillantást vetett rá, és még közelebb húzódott Irmához. Úgy látszik, újdonsült barátnője ismeri a dörgést. Újra megfordult a fejében, milyen szerencse, hogy éppen őmellé sodorta a véletlen és a sors. Sokat tanulhat tőle. El is határozta, hogy ha kettesben maradnak, megkérdezi tőle, hogyan leckéztethetné meg a fehér ruhás lányt, Terka néni kis kedvencét. Ugyanis hiába törte a fejét, eddig nem jutott eszébe semmi épkézláb ötlet. Ráadásul úgy tűnik, a másik lány most meg már barátkozni akar vele. Azt már nem! Neki nem kell olyan barátság, amit alamizsnaként adnak.

A lelke mélyén ugyanis érezte, hogy ő soha nem lehetne egyenrangú fél egy ilyen barátságban.

* * *

Másnap reggel az osztályteremben a húsz lány izgatottan kereste a nevét a padokon. Előző este az osztályfőnökük, Terka néni megmondta nekik, hogy így tudják majd meg, ki hol fog ülni. A tanárnő elárulta, hogy nem ábécésorrendben, és nem is egyéb, semleges szempontok alapján rendezte el őket, hanem – a szavai szerint – „ahogyan szíve súgta". A húsz lánynak – akik egyforma hálóingükben és frottír köntösükben, eltátott szájjal, csillogó szemekkel hallgatták a csodálatos Terka nénit –, ezután már nem volt olyan nehéz az első éjszaka az idegen, kopár falak között. A húsz elsőst két tízágyas hálóba osztották be, de elalvás előtt az osztályfőnök – aki maga is az intézmény falai között lakott, a tanároknak fenntartott szárnyban – mindegyiküket összeterelte a 10-es számú hálóba, ahol Aliz, Jojó, Adél és Irma is lakott. Terka néni törökülésben letelepedett az egyik vaságyra, és maga köré gyűjtötte a kislányokat. Vagy egy órát beszélgettek így. A tanárnő röviden beszámolt róla, mire számíthatnak az elkövetkező napokban, beszélt a többi tanárról, az órarenden kívüli programokról, és egyáltalán, igyekezett az Erzsébet királyné leányiskolát a földkerekség legmókásabb, legizgalmasabb helyének lefesteni.

Ez részben sikerült is, hiszen a családi fészekből egyszeriben kipottyant, vadidegen helyre került alig tízéves kislányok szerették volna elhinni minden egyes szavát. Még akkor is, ha önkéntelenül is felmerült bennük a kétely: valóban olyan remek hely lenne ez? A szigorú igazgatónővel, a vastag, fehér falakkal, az alkóvos ablakokkal, és a borzalmas egyenruhával, amelyet mintha szándékosan olyanra terveztek volna, hogy senkinek se álljon jól?

No de mégiscsak itt volt a mosolygós, kedves Terka néni, akire nemcsak nappal, de éjszaka is számíthattak. Hiszen megígérte, hogy – habár a tanári lakrész az épület túlsó felében volt – minden éjjel többször átjön majd ide, és megnézi, nincs-e szükségük valamire. Akárcsak egy pótmama… (Azt már nem tette hozzá, hogy ez a szabályzat szerint kötelessége is. Így könnyebben begyűjthette a kislányok hálás tekintetét és mosolyát. És persze jóval könnyebben rávette magát erre az igencsak kellemetlen feladatra.)

Másnap tehát az elsősök izgatottan csicseregve, és felfelkiáltva járkáltak a padok között. Adél csalódottan vette tudomásul, hogy végül nem Irma, hanem egy Tiborcz Margit nevű lány mellé került, akire tegnapról nem is emlékezett. Mikor aztán megjelent mellette, nem is csodálkozott ezen. Unalmas, butácska teremtésnek tűnt, csúf, fémkeretes szemüveggel. Na, ennyit a Terka néni jó szívéről, meg arról, amit súgott neki… Adél hirtelen körülnézett, és elhúzta a száját. Bezzeg a fehér ruhás (magában csak így hívta Alizt) a barátnője, Lenke mellé került, az első padba. Sőt, mi több, még a kis duci Jojó is mögöttük ült. Hát persze, gondolhatta volna… Még egyszer körülnézett, hogy megkeresse Irmát. A fekete hajú lány nem messze tőle, két sorral hátrébb, közvetlenül az ablak mellett ült, egy kis ijedt, egérarcú lány mellett. Adél úgy emlékezett, Böbének hívták, és ő is a hálójukban lakott. Nem sok vizet zavart, talán még egyszer sem hallották a hangját. Adél csalódottan sóhajtott egyet, és megvonta a vállát. Valamiért biztos volt benne, hogy Terka néni a két ösztöndíjast egymás mellé ülteti majd. Hiszen tegnap láthatta is, hogy együtt voltak. Ám valószínűleg nem is figyelt rájuk. Adél ismét elhúzta a száját, és hátrafordult Irmához. Rámosolygott, de a lány nem viszonozta.

Ebben a pillanatban a terembe belépett Terka néni, mire a lányok mind a helyükre ugrottak. Amikor a tanárnő fellépett a katedrára, és az osztálynaplót az asztalra téve szembefordult a növendékeivel, azok egy emberként, lelkesen kiáltották (ahogyan azt már tegnap megtanították nekik):

– Jó napot kívánok, Terézia néni.

– Jó napot kívánok! – mosolygott a tanárnő. – Leülhettek. Nos… – karba tett kézzel áll, tekintetét körbehordozta az osztályon. Mindenki elégedett a helyével?

Egy ideig senki sem mozdult, majd Adél meglepetten látta, hogy a mellette ülő Margit bátortalanul feltette a kezét.

– Igen – intett a fejével Terka néni. – Tessék, Gitta.

A lány felállt, és zavartan megigazította a szemüvegét.

– Terézia néni, én… innen nem látom jól a táblát.

– Á! – bólintott a tanárnő. – Valóban, erre gondolhattam volna – a tanárnő az első padsorokban ülő lányok felé fordult. – Nos, kislányok. Ki cserél helyet Gittával?

Egyszeriben minden fej hátrafordult, mire a zavartan álldogáló Gitta elpirult, és újra helyére tolta a folyton lecsúszó szemüvegét. Holott nem is őt nézték, hanem a mellette ülő Adélt. Hiszen ha valaki helyet cserél Gittával, az mellé fog kerülni…

Hosszú pillanatokig senki sem mozdult. Már-már Adél is elvörösödött a rászegeződő tekintetek kereszttüzében. *Senki sem akar mellém ülni* – gondolta elszoruló torokkal, amikor hirtelen felemelkedett egy kéz. Adél szeme elkerekedett, és nagyot nyelt. Aliz jelentkezett.

– Tessék – szólította fel az ugyancsak meglepődött Terézia, mire a lány azonnal felpattant.

– Terka néni kérem, én szívesen helyet cserélek Gittával – jelentette ki csengő hangon.

– Nocsak… hát ez nagyon szép tőled, Alice! Akkor… kérlek, fogd a holmidat, te is Gitta, és üljetek át.

Mikor ez megtörtént, a tanárnő újra körülnézett.

– Szeretne még valaki máshová ülni?

Teljes csend volt a válasz.

– Jól van. Ha nem… akkor el is kezdhetjük az első magyarórát, lányok. Kérlek, vegyétek elő az irkátokat, és egy tollat.

A növendékek szó nélkül engedelmeskedtek. Adél lopva oldalra pillantott, és látta, hogy Aliz ragyogó mosolylyal néz rá. Nem tehetett mást: viszonzásul ő is kényszeredetten elmosolyodott.

Az órák alatt, és még a szünetekben sem szóltak egymáshoz. Alizt minden óra után valóságos lánykoszorú vette körül – jókedvűen fecsegtek és nagyokat kacagtak, Jojó és Lenke vezetésével, míg Adél Irmához húzódott. Az egyik ablakban pusmogtak, időnként gyanakvó pillantásokat vetve a többiekre.

Az utolsó órájuk számtan volt, és a tanár úr, bizonyos Gombos Géza, aki középen elválasztott fekete hajat viselt és szigorú szemüveget hordott, *rengeteg* leckét adott fel nekik, mindjárt másnapra. Mikor kicsengettek, a lányok csüggedt sóhajjal, fáradtan csukták be az irkájukat.

– Phű! – mondta Aliz, maga elé nézve, és látszólag senkinek sem címezve a szavait. – Ezt jól kifogtuk – hirtelen oldalra fordult, és Adélra pillantva folytatta. – Nem igaz?

– Ühüm – mormolta a másik lány.

Aliz várt egy kicsit, ám mivel ennél többet nem kapott válaszként, másra terelte a szót.

– Te, én hallottam, mi történt az apukáddal... – Adél felkapta a fejét, és tágra nyílt szemmel nézett Alizra, aki gyengéd hangon folytatta. – Nagyon sajnálom. Őszinte részvétem.

– Köszönöm – mormolta Adél vonakodva, majd lehajtotta a fejét, jelezve, hogy nem áll szándékában tovább társalogni. A következő pillanatban azonban érezte, hogy egy könnyű kéz elkezdi simogatni a haját. Összerezzent, és szeretett volna elhúzódni, ám mintha valami furcsa bénultság vett volna erőt rajta. Nem mozdult, de nem is nézett fel.

– Olyan szép a hajad – hallotta ismét Aliz kedvesen búgó hangját. – Én is mindig szerettem volna ilyen rövid apródfrizurát, de persze Apuska nem engedte...

Adél erre felkapta a fejét, és a másik lány koszorúba font, aranyszínű fürtjeire meredt. Valami eszébe jutott, és szélesen elvigyorodott.

– Pedig jól állna ám neked a rövid haj – mondta elkomolyodva. – Na de, ha nem engedik... – a vállát vonogatta.

Aliz egyszeriben megijedt a saját meggondolatlan szavaitól, és gyorsan szabadkozni kezdett.

– Igen, igen, Apus letörné a derekam, tudod – felemelte a kezét, és megérintette a fejére erősített fonatokat. – Meg aztán már meg is szoktam, hogy ilyen... ilyen...

– Régimódi – fejezte be helyette is Adél, majd elfintorította az orrát. – Illik is hozzád – tette hozzá megjátszott kedvességgel, mintha csak bókolna. Aliz zavartan hallgatott. Ezúttal már Adél vette át a kezdeményezést.

– Hogy is hívnak téged? – kérdezte. – *Alice* vagy Aliz?

– Az Alizt jobban szeretem – válaszolta a másik lány lelkesen, örülve, hogy végre más témát találtak. – De... otthon Lizinek szólítottak – tette hozzá pirulva.

– Lizi! – Adél szeme felcsillant.

– Igen. És te... téged szoktak becézni?

– Nem – vágta rá Adél. És ez igaz is volt. Papa néha Lédának szólította, az Ady–versek nyomán, de a lány ezt gyűlölte, és mástól aztán végképp nem viselte volna el. – Engem mindenki Adélnak hív.

– Szép név – mosolyodott el Aliz. – Igazán... nem lehetnénk mi barátnők? – kérdezte tétován, félrehajtott fejjel. – Mindkettőnk neve A–val kezdődik, és négybetűs. Ez akár jó előjel is lehet, nem gondolod?

Adél elgondolkodva a homlokát ráncolta. Való igaz. Erre még nem is gondolt. Végül Alizra nézett, elmosolyodott, és bólintott.

– Dehogyisnem. Hát, legyünk barátnők!

Kinyújtotta a kezét, amelyet Aliz megfogott. Nagy komolyan kezet ráztak, majd mindketten elnevették magukat.

Egyikük sem vette észre, hogy Jojó féltékenyen figyeli őket a padból, az ablak mellől pedig Irma vet rájuk sötét pillantásokat.

* * *

Néhány hét elteltével már egyértelművé vált, hogy a két lány, Groó Adél és Szendrey Aliz szinte a véletlennek köszönhetően elválaszthatatlan barátnők lettek. *A furcsa pár* – csak így hívták őket, különösen azok a társaik, akik kissé féltékenyen és értetlenkedve nézték a fejleményeket.

Az osztályfőnök, Terka néni is csak a fejét csóválta, valahányszor a szobájában eszébe jutott a különös barátság. Ó, hiszen olyan ez a két lány, mint a tűz és a víz! Talán mégis igaz az elcsépelt közhely, hogy az ellentétek vonzzák egymást. Ő soha nem gondolta volna, hogy ez a két lány így összebarátkozik, pedig azt hitte, jól ismeri a gyermeki lelket. Azt már magának is csak félig-meddig vallotta be, hogy míg Alizt rögtön a szívébe zárta, Adéltól még mindig idegenkedik kicsit. Hogy miért, maga sem tudta. Volt valami ellenszenves abban a lányban. Talán a tekintete… No, de várjuk ki a végét!

Az újdonsült barátnők azonban nem törték a fejüket ilyesmiken. Ők csak jól érezték magukat egymás társaságában, és sülve-főve együtt voltak – a hálóban is lekenyerezték Adél ágyszomszédját, egy felvidéki nemesi család fakó kis leszármazottját, Ágothay Ágnest némi süteménynyel, hogy cseréljen helyet Alizzal. Talán a sütemény nélkül is megtette volna, ám a barátnők biztosra mentek. Még a duci Jojó is örült ennek, hiszen így Aliz másik oldalára ő került a hálóban. Lassacskán Aliz többi barátnője is megenyhült a lány iránt, hiszen egyrészt nem is lehetett rá soká haragudni, másrészt kedves, nyílt természetének köszönhetően ő mindenkivel egyszerre jóban tudott lenni. Persze, Adél volt az első számú barátnője, és ebből nem is csinált titkot, de ügyesen és finoman megoldotta, hogy a többiek sem érezzék úgy, kiközösítették őket.

Az egyetlen, aki igazán rosszul járt, Nagy Irma volt, őt azonban szemmel láthatólag nem különösebben zavarta, hogy Adél immár cseppet sem törődik vele. Egyébként is magának való, visszahúzódó teremtés volt – legalábbis olybá tűnt mindenkinek.

A két lány a tanulmányaiban is szerencsésen kiegészítette egymást. Aliz sokkal jobb volt számtanban és latinban, Adélnak pedig a történelem, a magyar és a francia ment könnyebben. A némettel mindketten megszenvedtek – az elemi iskolában ugyan tanulták már ezt a nyelvet, és Adélnak Papa annak idején sokat segített benne, de mivel mindkettejüknek francia nevelőnőjük volt, így azt sokkal természetesebb és magától értetődőbb módon sajátították el, és nem különösebben rágódtak a bonyolult nyelvtani szabályokon. A némettanár, Frau Binder viszont igencsak szigorú volt – mint ebben az iskolában különben mindenki, csupán az volt a kérdés, mennyire. Nos, ha az elsősök ebből a szempontból rangsort állítottak volna fel, Frau Binder közvetlenül Gombos Géza tanár úr után következett volna. A sor legvégére pedig az édes-aranyos Terka néni került volna, akivel – mindenki úgy érezte – megfogták az Isten lábát ebben a Pálmaháznak becézett félelmetes intézményben.

Egyetlen óra volt csak, amikor Adélnak és Aliznak el kellett szakadniuk egymástól: a hittan. Mivel Aliz református volt, ő dr. Zord László lelkész óráira járt, míg a katolikus Adél Rozsos Ármin atya foglalkozásaira. Következésképpen mindketten szívből utálták a hittant, amiről pedig a többi lány úgy vélte, hogy valóságos kikapcsolódás a többi órához képest.

Szeptember végére egyébként a kezdetben még megszeppent, és a fehér folyosókon ijedt ábrázattal surranó elsősök kezdtek beleszokni a Pálmaház rutinjába. *Áh, ki lehet ezt bírni* – biztatta őket a bennfentes Lenke még a kezdet kezdetén, ám ők hitték is ezt, meg nem is. Akkor a legtöbben meg voltak győződve róla, hogy vagy sürgősen hazavitetik magukat a szüleikkel, vagy bele fognak pusztulni a honvágyba meg a magányba – mostanra azonban lassacskán megértették, hogy mindezekbe azért nem olyan egyszerű belehalni, és idővel ki is lehet gyógyulni a „kórból". Az első hónapban még kímélték őket, de mostanra már naposnak is beosztották a legkisebbeket mind a konyhán, mind a kertben. Ők pedig többségükben örültek ennek: úgy érezték, hogy ezzel ők is az iskola teljes jogú növendékei lettek, nem csak amolyan kis *taknyosok*, ahogyan az idősebb lányok előszeretettel nevezték őket.

* * *

Az első hosszabb vakáció, a karácsonyi két hét előtt szinte tapintani lehetett az egyre növekvő izgalmat. Különösen, hogy egészen korán, már december első napjaiban leesett a hó, és az iskola parkja az épület mögött sorjázó fenyőkkel úgy festett, akár egy giccses karácsonyi üdvözlőlap. Néhány napja pedig már a családtagoknak szánt karácsonyi ajándékokon is elkezdtek dolgozni a lányok: Terka néni segítségével zsebkendőt hímeztek, mézeskalácsot sütöttek Herta nénivel, sőt, a vállalkozó kedvűek még gyertyát is öntöttek Zsiga bácsival, az öreg kertésszel.

Kivált a vidéken, a fővárostól messze lakó növendékek várták szívrepesve a szünidőt. Aliz az utóbbi időben másról sem beszélt barátnőjének, mint hogy mennyire jó lesz viszontlátni mindenkit a kisszendrői házban: a szüleit, Andor bátyját, aki szintén csak vakációzni utazik haza Mosonmagyaróvárról, ahol gazdasági iskolába jár, a húgát, Ágókát, és a nevelőnőjüket, Catherine-t. Adél a maga részéről már unta is egy kicsit ezt az előre lefestett karácsonyi családi idillt. Miközben hallgatta a másik lányt, néha elhúzta a száját, égnek emelte a szemét, vagy éppen elnyomott egy ásítást. Aliz azonban ezt vagy nem vette észre, vagy nem vette a szívére. Rendületlenül ömlengett tovább a „szent családról" – ahogyan Adél magában Szendreyéket nevezte.

Ő a maga részéről egyáltalán nem várta a szünidőt. Tudta, hogy őt otthon úgyis csak Mama várja. De nem is ez volt a baj, hanem hogy Mama mostanában egyre furcsábban viselkedett. Ugyan betartotta a lányának az évnyitó napján tett ígéretét, és gyakran meglátogatta őt (ha nem is minden hétvégén), és időnként még el is vitte magával sétálni, cukrászdába, moziba. Volt, hogy Alizt is elhívták. Mégis, mintha valami nem lett volna rendben… Adél nem tudta volna megmondani, mi zavarta őt Mama viselkedésében, hiszen mindig kedves volt, figyelmes, megértő. Talán túlságosan is.

Adél sehogyan sem tudta kiverni a fejéből a gyanút, hogy Mama valójában azért íratta be ebbe az iskolába, mert meg akart tőle szabadulni. Hiába tudta az eszével, hogy annak idején még Papával együtt választották ki neki a Pálmaházat, a szíve mást súgott.

Talán mindketten meg akartak tőle szabadulni? Nem, nem, az lehetetlen. Papa szerette őt, a mindene volt! *Ó, ha ő még élne!* Mennyire másképp készülne akkor erre a karácsonyra.

Adél hirtelen az ölébe eresztette a karácsonyi ajándéknak szánt zsebkendőt, a csúf kis hímzett virágokkal a sarkában, és minden átmenet nélkül elsírta magát. Aliz, aki éppen a kisszendrői hagyományos betlehemezésről tartott hosszú beszámolót, döbbenten elhallgatott. A barátnőjének gyakran voltak olyan megnyilvánulásai, amelyek meglepték, sőt olykor meg is rémisztették őt, és most sem tudta, hogyan reagáljon erre a hirtelen és minden előjel nélküli hangulatváltozásra. Tanácstalanul körülnézett, ám látta, hogy sem Terka néni nincs a közelükben, sem olyan barátnőjük, akitől segítséget kérhet. Így hát belátta, hogy neki egyedül kell kezelni a helyzetet. Lehajolt a zokogó Adél mellé, és az arcát a másikéhoz szorította.

– No, hát most meg miért sírsz? Te buta! Hagyd abba – nézd, összemaszatolod a szép zsebkendőt, amit a Mamádnak szánsz!

Adél erre felemelte a fejét és ismét minden átmenet nélkül kacagni kezdett. Aliz döbbenten, tágra nyílt szemmel nézte egy darabig, majd félénken ő is elnevette magát.

Magában pedig azt gondolta, hogy igazán nem is lesz baj, ha egy kis időt mindketten egymástól távol, a családjaikkal töltenek.

* * *

Nagy Iván, a kertész tetőtől-talpig melegen bebugyolálva lapátolta a havat a koromsötét decemberi hajnalon. Más helyzetben között élvezte volna a kemény munkát és a körülményeket: a talpa alatt ropogó, friss havat, a harapós, jéghideg levegőt, a lapátja nyomán megtisztuló ösvényeket és utakat a parkban, most azonban folyamatosan dohogott magában. Meddig kell még itt gürcölnie, ezen az elátkozott helyen? Persze, persze, Nyanyának igaza van, hogy mégiscsak sokkal jobb itt neki, mintha a börtönben rohadna, de akkor is… Ha jobban belegondol, nincs is olyan nagy különbség a börtön és az intézet között. Még akkor sem, ha annyi csinos, fiatal lány veszi körül, mint égen a csillag – és nem csak folyvást itt csiviteltek a közelében, de még jó alaposan meg is nézték maguknak. Iván önkéntelenül elvigyorodott, amint ez eszébe jutott. No, igen, a sok vihogó, sugdolózó, vele lopva forró pillantásokat váltó ostoba csitri. Magában mélységesen lenézte őket, de mi tagadás, élvezte, hogy megbámulják, mint egyetlen fiatal hímnemű egyént az egész iskola területén. Legalábbis ő azt gondolta, ez a sikerének az elsőszámú oka. Az eszébe sem jutott, hogy esetleg jóképű és vonzó lenne. Ilyen butaságokkal ő nem törődött.

Iván hirtelen felegyenesedett, és a lapátjára támaszkodva abbahagyta a munkát. Az iskola jobb szárnyában, a tanári lakások oldalán az egyik ablakban halvány villanyfény gyulladt fel. Lám, más is korán kel, nem csak ő. Nagyon jól tudta, kinek az ablaka az, és most felsóhajtva, reménykedve várta, hátha megrebben a sötétítő függöny, és ő megpillanthatja a szoba lakójának az arcát, ha csak egy pillanatra is. Ám ez nem következett be, így Iván újra fogta a lapátját, és folytatta a hó eltakarítását. A száját összeszorította, és fekete szemében furcsa, dühös fények villantak.

Ilyen az élet. Egyvalakitől várná szívrepesve, hogy észrevegye, hogy legalább egy kedves szóra, egy barátságos pillantásra méltassa, de ő, egyedül ő levegőnek nézi, és még a köszönését is csupán foghegyről fogadja. Csak tudná, mire van olyan nagyra ez a tanár kisasszony, ez a Kocsis Terézia! Ráadásul Irmus osztályfőnöke…

Iván jól emlékezett az évnyitó napjára, amikor a húgát keresve első ízben pillantotta meg a magas, karcsú, szőke hajú tanárnőt. Azóta egy percre sem tudta kiverni őt a fejéből, és – még ha ezt vonakodva vallotta is be magának – nagyrészt neki volt köszönhető, hogy még itt eszi a fene. Nyanyát, és talán még a kis Irmust is már régen itt hagyta volna – hiszen jó helyen vannak! Amint azonban eszébe jutott Terézia csillogó kék szeme és csengő kacagása, máris elment a kedve mindenféle szökéstől.

Egyébként is, hová menne? Csakis külföldön lehetne keresnivalója, ebben az országban a magafajtáknak most nem terem babér. És ki tudja, fog-e valaha! Az újságok híreiből tudta, hogy régi elvtársai közül sokaknak sikerült kiszökni Bécsbe, onnan meg Moszkvába...

Igen, talán ezt kellene tennie, méghozzá mielőbb. Ám előbb meg kell próbálnia megszerezni Kocsis Teréziát. Kerül, amibe kerül!

Iván egy futó pillantást vetett a kivilágított ablakra, amely mögött továbbra sem moccant semmi. A fiú lehajolt, és a hólapátot dühösen belevágta egy közeli fenyőfa törzsébe, majd hangosan káromkodva söpörte le magáról a megbolygatott ágakról rázúduló havat. Ez az átkozott tanárnő! Csak ez ne lenne! Őmiatta életében először azt sem tudja, hányadán áll magával és az egész élettel.

Közben sűrű pelyhekben megint hullani kezdett a hó, és látta, hogy ha így megy tovább, egy órán belül semmilyen látható eredménye nem marad a munkájának. Elkeseredetten még hangosabban kezdett káromkodni, majd elindult hazafelé, Nyanya kunyhójába. Útközben a hatalmas hólapátot nagy zajjal bedobta az egyik fészerbe a park végében.

Napközben aztán az osztályfőnökök több alkalommal is kiparancsoltak egy-egy csapat lányt, hogy segítsenek Ivánnak és Zsiga bácsinak havat lapátolni, ugyanis a két kertész, és az idős gondnoknő hármasban nem győzték a harcot az elemekkel. Iván annak örült a legjobban, amikor az elsősökre került a sor, közvetlenül ebédidő előtt. Egyrészt, mivel a húga, Irma is köztük volt, s így válthattak néhány szót (egyébként Kőrösi Pálma valóban nem nézte jó szemmel, ha gyakran érintkeztek), másrészt, mert ezeknek a kislányoknak még eszükbe se jutott, hogy vele kacérkodjanak. Persze, ők is idegesítően vihorásztak, de hál' istennek csak egymást piszkálták vagy dobálták meg lopva hógolyóval, Ivánt békén hagyták. No és természetesen velük volt az osztályfőnökük, Terka néni, aki többkevesebb sikerrel próbálta őket megfékezni a viháncolásra ingerlő, puha fehér hóban.

– Ejnye, kislányok! – szólt rájuk néha, nem túl nagy meggyőződéssel, hiszen láthatólag ő is élvezte a lapátolást a hóesésben, amitől néhány perc múlva mind kimelegedtek, és az arcuk kipirosodott. A tanárnő zilált hajával, vörös orrával maga is olyan volt, akár egy diáklány, és Iván, ha a közelségétől boldogan dobogó szívvel lopva vetett rá egy-egy pillantást, mindannyiszor megállapítva, hogy Kocsis Terézia – bármit csinál, bármit vesz magára –, gyönyörű, és ő akár ebben a minutumban feleségül venné…

Ekkor hirtelen éles sikoltást hallottak, és mindenki a hang irányába nézett. Két elsős, Zsuzska és Toncsi, akik eddig is folyton azon mesterkedtek, hogy havat csúsztassanak a társaik nyakába, most Szendrey Alizt szemelték ki maguknak. Mivel a lány résen volt, az alattomos terv nem sikerülhetett, de az egyikük azért lekapta a sapkáját, és kacagva messzire elhajította.

– Kislányok! Zsuzska!

Terka néni lélekszakadva rohant oda hozzájuk, hogy rendet tegyen.

– Elég legyen! – ripakodott rá a bajkeverőkre. – Ti ketten visszamentek az osztályterembe, és ma nem kaptok ebédet. Megértettétek?

A két lány az orrát lógatva elballagott, Terka néni pedig Aliz felé fordult, aki még mindig hajadonfőtt álldogált a szakadó hóban.

– Hol van a sapkád? – kérdezte a tanárnő, mire Aliz megvonta a vállát.

– Eldobták valahová – mondta, majd tanácstalanul körülnézett.

– Én látom, ott van – kiáltott fel a közelükben álló Adél, és a fenyőfák felé mutatott, ahol a fehér hóban apró piros pöttyként virított a barátnője svájcisapkája. – Elmegyek érte – jelentette ki, és a következő pillanatban el is indult, még mielőtt Terka néni megállíthatta volna.

Egyszeriben a lányok és a tanárnő is felsikoltottak. Adél ugyanis eltűnt a szemük elől – ebben a pillanatban eszméltek rá, hogy itt egy árok húzódik, amit a hótól már nem láttak, ráadásul a félrelapátolt havat is abba hordták. A rémülettől sóbálvánnyá merevedve álltak, és azt a helyet bámulták, ahol utoljára látták Adélt.

Az első, aki bámészkodás helyett cselekedett, Nagy Iván volt. Azonnal az árokba ugrott, amelyben ő csak derékig merült el, és kihúzta onnan a vacogó, rémült, de azért a megmentőjére boldogan mosolygó lányt.

– Szent ég, rögtön indulás befelé – sopánkodott Terka néni a kezét tördelve. – Méghozzá mindnyájan. Mára elég volt a komiszkodásból és a balesetekből.

A lányok sóhajtozva és méltatlankodva sorakoztak, hogy visszainduljanak az iskolába, amikor Nagy Iván az osztályfőnök felé fordult, és félénken megszólította.

– Tanár kisasszony… én még… visszahoznám a kisleány sapkáját is.

Ó igen, a sapka! Arról egészen elfeledkeztek. Terézia Aliz felé pillantott, aki még mindig hajadonfőtt állt az árok és az onnan kihúzott Adél mellett. Aranyszőke fonatain megültek a hópelyhek, és fehér koszorút vontak a fejére.

– Rendben – bólintott a tanárnő. – De igyekezzen, jóember, még megfagynak ezek a lányok.

Iván biccentett, majd a térdig érő hóban hatalmas ugrásokkal elszaladt a sapkáért. Mikor visszaért vele, lerázta róla a havat, majd ügyetlenül megpróbálta Aliz fonatait is lesöpörni.

– Nohát, milyen szép haja van a kisasszonynak – mormolta. – Na, kész – tette hozzá hangosabban, és Aliz fejére igazította a sapkát. – Maga egészen olyan, mintha a húga lenne a tanár kisasszonynak – mondta, rácsodálkozva a felé fordított arcocskára, majd Terézia felé fordult. A tanárnő elnevette magát.

– Á, ugyan! Aliz nem a húgom. Habár… hízelgő, hogy ezt gondolja – tette hozzá fejcsóválva. – No de most már gyerünk befelé. Lám, a többiek már mind visszaértek.

Terézia a két lányt maga előtt terelve elindult az iskolaépület felé. Közben kényelmetlen érzése támadt, mintha valaki merőn bámulná. Visszanézett, és meglepődve látta, hogy a fiatal – és mi tagadás, meglehetősen jóképű – kertész majd' elnyeli a szemével.

„Nahát" – csodálkozott magában, és úgy belemerült a gondolataiba, hogy észre sem vette, Adél milyen furcsa tekintettel bámulja hol őt, hol Alizt, hol, a fejét hátra forgatva Nagy Ivánt, aki még mindig mozdulatlanul állt az árok mellett.

* * *

A karácsonyi vakáció után, 1920 januárjában, az újévet követő első vasárnapon Groó Adél volt az egyik legelső növendék, aki visszatért a „Pálmaházba". Egész nap érkezhettek a lányok a kollégiumba, így a legtöbben délutánra vagy estére időzítették a visszajövetelt. Adél azonban már reggel nyolc óra körül megjelent az édesanyjával, Terézia néni legnagyobb döbbenetére, aki még az ágyában heverészett, amikor szóltak neki, hogy megérkezett az első tanítványa a kollégiumba. Most álomittasan, sebtében magára kapott öltözetben állt a két fekete ruhás alak előtt – Adél, úgy látszik, otthon visszavette a gyászruhát, özvegy Groóné pedig nyilván még le sem vetette. Még a fátyol is a kalapján volt, csak most azt a tanárnő előtt felhajtotta. Világos, zöldes árnyalatú szeme körül azonban karikák sötétlettek, és megint gyanúsan ki is volt vörösödve, mintha nemrég sírt volna.

Miután a két nő köszöntötte egymást, Groóné halkan magyarázkodni kezdett.

– Kedves tanárnő, Adél mielőbb vissza szeretett volna jönni. Azért érkeztünk ilyen korán. Jól érzi magát itt, az önök iskolájában – tette hozzá szomorú mosollyal, és az egyik kezét Adél vállára tette, anélkül, hogy ránézett volna. Terézia tekintete azonban önkéntelenül is a kislányra siklott, és látta, hogy az ő szeme is ki van sírva. Ejnye, hát nem csoda, hogy ennyire vissza akart jönni. Még ha – ebben a tanárnő egészen bizonyos volt – nem is érezte magát itt olyan csodásan.

– Jól van – bólintott, és rámosolygott a kislányra. – Akkor menjünk. Majd én segítek neki bevinni a táskáját – fordult az özvegy felé. – Akár itt is elbúcsúzhatnak.

Erre mindketten mintha megkönnyebbülten felsóhajtottak volna. Az anya menten le is hajolt, és a két kezébe vette a lánya arcát.

– Hát isten veled – mondta. – Viseld jól magad, kislányom.

Adél nem válaszolt. Anyja még kétoldalt megcsókolta, kezet fogott Teréziával, majd hátat fordított nekik, és sietős léptekkel elindult az egyelőre kihalt folyosókon a kijárat felé.

Terézia felvette a földről a kisméretű gyerekbőröndöt, szabad kezét pedig Adélnak nyújtotta.

– Hát, mesélj – kezdte vidáman. – Milyen volt a karácsonyod?

– Remek volt, Terka néni kérem – Adél csak ennyit válaszolt.

A hanghordozásából a tanárnő érezte, hogy éppen az ellenkezője lehet igaz, ezért úgy döntött, nem faggatja tovább a kislányt. Inkább a másnap újra elkezdődő iskoláról kezdett beszélni, miközben Adél csendben, a csizmája orrát bámulva lépkedett mellette.

* * *

Egy-két óra múlva aztán lassan szállingózni kezdtek a többiek is – az addig kihalt háló lassan megtelt izgatottan csivitelő, vagy éppen az ágyuk szélén pityergő elsősökkel. Adélt mind köszöntötték, ám mivel a lány a szokásosnál is hallgatagabb volt, a továbbiakban nem törődtek vele. Mind teli voltak élményekkel, és inkább kerestek valakit, aki szívesen meghallgatta őket, valamint cserébe maga is elmesélte a karácsonyát. Vagy akivel együtt tudtak bőgni egy jót. Adél láthatólag ma egyikre sem volt alkalmas. Különben is, biztosan a kebelbarátnőjét várja, döntötték el, és békén hagyták, aminek a lány őszintén örült.

Aliz csak estefelé érkezett meg, amikor már régen leszállt a sötétség ezen a téli napon. A lányok azonban már mind ásítoztak és laposakat pislogtak, ezért Terézia néni elhatározta, hogy vacsora után nyomban kihirdeti a takarodót. Mivel a vacsora közben és a lefekvés előtti felfordulásban nem volt idő beszélgetni, a két barátnő eddig csak futólag köszöntötte egymást. Aliz lámpaoltás után megvárta, míg teljesen elcsendesedik a háló, majd lábujjhegyen átosont Adél ágyához. Általában nem szokott ilyen kihágásokat elkövetni, és jól tudta, hogy az éjszakai mászkálásért súlyos büntetés jár, ha rajtakapják, de most úgy érezte, muszáj ezt megtennie a barátnőjéért. A többiektől hallotta, hogy Adél már reggel megérkezett, és egész nap rá várt.

– Tudod, mi csak ebéd után indultunk el – suttogta, Adél ágya szélén ülve, és a másik lány füléhez hajolva.

– Hiszen így is ideértünk, és hát, alig akartak elengedni – Ágóka, Andor, Catherine és a többiek. Még Andornak is csak később kell visszautaznia, ez égbekiáltó, nem gondolod? Hanem várj csak… hoztam ám neked valamit – a köntöse zsebéből előhalászott egy kis, selyempapírba burkolt csomagot. – Boldog karácsonyt, utólag is! – súgta.

Adél erre már megfordult, és egyenesen Aliz arcába nézett. Az udvarról az egyik közeli lámpa halványan megvilágította a hálót, és Aliz döbbenten látta, hogy Adél sírt. Ám mielőtt bármit mondhatott volna, a barátnője a csomag felé nyúlt és kivette a kezéből.

– Mi van benne? – kérdezte a sírástól kicsit reszketeg hangon.

– Bontsd ki – unszolta Aliz.

Adél lefejtette a szalagot, és kihajtogatta a selyempapírt. Egy piros svájcisapka volt benne, éppen olyan, mint Alizé.

– Látod, mostantól egyforma sapkánk is lehet – lelkendezett Aliz. – Manci nénivel csináltattam, az egyik öreg cselédünkkel. Az enyémet is ő kötötte. Emlékszem, mondtad, mennyire tetszik!

Mondta volna? Adél nem emlékezett rá. Valójában mindig is idétlen, kislányos darabnak tartotta. Talán nem akarta Alizt megsérteni… Nos, azt most sem tenné jól.

– Öhm, izé… tényleg nagyon helyes – bökte ki végül, majd a fejére is biggyesztette. – Na, milyen?

– Jól áll! – jelentette ki Aliz vidáman. – És most – komolyodott el – elmondod, miért sírtál?

Adél elfordította a tekintetét, és nem válaszolt.

– Hiányzik a mamád, igaz? – próbálkozott Aliz, mire Adél lehajtotta a fejét, és az arcát a kezébe temette. Aliz egy darabig várta, hogy valamit mondjon, vagy legalább megmozduljon, de hiába. Néhány perc múlva aztán felsóhajtott, és készült visszamenni az ágyába. Ekkor azonban a másik lány megragadta a karját.

– Anyám gyereket vár – súgta Adél, ám suttogása a háló csendjében szinte kiabálásnak tűnt. Aliz a szája elé kapta a kezét.

– Jesszus! De hát… hogyan?

Hiszen Adél papája meghalt, nem igaz? Talán új papája lesz? Vagy már van is? Lehet, hogy ezért sírt.

– Azt mondja, még apámtól van – folytatta Adél, aki mintha olvasott volna a másik lány gondolataiban. – Már terhes volt, amikor Papa… meghalt. De én nem hiszek neki – tette hozzá vadul csillogó szemmel és már jóval hangosabban, olyannyira, hogy Aliz aggódva nézett körül. Erre már biztosan mindenki felébred. Ám az ágyakban nem mozdult senki. Abban viszont biztos volt, hogy körülöttük mindenki hegyezi a fülét – gyanús volt ez a nagy csend.

– Cssssss! – csitította Adélt. – Felvered az egész hálót –

a lány ismét nyugtalanul körbeforgatta a fejét, majd a barátnőjéhez hajolt, és suttogni kezdett, lehetőleg olyan halkan, hogy azt még a közvetlenül mellettük lévő ágyakban se hallják. – Biztos vagyok benne, hogy a mamád nem hazudott neked. Miért is tenné? Én nem olyannak ismertem meg.

– Akkor eddig miért nem mondta meg? – Adél szeme lázasan csillogott. – Miért mostanra időzítette, pont *karácsonyra*? Hogy lehetett ilyen… szívtelen?

– A mamád nem szívtelen – Aliz kezdett kétségbeesni. Fogalma sem volt, mit mondhatna Adélnak, mivel nyugtathatná meg. – Nagyon, de nagyon szeret téged – bökte ki végül.

Adél hevesen megrázta a fejét. A vakáció alatt ismét a füle vonaláig kurtított fürtjei előre hullottak az arcába.

– Engem nem szeret senki – jelentette ki szárazon, és kicsit számítóan, fél szemmel a másik lányra sandítva. A várt reakció nem is maradt el. Aliz nyomban közelebb húzódott hozzá, átkarolta a nyakát, és most már egyenesen a fülébe suttogta.

– Dehogynem! *Én* nagyon szeretlek. Karácsonykor is sokat gondoltam rád, és rengeteget meséltem rólad mindenkinek. Ne mondj ilyet, kérlek! Én az égvilágon mindent megtennék érted.

Adél erre felkapta a fejét, és Aliz könnyes, kék szemébe nézett.

– Mindent? – kérdezte halkan.

Aliznak eszébe jutott, hogy a szavai talán meggondolatlanok voltak egy kissé, de már nem tudta visszaszívni őket. Ünnepélyesen bólintott.

– Igen, mindent.

– Akkor jó – nyugtázta Adél, és a tekintete a barátnője fején most is takarosan koszorúba font aranyszőke fürtökre esett.

* * *

Másnap reggel csak idő kérdése volt, hogy kitörjön a világraszóló botrány. Aliz egy darabig a köntöse felhajtott kapucnijával rejtegette az új frizuráját, később pedig, amikor már felöltöztek, megpróbált észrevétlenül meghúzódni a többiek, különösen Adél, és a reggel már beavatott, szerencsére széles hátú Jojó mögött, ám Terézia néni figyelmét ilyen trükkökkel csak ideig-óráig lehetett kijátszani. Mikor meglátta, hogy a kislány mit művelt magával (vagyis nyilván megint a Groó-lány mesterkedése állt az egész mögött, ebben egészen biztos volt, de azt is tudta, hogy Alice ezt sohasem ismerné el), először halálsápadt lett, majd az arcát lassan dühös pír öntötte el.

– Hát ez óriási! – csak ennyit tudott mondani, mikor a lány lehajtott fejjel, a megkurtított fürtjeibe bele-beletúrva megállt előtte. – Óriási. Mondd csak, hogyan jutott eszedbe, hogy így… így *megcsonkítsd* magad? És arra nem gondoltál, hogy a szüleid mit fognak ehhez szólni?

Ez már Aliz fejében is megfordult, közvetlenül azután, hogy éjszaka Adél az egyik fonatát tőből lenyiszálta, és már nem volt visszaút. Akkor el is pityeredett volna, ha korábban nem hősködött volna annyira Adél előtt. Most is érezte, hogy a szemébe könnyek szöktek, de azért dacosan felszegte az állát, egészen úgy, ahogyan Adél szokta.

– Nekem tetszik így, tanárnő kérem. Sokkal kényelmesebb, és hát… *modernebb* is.

– Modernebb! – kiáltotta Terézia néni hitetlenkedve, miközben még mindig Aliz csálén levágott, felemás, csapzott fizuráját bámulta megrökönyödve. Végül figyelmeztető pillantást vetett a közelben elégedett mosollyal álldogáló Adélra. Annak rögtön le is fagyott az arcáról a mosoly. *Terka néni tudja*, jött rá hirtelen. Hiába ígértette meg Alizzal, hogy senkinek sem árulja el, kinek az ötlete volt, Terka néni mégis rájött. Á, hiszen nem is volt nehéz – Aliznak, a jó kislánynak sohasem jutna eszébe ilyesmi.

– Jól van – folytatta Terézia a dühtől és a döbbenettől még mindig fojtott hangon. – Te most velem jössz – fogta meg Aliz karját. – Meglátjuk, mit lehet még kihozni ebből a… ebből a rettenetből. A többiek az osztályba mennek – emelte fel a fejét és a hangját –, és meg ne halljam, hogy bárki, bármilyen kihágást elkövet ma, különben nem állok jót magamért – újra Aliz felé fordult. – Utána majd kitaláljuk, milyen büntetés jár neked. Gyerünk.

Ezzel hátat fordított a megszeppenten álló osztálynak, és Alizt még mindig a karjánál fogva maga után ráncigálva hamarosan eltűntek a folyosón.

– Most mi lesz? – súgta Jojó rémülten, Adél felé fordulva.

A lány megvonta a vállát.

– Mi lenne? Terka néni elviszi Alizt fodrászhoz, azt hiszem.

– És a büntetés?

– Na, abba sem fog belerokkanni, ne félj!

Jojó ebben a pillanatban váratlanul elmosolyodott.

– Mi az? – kérdezte tőle Adél.

– Semmi különös… csak az jutott eszembe, hogy Aliz ezzel az új frizurájával még jobban fog hasonlítani Terka nénire.

Adél nem válaszolt, csak elkerekedett szemmel nézett a dundi lányra. Valóban – hogy ez neki nem jutott eszébe!

Egyszeriben mérgesen sarkon fordult, és elindult a többiek után az osztályterembe.

Jojó csodálkozva bámult utána: ebbe meg mi ütött?

Hanem azt már megszokhatták a szeptember óta eltelt pár hónap alatt, hogy Groó Adél szavait és gesztusait a legritkább esetben lehetett kiszámítani.

2. FEJEZET

1923. augusztus

Aliz az ágyán heverészett, hanyatt fekve, feje alá tett kézzel, és félhangosan ábrándozott, miközben a mennyezetet bámulta.

Ó, ha már ott lehetnék! – mormolta vágyakozva. – Hisz én is vagyok olyan szép, nem igaz? Vagy talán még szebb is...

Mintegy saját magának feltett kérdésére azonban nem érkezett válasz, ezért feltámaszkodott, és a szemével megkereste a barátnőjét, aki egy falon függő kép előtt állt, és karba font kézzel bámulta azt.

A kép egy német film színpompás plakátja volt, szépséges, szőke hajú színésznővel, aki égnek emelt tekintettel simult egy fekete, pomádés hajú, karmazsinvörös ajkú, sima arcú férfi karjaiba. Mindkét lány jól tudta az újságok pletykarovatából, hogy a színésznő magyar lány, aki – miután Németországban már sikert sikerre halmozott – most azt fontolgatja, hogy a jövőben Amerikában, Hollywoodban építi tovább a karrierjét.

Hollywoodban!

No persze, Aliz menten arról kezdett álmodozni, hogy egy szép napon majd ő is ezt teszi. Németországot akár ki is hagyhatná, és rögtön Amerikába mehetne. Miért is ne? Ha egyvalakinek sikerült, miért ne sikerülhetne másnak is?

– Már azt hittem, kimentél – mosolygott Aliz a barátnőjére. – Olyan csöndben vagy...

– Elgondolkodtam – felelte Adél, a homlokát ráncolva. Ezzel is jelezte, hogy igazat mondott – szokása szerint valóban töri a fejét valamin. Aliz újra visszafeküdt, és mélyet sóhajtott.

– Mit gondolsz arról, amit mondtam? – kérdezte.

– Hja, a színésznőügy? – Adél elhúzta a száját. – Tudod jól, mit gondolok.

Most Alizon volt a sor, hogy elbiggyessze a száját. No, igen. Adéllal nem lehet ilyesmiről beszélni, igazán. Ebből a szempontból még rosszabb volt, mint Apuska, és minden esetben igyekezett lelombozni a barátnőjét. Legalábbis Aliz így érezte.

– Nincs is színészi tehetséged – állt elő Adél a leggyakoribb kifogásával.

Márpedig ez sajnos igaz volt, Aliz is elismerte. De hát *ez* nem lehet akadály!

– Van annyi tehetségem, mint Bánky Vilmának – vágott vissza Adélnak. – Sőt, annál még talán több is.

– Nos, ez igaz – nevetett Adél. – Csakhogy ez nem nagy dicsőség ám! Habár... az biztos, hogy erőfeszítés nélkül tudsz olyan könnyes, ártatlan szemmel nézni, mint ő.

– És vagyok is olyan szép, mint ő – erősködött Aliz újra. – Mindenki azt mondja.

Kivéve engem – gondolta a másik lány, ám hangosan csak ennyit felelt:

– Persze. Viszont nem ártana némi színészi tehetség sem, hidd el. Meg aztán előbb el kellene végezni az iskolát...

– *Neked* viszont van hozzá tehetséged – sóhajtott Aliz, félbeszakítva a másik lányt. – Látod, megint csak jó lenne, ha valamiképpen összegyúrnának bennünket. Akkor talán kitennénk egy tökéletes személyt.

Adél kényszeredetten elmosolyodott. Tudta, hogy barátnője nem akarta megbántani ezzel a megjegyzésével, amelyben azonban mégiscsak az rejlett, hogy ő korántsem olyan szép, mint Aliz. Igen, neki van színészi tehetsége. De mi hasznát veszi?

– Én viszont nem akarok színésznő lenni – jelentette ki. – Tökéletes személy pedig nem létezik. Még Andor sem az – tette hozzá rövid szünet után.

– Ó, Andor – Aliz izgatottan felült az ágyon, ám nem tudta folytatni a mondókáját, ugyanis odalentről egy erős tájszólásban beszélő női hang kiáltott fel olyan hangosan, hogy még a lányszoba gondosan becsukott ajtaja mögött is meghallották.

– Kisasszonyoook! Gyüjjenek le, kérem, készen van az ebéd!

Boriska volt az, Szendreyék cselédje. Adél már két hete vendégeskedett Alizéknál, ugyanis a barátnője még az iskolaév végén meghívta, hogy a vakáció utolsó napjait töltse náluk. Ő pedig kapva kapott a lehetőségen. Hogyne, amikor odahaza évről évre egyre pocsékabbul érezte magát. Mióta Papa meghalt, és különösen mióta az öccse, Gáborka megszületett, úgy érezte, egyre jobban fogy körülötte a levegő a kis körúti lakásban, ahová Mama a pénzszűke miatt két éve költözött. Gyűlölte azt a nyomorúságos odút, noha megértette, hogy az özvegy a két gyerekével nem maradhatott a régi, tágas, drága lakbérű lakásban. Mégis, az új „otthon" a sorozatos veszteségeit jelképezte, amelyek tízéves kora óta érték őt. Először

Papa halála, majd Mama elhidegülése, még jóval azelőtt, hogy Gáborka a világra jött volna. Most aztán már annak is tudott örülni, hogy nemsokára vissza kell térniük a Pálmaházba. Még az is elviselhetőbb hely volt az otthonánál. Aliz pedig egyenesen az életét mentette meg ezzel a meghívással. Mire beköszöntött az augusztus, úgy érezte, megfullad, és nem bír ki még egy hónapot az iskolakezdésig. Ekkor érkezett a levél a jól ismert, világoskék, illatosított borítékban…

– Ó, hát én nem hittem volna, hogy ilyen szívesen eljössz Budapestről ide, az isten háta mögé! – csodálkozott Aliz tágra nyílt szemmel, miközben a kisszendrői vasútállomásról lovas kocsival mentek a falu szélén álló, sárga falú kastélyba. – Én igazából azért is hívtalak, mert már megesz itt az unalom. Júliusban Olaszországba utaztunk, de azóta egyfolytában itthon vagyunk, és itt igazán az égvilágon semmi sem történik.

– Budapesten sem történik ám sok minden – vonogatta a vállát Adél.

Hacsak az nem – gondolta –, hogy Mamának minden bizonnyal szeretője van. Már csak ezért is örült Aliz meghívásának. Most legalább nem tudja rásózni Gáborkát, amíg ő a kedvesével enyeleg. Vagy kerít valakit, aki pénzért vigyáz a kicsire, vagy kénytelen lesz magával vinni őt a pásztorórákra. Adél erre a gondolatra kárörvendően elvigyorodott. Biztosan ezért vágott Mama olyan savanyú képet, amikor bejelentette, hogy elutazik Szendreyékhez két hétre.

– Ó, dehogynem történik – hallotta Aliz lelkes hangját, majd a következő pillanatban a barátnője közelebb húzódott hozzá a kocsi párnázott ülésén, és belékarolt. – Ha csak kilépsz az utcára, máris láthatod a sétáló, elegáns hölgyeket vagy a színes plakátokat! Gyerünk, mesélj nekem a pletykákról és a legújabb divatról.

Aliz gondolatai az utóbbi időben szinte kizárólag ilyesmik körül forogtak: pletykák és divat. Adél elfintorította az orrát. No hiszen, akinek egyéb gondja sincsen.

– Biztos vagyok benne, hogy te jobban ismered a divatot a képes újságjaidból, mint én – szabadkozott, még mindig a vállát vonogatva. Aliz éppen nagy levegőt vett, hogy válaszoljon, amikor Mihály, a kocsis hátrafordult, és a pipája alatt mosolyogva előremutatott.

– Nézzék, kisasszonykák. Mihelyst itt befordulunk a sarkon, már meg is fogják látni a kastélyt. Ahun van, ni!

Adél kinyújtotta a nyakát, és félig felemelkedett az ülésről. A következő pillanatban pedig elöntötte a sárga irigység.

Tudta, hogy a barátnője *igazi* kastélyban lakik, de hogy ilyen gyönyörűségesben! Ráadásul egy tágas, ápolt park kellős közepén, ami még inkább kiemelte az épület szépségét, kecsességét. A halványsárga falú kis barokk kastély árnyas, gesztenyefákkal szegélyezett fasor végén állt, hívogatóan kitárt kovácsoltvas kapu mögött. Az egész hely nyugalmat, jólétet, boldog állandóságot sugárzott, és olyannyira ellentétben állt mindennel, amit Adél eddigi életében tapasztalt, hogy a lány kis híján elsírta magát. (Azt persze innen, messziről nem látta, hogy a kastély fala kissé málladozik, és a gyönyörű parkot itt-ott felverte a gaz – Szendreyék gazdagsága már inkább csak egy mind nehezebben és kétségbeesettebben fenntartott látszat volt. Hiszen miért is íratták a leányukat a Pálmaházba, ahelyett, hogy a családi hagyományokat követve svájci intézetbe küldték volna?) Adél azonban mindezeket egyelőre nem látta.

Nem igazság, nincs igazság a világon – gondolta keserűen, és életében először kezdte megérteni a kommunistákat. Ők el akarták venni az Aliz-féléktől ezeket a javakat, hogy... miért is? Hogy másoknak adják. Talán nekik, az Adél-féléknek? Nem, nem, biztosan nem. Ennyire naiv még ő sem volt. Csoda tudja, mit is akartak, talán jobb is, hogy nem derült ki.

Morfondírozásából éktelen kutyaugatás és kiabálás zökkentette ki. Amikor meghallották, hogy közeledik a kocsi, az egész család kiszaladt a ház elé, beleértve a cselédeket és három jól megtermett vadászkutyát is. Adél eleinte csak kapkodta a fejét. Volt, akivel már találkozott: Aliz szüleivel és Catherine–nal, a *gouvernesse–szel** a pálmaházi látogatásokon. A többieket azonban csak futólag, vagy hallomásból ismerte: Andort, Aliz bátyját, Ágotát, a kishúgot, és a szolgákat, különösen Boriskát, Aliz kedvencét, aki az egykori falusi dajkájának a leánya volt, és mint Adél megtudta, Andor és Aliz tejtestvére is egyben.

Barátnője elmondása alapján már a bemutatkozások előtt mindenkit azonosított magában, majd elégedetten nyugtázta, hogy igaza volt. Ámbár nem volt nehéz dolga... Különösen a lány két testvére esetében. Andorral egyszer majdnem találkozott is. Még másodikos korukban. Akkor azonban csak messziről látta a kollégium ablakából; magas, szőke hajú, sután mozgó fiúra emlékezett, aki behúzott nyakkal, semerre sem nézve téblábolt a sok leány között. Nos, a suta, kamaszos mozgás immár a múlté volt. Mikor kezet fogtak, Adél egy mosolygós, magabiztos, és igencsak jóképű fiatalembert látott maga előtt, aki ezúttal bátran állta a lány macskaszemének für-

---

* Nevelőnő (francia)

késző pillantását. Éppen olyan szép, tiszta kék szeme van, mint a húgának – gondolta Adél. Mennyi idős is lehet? A lány tudta, hogy négy év van közte és Aliz között. Tehát tizennyolc éves.

Már nem esetlen kamasz, hanem kész fiatalember, és ez egyértelmű volt abból is, ahogyan tetőtől-talpig végigmérte Adélt, aki egészen belepirult ebbe a vizsgálatba. Pedig nem volt az a pirulós fajta.

Azóta sokszor eszébe jutott Andor viselkedése – keresett udvariassága, bókjai, lovagias megnyilvánulásai. Például minden esetben felajánlkozott, hogy elkíséri a „hölgyeket", amikor a barátnők esti sétára indultak a kastély körüli parkban vagy a faluban.

– Ugyan, ki bántana itt minket? – kacagott ilyenkor Aliz. – Egyébként is, olyasmikről beszélgetünk, amikhez semmi közöd!

Azért néha megengedték, hogy velük tartson, már csak azért is, mert Aliz szentül meg volt győződve arról, hogy a bátyja fülig szerelmes lett a legjobb barátnőjébe, valamint hogy az érzés nyilván kölcsönös, és ez határtalan boldogsággal töltötte el. Adél szerint ez butaság volt, de azért (legnagyobb bosszúságára), mindig belepirult, amikor a másik lány Andort emlegette, vagy véletlenül összetalálkozott a fiúval a házban vagy az udvaron.

És a tekintete, az égszínkék, átható pillantás, amelyet Adél mintha folyton magán érzett volna, amikor együtt voltak. Ám szerelmes, az nem volt belé. Ez nagy ostobaság lett volna. Ő sem tetszhetett egy ilyen fiúnak, mint Andor, ez egészen nyilvánvaló. Csakis azért flörtölt vele, mert más velük egykorú nőnemű lény nem volt a közelükben.

Most, az ebédlőasztalnál is, miközben a levest kanalazta… A csudába is, biztosan szándékosan csinálja. Adél dühös volt, mert a keze enyhén reszketett, és így igen nehéz volt kulturáltan enni a levest. Andor és Aliz pedig még mintha mulatnának is rajta, lopva össze-össze néznek az asztal felett. Na, várjunk csak, amíg megint magukban lesznek! Aliz nem teszi zsebre, amit kapni fog tőle, az egyszer biztos.

Aliz édesapja, Emil nagyságos úr törte meg a kissé elhúzódó, kínossá váló csendet.

– Nos, Lizi kedves, ma mivel fogjátok szórakoztatni bájos vendégünket? – fordult a lánya felé.

Aliz elgondolkodva kavargatta a levesét.

– Hm, nem is tudom. Talán elmehetnénk sétálni… vagy lovagolni.

Adél ijedten kapta fel a fejét. Még csak az kéne! Rettegett a lovaktól – Pesten még csak hagyján, ott legfeljebb messziről látta őket, ahogyan a kocsikon jeget vagy szalmával kitömött ládákban szódásüvegeket fuvaroztak, vagy éppen az úton hagyott „végtermékük" miatt boszszankodott. Itt azonban már nemegyszer megpróbálták őt rávenni, hogy kilovagoljon a Szendrey-testvérekkel, akik mind rajongtak ezekért a kiszámíthatatlan és ráadásul büdös szörnyetegekért. Szerencsére azonban Aliznak eszébe jutott barátnője sápadt, rémült arca és változatos kifogásai, amelyekkel előrukkolt, mihelyt a lovaglás szóba került.

– Á, nem, ez mégsem jó ötlet. Adél nem szeret lovagolni – jegyezte meg, már nem először, és szavait ezúttal is hitetlenkedő pillantásokkal, vagy fejcsóválással fogadták az asztal körül ülők. Hiába, pesti lány – ez volt az arcukra írva.

– Megvan! – kiáltott fel végül Aliz. – Menjünk csónakázni. Remek időnk van hozzá. Ki tudja, talán utoljára tehetjük meg – tette hozzá elmélázva, arra utalva, hogy pár napon belül véget ér a vakáció.

Adél azonban ugyanezen okból megkönnyebbülten sóhajtott fel. Már csak pár nap! Kénytelen volt elismerni magában, hogy Aliz bizony igazat mondott az érkezésekor. Itt minden szép és jó és gazdag és kellemes – talán túlságosan is. Mindenekfelett azonban *unalmas*. Rettenetesen. Nem csoda, hogy a barátnője elhívta őt ide, hogy némi változatosságot hozzon az életükbe.

Csupán Andor felemás udvarlása jelentett némi izgalmat, ám mostanra ez is kezdett egyhangúvá válni. Hiszen ha akar tőle bármit, ha *valóban* komolyan gondolja a szavait, a mindennapos bókokat, akkor miért nem *tesz* már valamit? Nemsokára elválnak az útjaik: mind visszautaznak az iskolába… és akkor vége? Ennyi volt? Néhány szép szó, ábrándos tekintet, lopott érintés?

Ő ugyan nem éri be ennyivel. Ha Andor úgy gondolta, kapóra jön a kis pesti vendég a nyári unaloműzésre, hát tévedett. Adél ebben a pillanatban elhatározta, hogy még az elutazásuk előtt kiugrasztja a nyulat a bokorból. Azt ugyan nem tudta, hogyan, de abban bízott, hogy ha eljön a megfelelő pillanat, majd csak kitalál valamit.

Ez az elkényeztetett úri fiú hamarosan megtudja, kivel kezdett ki.

* * *

Nagy Iván szokása szerint hatalmasakat ásítva ülte végig a gyűlést, amit ezúttal egy ferencvárosi bérház nyirkos pincéjében tartottak. Ugyan mire jó ez az örökös szócséplés? Semmi értelme. Más lenne, ha tehetnének is valamit, mint tizenkilencben… áh, azok voltak a szép idők! Azóta viszont semmi sem történik, csak egyre-másra tartják az unalmas és ráadásul veszélyes gyűléseket, mindig másutt, nehogy lebukjanak. Horthy kormányzó detektívjei mindenütt ott voltak, és ha kiszimatolták egy ilyen titkos csoport létét, valamint céljait, habozás nélkül lecsaptak rájuk. Az országban még mindig a „kommunista" volt az egyik legdurvább szitokszó: egyenértékű a hazaárulóval vagy mondjuk egy anyagyilkos emberevő fenevaddal.

Mégis, úgy három esztendeje, miután elcsitultak az azóta *fehérterrornak* nevezett megtorlás hullámai, és a bírósági perek is véget értek, Nagy Iván újra felvette a kapcsolatot régi elvtársaival. Sajnos nagyon kevesen maradtak már a régi jó ismerősök és bajtársak közül, sokan áldozatul estek a fehérek dühödt vérengzésének, halálra ítélték és felakasztották őket, vagy a szerencsésebbek külföldre emigráltak. Közülük azonban néhányan már a következő években elkezdtek visszaszivárogni, és megkeresték az itthon maradt, a viharokat valamiképpen átvészelt, ám azóta némán lapító elvtársaikat. Így találták meg – legnagyobb meglepetésére – Nagy Ivánt is.

– Nekünk nagy szükségünk van az ilyen tapasztalt, sokat megélt kommunistákra, mint te vagy, Iván – mondta neki az alacsony, köpcös, holdvilágképű, fekete hajú fickó, miközben cigarettával kínálta. Iván jól emlékezett rá még a Kommün idejéből. Habár a neve akkor még nem ugrott be, pedig népbiztos volt ő is, csak nem olyan ismert figura, mint Kun Béla, vagy Szamuely. Most azonban, hogy az akkori vezérek eltűntek a porondról, az alacsony kis golyófejű feljebb lépett a kommunista hierarchiában. Rákosi Mátyás. Tizenkilenc táján vette fel ezt a nevet, előtte másképp hívták, csak a mozgalomban változtatta meg a nevét, mint sokan mások. Nagy Ivánnak nem kellett új név, az övé így volt tökéletes, ahogyan volt. Legalábbis ezt mondták neki. Meg azt is, hogy angyalföldi proli gyerekként eszményi tagja lesz a pártnak. „Javítja a rólunk kialakult képet" – mondták, ámbár ezt Iván már akkor sem értette. Azért nagyon örült neki, és úgy érezte, megtalálta az élete célját, értelmét. Most ezért nem bánta, hogy a nyomára akadtak. Lám, ügyesebbek voltak, mint a Horthy-detektívek. Legalábbis akkor még ezt gondolta. Azóta már voltak fenntartásai, különösen, hogy egy jó cimboráját, régi elvtársát, Muskát Gyurit nemrég elkapták, borzalmasan megkínozták (állítólag fejjel lefelé lógatták két asztal között, és a talpát verték), mire Gyurka, aki pedig magafajta külvárosi proli fiú volt, többeket beköpött.

Ő sohasem tenne ilyet. Betyárbecsület is van a világon! Bár az a talpverés cudar dolog lehet – ha lehet, inkább nem próbálná ki. Nem szabad hagyni, hogy elkapjanak, ennyi az egész – gondolta hanyagul.

Mélyen beszívta a cigaretta füstjét, behunyta a szemét, majd lehajolt, és a csikket elnyomta a még nyáron is hideg árasztó kőpadlón. Mikor felemelkedett, és körülnézett, meglepetten konstatálta, hogy mióta megérkezett, és a gondolataiba merülve elszívta a méregerős, olcsó cigarettáját, a közönség mintegy megkettőződött. Pislogott néhányat, mivel a füstöt szinte vágni lehetett az amúgy is levegőtlen pincében (mindenki, még a nők is, sőt, az előadók is folyamatosan dohányoztak), majd még egyet ásított. Már éppen elhatározta, hogy a lehető legkisebb feltűnést keltve, a székek támlái mögött és a dohányfüst jótékony takarásában megpróbál kisurranni, amikor az első sorban, közvetlenül az előadó előtt megpillantott valakit, akinek a láttára széles vigyorra húzódott a szája.

Á, a Szép Heléna.

No, akkor mégiscsak marad egy kicsit. Hátha a végén meg tudja szólítani, és végre-valahára elhívhatja valahová, egy kávéra vagy sörre... vagy akár cukrászdába is, a nyavalya törje ki.

Gordon Helénát már régóta ismerte – legalábbis látásból, azóta, hogy elkezdett járni az illegális összejövetelekre, de eleddig még csak egy-két szót sikerült váltania vele. Eleinte nem is figyelt fel rá – hiszen a nő nem volt klaszszikus szépség, talán néhány évvel idősebb is lehetett nála (habár ez Ivánt sohasem zavarta), ám egy alkalommal beült egy előadásra, amelyet Heléna tartott.

És ekkor néhány perc leforgása alatt valósággal beleszeretett.

Micsoda tűz lobogott ebben a nőszemélyben, micsoda szenvedély! Beszéd közben kipirult, haja ziláltan röpködött az arca körül, ahogy a fejét rázta, és apró, kecses öklével többször is a levegőbe ütött.

Ám a legigézőbb mégiscsak a szeme volt – az boszorkányosan villogó, lángoló szempár, amely a beszéd alatt mintha a közönség minden tagjának a tekintetét egyenként kereste volna. Ivánnal is többször farkasszemet nézett egy-egy percre, míg végül a férfi megbabonázva, szinte mozdulatlanul bámulta ezt a tüneményt.

Micsoda bestia. Vajon milyen lehet az ágyban? – gondolta Iván, és abban a pillanatban elhatározta, hogy így vagy úgy, de meg fogja tudni. Azóta viszont sehogyan sem sikerült közelebb férkőznie a nőhöz. Váltottak ugyan néhány szót, ám valahányszor Iván udvarolni kezdett (különösen, amikor kedveskedve „Szép Helénának" szólította – már nem is emlékezett, hol hallotta ezt a nevet, de úgy érezte, illik *erre* a Helénára is), a nő azonnal begubózott, és rövid úton lerázta a férfit.

Ivánt azonban nem hagyta nyugodni ez a nő – különösen, mivel úgy tűnt, Heléna számára közömbös az ő többiekre gyakorolt tagadhatatlan vonzereje. Ennek a férfi igazán nem is volt tudatában, de amikor látta, milyen hatással van *általában* a nőkre, ezt maradéktalanul ki is használta. Heléna esetében azonban semmilyen bevett és eddig mindig bevált praktika nem működött.

Iván gondterhelten összeráncolta a homlokát. Eddig még csak egyetlen hasonló élménye volt. Egy arcpirító, megalázó visszautasítás – már két esztendővel azelőtt történt, de még ma is belevörösödik, valahányszor az eszébe jut. Holott *az* a nő nyilvánvalóan szerelmes volt belé, sőt, még ma is az. Ámde azt várhatja, hogy Iván még egyszer közeledjen hozzá, legalábbis *olyan* értelemben. Amúgy… sajnos nap nap után kénytelenek találkozni és érintkezni egymással – ha még oly hűvös és udvarias formában is..

Nem lehet ez másképpen, egy darabig még biztosan nem, hiszen ugyanott laknak. Az a nő ugyanis Kocsis Terézia, a gyönyörű, ámde erényes és rátarti tanárnő, akiért Ivánt már évek óta ette a fene. Most is… még a keze is ökölbe szorult, és a fogát csikorgatta. Ha a keze közé kaphatná, csak egyszer… Majd megtudná, mit veszített eddig.

Nocsak, nocsak, de hát most a Szép Helénát várja, őt szeretné a keze közé kapni. Iván elvigyorodott. No, csak szépen, sorjában. Úgy látszik, azok a nők az esetei, akik így vagy úgy, de kosarat adnak neki. Hja, igen… így az egész sokkal izgalmasabb. Különösen, ha nem megadják magukat a végén, hanem ő kényszerítheti őket.

Iván szája még szélesebb vigyorra húzódott. Hm, talán Teréziával ezt meg is tehetné, hanem Heléna… Ő már keményebb dió. Talán meg is ölné! A kis bestia.

Ivánt ábrándozásából a hirtelen zaj és mozgolódás riasztotta fel. Aha, vége az előadásnak. Ideje volt. A férfi tudta, hogy ilyenkor az elvtársak egy része még nem siet haza, hanem kisebb csoportokba verődve megtárgyalja az imént hallottakat, vagy kedvtelve szidja-szapulja Horthyt és a kormányt, vagy úgy általában a burzsujokat és a kapitalizmust. Heléna is közéjük tartozott.

Meg aztán nem is lett volna bölcs dolog egyszerre elhagyni a helyiséget és kitódulni az utcára. Az ilyen csoportosulás mindig szemet szúr valakinek, és mindenhol akad egy házmester, vagy boltos, aki feljelentést tesz…

Iván látta, hogy Heléna három komor arcú, cigarettázó férfival beszélget, akik közül az egyik hevesen gesztikulálva magyarázott valamit. Iván elkapott néhány szót: az elvtárs Peyer Károlyt szidta teli szájjal, az „áruló" szocdemet, aki nem átallott lepaktálni Bethlen miniszterelnökkel. azzal, aki az illegális kommunisták első számú ellensége volt – persze Horthy után. Heléna csinos arcán feszült figyelemmel hallgatta őt, és néha hevesen bólintott. Annyira lekötötte a lelkes elvtárs előadása, hogy észre sem vette, Iván néhány lépésről őt bámulja, így a férfi kedvére legeltethette rajta a szemét. Iván ezen felbátorodva óvatosan közelebb lépett.

– Á, Nagy elvtárs – hallott egy ismerős hangot a háta mögül. – Örülök, hogy itt látlak.

Iván megfordult, és Rákosi Mátyás joviális, kövérkés ábrázatával nézett szembe.

– Már menni készültél? – kérdezte mosolyogva, miközben elállta az útját.

– Nem. Azaz… igen.

– Jól van, nem is tartalak fel. Csak…

Rákosi körbenézett, mintha még itt is spickliktől tartana, majd közelebb hajolt Ivánhoz, és úgy suttogta.

– Feladatom volna a számodra.

Újra hátrébb húzódott, és jelentőségteljesen nézett Ivánra (felszegett fejjel, mivel jóval alacsonyabb volt nála). Iván bosszankodott. A fenébe is, már éppen megkörnyékezte volna Szép Helénát, amikor ez a pubi arcú előáll a marhaságaival. Micsoda feladat? Talán ha újra felfegyvereznék, és beültetnék egy hatalmas, fényes autóba, hogy rendet tegyen a városban… de így! Csak nem valami aktakukac-munkát bízna rá? Na, azt lesheti, hogy elvállalja. Nem neki találták ki az ilyesmit.

Az arcán azonban nem látszott, hogy ilyesmiken töri a fejét – legalábbis Iván azt hitte. Rákosi azonban hirtelen összehúzta amúgy is apró, fekete szemét, és a tekintete egyszeriben jéghideggé vált.

– Nos? – kérdezte. – Valami baj van, Nagy elvtárs?

– Nem, nem, de…

Iván látta, hogy Heléna kezet fogott a beszélgetőtársaival, és elindult a kijárat felé. Most, vagy soha!

– Nekem most rohannom kell, Rákosi elvtárs – mondta, miközben rá sem nézett. Már Helénát bámulta, mire Rákosi is a távozó nő felé fordult. – Majd legközelebb megbeszéljük, jó?

– Hát hogyne! – Rákosi megértően bólintott, és előzékenyen félreállt Iván útjából. – Viszontlátásra, elvtárs!

– Viszontlátásra! – Iván hanyagul intett neki, és az ajtón kilépő Heléna nyomába eredt. Rákosi összehúzott szemmel figyelte őket, miközben elgondolkodva nagyot szippantott a cigarettájából.

Iván már az utcán érte utol a nőt. Időközben besötétedett, és itt, ebben a nyomorúságos mellékutcában alig volt közvilágítás. A férfi azonban örült ennek – éppen kapóra jöhet a tervéhez.

– Gordon elvtársnő! – lépett Heléna mellé, aki egy csodálkozó oldalpillantást vetett rá. – Engedd meg, hogy elkísérjelek. Nem szerencsés egy magányos nőnek ezen a környéken sétálgatni.

– Nocsak, Nagy elvtárs – mosolyodott el a nő. – Micsoda lovag lett belőled.

Iván megvonta a vállát.

– Nem vagyok én lovag! – tiltakozott elbiggyesztett szájjal. – Csak akkor, ha rólad van szó… – folytatta mély, fojtott hangon, majd még bátran hozzátette: – Szép Heléna!

A nő bosszúsan megrántotta a vállát.

– Ugyan, kértem már, hogy hagyj fel ezekkel az ostobaságokkal.

– De mikor én…

– Kérlek!

Iván erre elhallgatott. Jól van, egyelőre nem zavarta el, már ez is eredmény. Egy darabig csendben, a nyakát behúzva baktatott mellette, akár egy kivert kutya. Nemsokára kiértek az Üllői útra, mire Heléna megfordult, és a férfi szemébe nézett.

– Jól van, itt már elég világos az utca, és többen is járnak. Köszönöm, hogy idáig elkísértél, elvtárs. Egyébként… – tette hozzá rövid szünet után – az sem szerencsés, ha együtt látnak minket. Felfigyelhetnek ránk. Tudod, hogy manapság még óvatosabbnak kell lennünk.

Iván erre nagy levegőt vett, és végre előrukkolt a farbával.

– Pedig én éppen meg akartalak hívni valahová. Nézd, erre vannak jó kis helyek. Megihatnánk egy sört, vagy… valami mást. Cukrászdába is mehetünk – tette hozzá halkabban a nő bosszús arckifejezését látva.

Heléna megrázta a fejét.

– Szó sem lehet róla. Sajnálom, de már késő van…

– Á, még csak kilenc óra.

– …és különben is, vár valaki.

Iván erre elhallgatott, és olyan leforrázott ábrázattal állt ott, hogy Heléna kis híján elkacagta magát. Végül elmosolyodott, és hozzátette:

– A kisfiam. Egy szomszédom vigyáz rá, de én szeretném megfürdetni és lefektetni. Ne haragudj, elvtárs.

Heléna a kezét nyújtotta. Iván maga is elmosolyodott, és kezet fogott a nővel.

– Dehogyis, hogyan haragudnék. Hát akkor… siess csak haza.

A nő bólintott, majd megfordult, és szapora léptekkel elindult a Kálvin tér felé.

Iván egy darabig földbe gyökerezett lábbal állt az utcán. Kisfia! Szóval Helénának gyereke van. Ejnye, talán férje is? Tyűha, arról meg miért nem beszélt eddig soha? Miért nem kísérte el őt soha a gyűlésekre?

Megcsóválta a fejét, majd gondolt egy nagyot, és a nő után eredt. Elhatározta, hogy mindent kiderít a titokzatos Szép Helénáról. Kezdetnek kilesi, hová és kikhez is megy haza ma este.

Egy darabig észrevétlenül, az utcalámpák fénykörét gondosan elkerülve, a fal menti jótékony árnyék takarásában osont a határozottan lépkedő nő nyomában, aki átvágott a kissé jobban kivilágított Kálvin téren, majd a Nemzeti Múzeum irányába kanyarodott. A múzeum előtti utcarészen azonban váratlanul megállt, és a kerítés vasrácsát megfogva befelé leselkedett az épület előtti bokros rész koromsötétjébe. Iván megállt a kerítés sarkánál, ahol még viszonylagos félhomályban maradhatott. A szíve ugyan hevesen dobogott – Helénának csak oldalra kellett volna pillantania, hogy észrevegye. Valószínűleg nem ismerte volna fel ilyen távolságból és a rossz fényviszonyok miatt, de azt észrevette volna, hogy valaki szimatol utána. Naná! Hiszen az utóbbi időben mást sem hallottak a titkos szemináriumokon, mint hogy: „Tartsátok nyitva a szemeteket, elvtársak! A falnak is füle van! Mindenki gyanús! Spiclik járnak közöttünk."

Nos, ha Heléna most észrevenné, az isten sem mosná le róla, hogy rendőrspicli. Már csak ez hiányozna! Ráadásul minden esélyét örökre elveszítené a nőnél. Iván feszengve álldogált, szorosan a kerítéshez simulva, és halkan káromkodva, amikor a Kálvin térről egy hangosan dudálva beforduló gépkocsi fényszórója egy pillanatra szinte színpadi megvilágításba helyezte az alakját.

Ám kár volt aggódnia. Heléna figyelmét annyira lekötötte valami, hogy még akkor sem figyelt volna fel rá, ha történetesen elsétál mellette. Még mindig a kerítésen belül keresett valamit, vagy… valakit. Utóbbi akkor vált valószínűvé, amikor a nő óvatosan (de eléggé hangosan ahhoz, hogy Iván is meghallja) pisszegni kezdett.

Iván az egyik meglepetésből a másikba esett. Mi a csuda! Ki bujkálhat odabent, a múzeumkert bokrai között? És mi az ördögöt keres ott?

Nemsokára megtudta – legalábbis részben. Heléna jelzésére ugyanis egy hosszú kabátba burkolózott, nemezkalapos férfi jelent meg a kerítés túloldalán. Iván meresztette a szemét, hogy ki tudja venni az arcát, ám ez a sötétség és a mélyen a férfi szemébe húzott kalap miatt lehetetlen volt.

A férfi és Heléna néhány suttogva elhadart szót váltottak, amiből Iván megint csak nem értett semmit. Már azon gondolkodott, hogy megpróbál közelebb óvakodni, amikor látta, hogy a férfi a kerítés mentén megindult a kapu felé. A nő kívül, az utcán követte, majd a kapunál találkoztak. Iván már-már arra számított, hogy mindjárt megölelik, netán megcsókolják egymást, mint valami titkos szeretők, ám semmi ilyesmi nem történt. A férfi egy pillanatra Heléna vállára tette a kezét, mintegy bátorítóan megszorította, majd egyetlen szó nélkül elindultak egymás mellett, de a másiktól tisztes távolságot tartva a széles utcán. Iván néhány pillanatnyi habozás után követte őket.

Most már, ha törik, ha szakad, kideríti, mi ez az egész.

* * *

Adél felállt az imént kikötött csónakban, és aprókat sikkantva, megítélése szerint igencsak kecsesen, bár kissé imbolyogva a kezét nyújtotta a már a parton álló Andornak. Miközben a fiú a szárazföldre segítette, egymás szemébe néztek.

– Ejnye – nevetgélt a lány. – Hogy én milyen ügyetlen vagyok.

Andor nem válaszolt. Először látta ilyen közelről Adélt, és egészen belefeledkezett a különleges arcocska tanulmányozásába.

Hű, micsoda szemek! – gondolta, már sokadszor. Így közelről még örvénylőbbnek, titokzatosabbnak tűntek. Akár a haragos tenger, amely hol sötétkék, hol zöld, hol szürke, attól függően, hogyan esik rá a fény. A mosolya is elbűvölő… apró, hibátlan, fehér fogak, és nini… a szája sarkában van egy gödröcske, amit csak most vett észre. Még az orrán lévő szeplők is mintha mind életre keltek volna, és mosolyognának, incselkednének vele…

Milyen fura lány! Messziről szinte csúnyácskának tű-
nik, ám amikor az ember jobban szemügyre veszi az apró
részleteket, rádöbben, hogy milyen szép. Pedig általában
fordítva szokott lenni, legalábbis a fiú a nők terén szerzett
eddigi csekély tapasztalatai szerint. Ebben a pillanatban
olyan elbűvölőnek és bájosnak látta a lányt, hogy még az
ostoba viselkedését is hajlandó volt elnézni. Ugyan, hiszen
azért mórikálja így magát, mert neki akar tetszeni, ez pe-
dig, ugyebár, megbocsátható gyarlóság. És el is éri a célját
a kis boszorka. Andor alig észrevehetően felsóhajtott. Na-
hát, nem arról van szó, hogy belészeressen, a világért sem.
Ebben a hátralévő néhány napban azonban egészen jól el-
űzheti az unalmát. A csudába, hogy csak most tűnt fel ne-
ki, valójában milyen csinos és vonzó! Igen, eddig is flörtölt
vele, de csak udvariasságból, mert úgy gondolta, ez mint-
egy kötelessége a házigazdának. Tulajdonképpen félvállról
vette az egészet. Még ki is nevette a húgát, aki egy ízben
megfenyegette, hogy „lesz nemulass", ha összetöri annak
a szegény Adélnak a szívét. Ugyan mivel törné össze? Kü-
lönben is, Adél kisasszony nem úgy fest, mint egy finom
porcelánbaba, akinek olyan könnyű lenne összetörni a szí-
vét. Most viszont… á, nem is lenne olyan rossz mulatság
egy kicsit magába bolondítani ezt a leányzót. Ez pedig az
előjeleket tekintve nem is lesz olyan nehéz feladat.

Álmodozásából a kisebbik húga, Ágóka zökkentette ki,
aki szokása szerint az ingujjába kapaszkodva kezdte rán-
gatni.

– Ugye elviszel engem is csónakázni, Andorka! Na!
Megígérted!

A fejét oldalra billentve, nagyra nyílt kék szemekkel bá-
mult rá. Márpedig Andor utálta, ha egy lány nyafogás-
sal, fejének oldalra billentésével, szemének elkerekítésé-

vel próbált elérni valamit. Azt pedig különösen gyűlölte, ha Andorkának szólították. Még ha a saját húga nevezte is így.

– Nem ígértem meg – vetette oda félvállról Ágókának.

– És most nem érek rá. Kérj meg valaki mást. Talán Józsit.

Józsi, az istállófiú biztosan kapható egy körre a kislánnyal és a nevelőnővel – gondolta. Hiszen úgyis szinte a nyálát csorgatva szokta bámulni Catherine–t, amikor Ágókával a parkban sétálnak.

– De a Józsi olyan büdös – pityeredett el Ágó. – És különben is... – folytatta volna, ám Andor, látva, hogy Adélék egymásba karolva már a kastély felé sétáltak, a szavába vágott.

– Megmondtam, nem érek rá. Ha Józsi nem elég jó, akkor bizony várnod kell.

Ezzel faképnél hagyta a kislányt és az őt szúrós szemmel méregető Catherine–t. A francia lány ugyan – az itt eltöltött évek ellenére – alig tudott magyarul, a fiú hanghordozásából és mimikájából azonban megértette, hogy visszautasította a kishúgát. Mikor Andor hátat fordított nekik, elhúzta a száját, és lehajolva ezt súgta Ágóka fülébe:

– *Grossier personnage!** – mire a kislány a szája elé kapta a kezét, és halkan kuncogni kezdett. Ha ezt hallotta volna Andor, aki oly büszke a származására és a neveltetésére, biztosan megpukkadna.

Andor néhány szaporább lépéssel beérte a karonfogva andalgó lányokat (akik talán szándékosan még a szokásosnál is lassabban sétáltak), majd melléjük igazodott.

– Ha nem haragszanak a kisasszonyok, elkísérném Önöket a szalonig.

---

* Faragatlan alak (francia)

Aliz tekintete pajkosan megvillant.

– Nohát, nohát, micsoda úriemberek lettünk. Nem győzök ámulni! Az utolsó napokra sikerült némi *gentleman* * -stílust magadra erőltetned, bátyókám.

– Aki egyszer gentleman, az az is marad – válaszolta Andor kelletlenül, majd Adélra pillantott. – Nem igaz, kisasszony?

– De, nagyon is igaz – Adél újra mélyen Andor szemébe nézett. – Én pedig nagy megtiszteltetésnek veszem, hogy még *két napot* a társaságában tölthetek.

A *két napot* szándékosan kihangsúlyozta, mintha csak azt mondta volna: „Már *csak* két napunk van, te szamár, mire vársz még?" Andor valószínűleg értette is, mivel sokatmondón elmosolyodott, majd mikor a bejárathoz értek, kecsesen meghajolt.

– A vacsoránál találkozunk – mondta, majd a két lány legnagyobb meglepetésére megfogta Adél kezét, és hevesen megcsókolta.

– Ohó! – jegyezte meg Aliz csillogó szemmel. – Tudtam én!

Adél közönyt színlelve megvonta a vállát, ám önkéntelenül is mosolyra húzódott a szája.

– Ugyan… mit tudtál? – kérdezte elpirulva, mire Aliz közelebb lépett, és a hüvelykujjával oldalba bökte.

– Hát például azt, hogy *mégiscsak* pocsék színésznő vagy, drágám.

* * *

---

* Úriember (angol)

Adél izzadt markában idegesen gyűrögette a cédulát, miközben a kastély háta mögött, a személyzeti lépcsőn üldögélt. A Nap már régen lenyugodott, és a házban mindenki az igazak álmát aludta (legalábbis *majdnem* mindenki). A parkot bevilágította a telihold fénye, kísérteties, ide-oda mozgó árnyakat rajzolva a földre, amitől Adél nemegyszer összerezzent. De legalább nincs vaksötét – gondolta dobogó szívvel, majd reszkető kézzel ismét – ki tudja, hányadszor – kihajtogatta a cédulát, amit Andor közvetlenül vacsora előtt csúsztatott a kezébe észrevétlenül. Egész vacsora alatt arra várt, hogy végre elolvashassa. Végig a kezében szorongatta, aminek az lett az eredménye, hogy a ceruzával írott üzenet elmosódott, alig lehetett kisilabizálni. Mégis, mivel rövid és lényegre törő volt, vacsora után, a szobájába menekülve végül csak el tudta olvasni.

„Napnyugta után a személyzeti lépcsőn. A."

Ennyi volt az egész. Ez a néhány szó mégis mennyi ígéretet, borzongást, szerelmet és reményt rejtett magában. Adél legalábbis így érezte, és egy csapásra megfeledkezett arról, hogy ő eredetileg csupán játszani akart ezzel az úri fiúval, ugratni kicsit, megleckézetni. Hol volt ez már... akár álló éjszaka is szívesen várt volna rá itt, a kőlépcsőn kuporogva, amelynek korlátját – ellentétben a főbejáratéval – vastag rozsda borította. Újra kiterítette a rongyosra gyűrögetett cédulát az ölébe, és sokáig bámulta. Már egyáltalán nem tudta elolvasni, de kívülről fújta, mi van ráírva, és ez a tudat elegendő volt neki.

Hát mégis szeret – ujjongott magában. Andor szereti őt, ez most már nyilvánvaló, hiszen máskülönben nem hívná ilyen romantikus és veszedelmes találkára. Ó, igen! – ő a világ legszerencsésebb leánya.

Csak jönne már végre!

Ebben a pillanatban valami neszt hallott a lépcső melletti bokrokból, mire felállt, és szemét kimeresztve próbálta kivenni, mi lehet az. Nem csalódott: Andort lépett elő a nyíratlan sövény mögül. Amiikor a fiú közelebb érve meglátta, milyen boldogság és odaadás sugárzik a lány arcáról, önkéntelenül magabiztos vigyorra húzta a száját.

Adél erre kissé észbe kapott. Na, nehogy azt higgye már, hogy a következő pillanatban a lába elé borul! Felfuvalkodott hólyag. Tőle telhetően igyekezett hát unott arcot vágni, sőt, még egy ásítást is megkockáztatott.

– Hol az ördögben voltál? Már azt hittem, elalszom, mire ideérsz – mondta szemrehányóan, és elégedetten látta, hogy Andor arcáról lehervadt az öntelt mosoly. Hiába, ezekkel az úri fiúkkal így kell bánni – gondolta elégedetten.

A fiú valóban összezavarodott egy kicsit. Nem is tudta, hányadán áll a lánnyal. De éppen ez volt benne az izgalmas. Ez a kis pesti egészen más volt, mint a kegyeit kereső, alázatos parasztlányok, akikkel már belekóstolt a testi szerelembe, vagy az előkelő kisasszonyok, akik általában mind lehetetlenül ostobák vagy reménytelenül unalmasak voltak.

Most egy pillanatra elbizonytalanodott. Miért is hívta ide a lányt? Mit is akar tőle? Biztosan nem *azt*. Más se hiányozna! No és a lány mit várhat tőle? Igazából Andor is csak egy bizonytalan kamasz volt, hiába játszotta meg a világfit, és most, hogy közelről belenézett a nyugtalanító macskaszemekbe, inába szállt a bátorsága.

– Hm, hát… ne haragudj, hogy megvárakoztattalak – váltott át a kifogástalanul udvarias úri fiú szerepére, amelyben otthonosan mozgott (ámbár a tegezés kicsit zavarba hozta), és tudta, hogy nem követhet el hibát.

– Valójában – folytatta, miközben a lába elé bámult, és a málladozó kőlépcső kavicsait rugdosta – őrültség volt az a levél. Nem is tudom, miért írtam meg. De ha már így alakult, úgy éreztem, el kell jönnöm. Nem akartalak cserbenhagyni.

Adél nem hitt a fülének. Hirtelen vad düh és sértettség öntötte el.

– Úgy – mondta jéghideg hangon. – Szóval nem tudod, miért írtad meg. Én megmondom: hogy visszaélj egy szegény barát és vendég jóhiszeműségével.

A lány ezzel hátat fordított, és elindult volna lefelé a lépcsőn, ám Andor elkapta a karját.

– Várj! – mondta, és most már végképp nem tudta, hogyan folytassa, mit is szeretne. – Nem menj el, kérlek. Valahogyan… jóváteszem a dolgot – tette hozzá, és nagyot nyelt. Ugyanis fogalma sem volt, hogyan, de tudta, hogy a következő másodpercekben ki kell találnia valamit, máskülönben a lány akár az apjánál is beárulhatja, és akkor óriási bajban lesz.

Adél megállt, és érdeklődve nézett a fiúra.

– Szóval jóváteszed – mondta. – Na jó, azt még megvárom.

Karba fonta a kezét, és kihívóan nézett Andor szemébe. A fiú egyre nagyobb zavarba jött. Adél egyáltalán nem úgy viselkedett, mint arra előzőleg számított. Igaz, nem is volt vele tisztában, mire számított. Csudába, hogyan lehetett ilyen ostoba…

Hirtelen, mivel ennél jobb nem jutott eszébe, tett egy

lépést előre, átkarolta a lány derekát, és csókkal forrasztotta le az ajkát.

Adél úgy meglepődött, hogy hirtelen levegőt sem kapott. Majd csuklott egy nagyot, és a két kezével megmarkolva a fiú vállát, ösztönösen megpróbálta eltolni magától. Andor azonban erősebb volt nála, no meg nem is volt kedve tovább magyarázkodni, vagy a lány csípős megjegyzéseit hallgatni, ezért esze ágában sem volt elengedni Adélt. Ahogyan tovább csókolta, lassan a lány is elengedte magát, elernyedt, míg végül teljes testével a fiúhoz simult. Közben minden kétely és keserűség elillant a szívéből, és csak arra gondolt, mennyire szereti Andort, és hogy ez élete legboldogabb pillanata.

Andornak pedig csak az járt az eszében, nehogy valaki meglássa őket a kastély egyik hátsó udvarra nyíló ablakából. Mikor nagy sokára kibontakoztak egymás öleléséből, csodálkozva nézett a lányra, mintha most látta volna először.

– Ejha! – mondta, majd megfogta Adél kezét. – Gyere, most menjünk be, mielőtt észrevenne valaki.

– De… – kezdte a lány bizonytalanul.

– Cssss! – Andor a szájára tette az ujját. – Egy szót se! Majd… majd holnap, vagy valamikor megbeszéljük.

Ennyiben maradtak. Adél engedelmesen hallgatott, és a házba érve igyekezett észrevétlenül visszasurranni a szobájába.

Két nap múlva a két lány már becsomagolt bőröndökkel, utazóruhában állt a bejárati lépcsőnél, és a lovas kocsit várták, amelyik majd kiviszi őket az állomásra. Nemsokára Szendrey Emil is csatlakozott hozzájuk – az ő tiszte volt elkísérni a kisasszonyokat egészen Budapestig, az iskoláig. A felesége, Cecília asszony betegeskedett, ő nem jöhetett velük, a nevelőnő pedig Ágókával maradt odahaza. Adél szokatlanul hallgatag volt, és folyton ide-oda forgatta a fejét, mintha várna valakit. Aliz tudta is, hogy kit. A barátnője ugyanis tegnap éjszaka – régi szokásuk szerint – beszökött az ágyába, mellésimult a paplan alatt, és bevallott mindent. Azt is, hogy *halálosan* beleszeretett Andorba.

– Jaj, drágám, hiszen ez nagyszerű! – ölelte át lelkesen Aliz. – Ez azt jelenti, hogy előbb-utóbb a családunk tagja leszel. Mindig is erre vágytam. Titokban reménykedtem, hogy ez a buta fiú beléd szeret, és lám, nem is hiába.

Adél ezekre a szavakra egy kissé elkomorult.

– Igen ám – vetette közbe. – Csakhogy Andor még egy szóval sem mondta, hogy szeret.

– De hát megcsókolt! – Aliz ezt olyan hangsúllyal mondta, mintha ez megcáfolhatatlan bizonyítéka lenne egy férfi szerelmének. Adélnak azonban voltak fenntartásai. Oh, rövid élete alatt ő azért sokkal több mindent megtapasztalt, ha még nem is a szerelem terén, mint a barátnője, és bármi történt is vele, mindig résen volt.

Most pedig, úgy tűnt, beigazolódtak a rossz előérzetei. Andort az éjszakai találka óta alig látta. Amikor véletlenül összefutottak, a fiú udvariasan, de kimérten viselkedett. Aliz szerint azért, mert zavarban volt, és nem tudta, mások előtt hogyan viselkedjen a szerelmével.

Adél ebben nem volt olyan biztos. Ha most nem jön elbúcsúzni, akkor az bizonyosan azt jelenti, hogy vége. Csak játszott vele. De azt még keservesen megbánja!

Adél minden fogadkozása ellenére érezte, hogy egy gombóc nő a torkában, amely percről percre nagyobb. Majd a szeme is mintha viszketni kezdett volna. Kis gyapjú utazókabátját, ami eddig a karján lógott, letette az előtte fekvő bőröndre, és zsebkendő után kutatott a zsebében. Nem akart sírni, a világért sem… csak mintha valami a szemébe ment volna, és az orrát sem ártana megtörölni.

Ebben a pillanatban végre Andor bukkant fel a lépcső tetején. Az egyik ünneplőöltönyét viselte, mivel vasárnap volt, és később Catherine-nel és Ágókával istentiszteletre készültek. Adélnak a lélegzete is elakadt, annyira jóképűnek, vonzónak és elérhetetlennek látta. Ismét erőt vett rajta a szörnyű érzés, hogy hiába ő Aliz legjobb barátnője, valójában mindörökre csak betolakodó, megtűrt személy lehet ezek között az emberek között. Andor viselkedése pedig csak erősítette benne ezt az érzést.

A fiú elsőként a húga előtt állt meg, és szertartásosan kezet csókolt neki.

– Isten veled, Aliz – mondta komoly, ünnepélyes arccal.

– Isten óvjon, amíg újra nem találkozunk.

– Miért, akkor majd te fogsz óvni? – kérdezte Aliz tőle szokatlan iróniával a hangjában. – Ugyan, drágám, mitől lettél egyszeriben ilyen karót nyelt?

A lánynak mintha hirtelen eszébe jutott volna valami, és a mellette szótlanul ácsorgó Adél felé fordult.

– Aha, már értem – bólintott mindentudó mosollyal.

– Na jó, búcsúzkodjatok csak nyugodtan, én nem is zavarok.

Ezzel fogta magát, és bement a házba, magára hagyva a két feszengő fiatalt. Elsőként Adél mozdult meg – közelebb lépett, és a kezét nyújtotta a fiúnak.

– Hát… viszontlátásra, Andor – mondta halkan. A szemében azonban remény és várakozás csillogott. Hátha most majd megtörik a jég, és a fiú mond valamit… még mindig nem lenne késő. Ám Andor csak kötelességtudóan kezet fogott vele.

– Isten áldja magát is – mondta kenetteljes hangon, majd elfordult, mintha ezzel eleget is tett volna az udvariasság alapvető követelményeinek. Ám a következő pillanatban meggondolta magát, odahajolt a lányhoz, és halkan, szinte suttogva hozzátette:

– Arról pedig, ami ott történt… a hátsó lépcsőn. Tudja. Arról ne szóljon senkinek.

– Eddig sem szóltam – válaszolta a lány sértődötten (csak Aliznak, tette hozzá magában).

– Jól van. Tudom – bólintott a fiú. – És ez, kérem, maradjon is így.

– Különben? – kérdezte Adél kihívón.

– Különben kénytelen leszek letagadni.

Ezzel Andor hátat fordított Adélnak, és egy pillanat alatt eltűnt a kastély belsejében, a hűvös félhomályban.

* * *

Iván komor arccal, zsebre dugott kézzel lépdelt a kihalt józsefvárosi utcákon. Az Üllői útról a kis mellékutcába fordulva egyszeriben lelassított, és az illegális mozgalmak íratlan szabályai szerint „minden feltűnést kerülve" óvatosan körülnézett, nem követte-e valaki, majd felemelte a fejét, és a második emelet magasságában megkereste az ablakokat, amelyekről tegnap az elvtárs a Thököly úti ivóban beszélt neki.

Jól van, a redőnyök fel vannak húzva. Akkor minden rendben, bemehet. Azért a bejárat mellett még szemügyre vette a falra kifüggesztett kis pléhtáblát. *Kuncz Endre szabómester. II. emelet 4-es ajtó.* Ez az – konstatálta elégedetten. Ide kell hát jönnie. Ha minden igaz, már várják.

Ruganyosan, halkan fütyörészve szaladt fel a lépcsőn.

Holott egyáltalán nem volt jókedve, csak nem akart feltűnést kelteni. Egy ilyen vidám, gondtalan fickóra senki sem figyel fel – okoskodott –, akár házbelinek is vélhetik, viszont ha idegesen ide-oda tekingetne, még szemet szúrna valakinek. Óvatosnak kell lenni, ha az ember nem akar a Gyorskocsi utcában* kikötni! Azért odafent még egyszer körbevizslatott, mielőtt bekopogott volna.

Ismeretlen, ősz bajuszú, sovány ember nyitott ajtót, aki szó nélkül beengedte. Nyilván Kuncz Endre szabómester. Régi, kipróbált elvtárs, akinek a lakásán gyakran szerveztek titkos megbeszéléseket. Nem is vesztegették azzal az időt, hogy bemutatkozzanak. Mindketten tudták, a másik kicsoda, és ennyi elég volt. A szabómester a fejével intett, hogy menjen be a szobába. Ott már várja valaki.

Iván belépett, és tanácstalanul nézett körbe a szabásmintákkal, anyagmaradékokkal, spulnikkal telizsúfolt dohos, fülledt kis helyiségben. Hiába volt felhúzva a redőny, félhomály honolt a műhelyben (hogy nem vakul meg ez a szabó? – gondolta önkéntelenül). Mindenütt cigarettafüst terjengett, és Iván hiába meresztette a szemét, senkit sem látott. Márpedig az nem lehet, hogy nincs még itt. Ő sohasem késik. Végül a szoba egyik sarkában álló, kopottas karosszéket megfordították a tengelye körül, és a benne ülő férfi Ivánra mosolygott. Neki pedig ismét az jutott eszébe, hogy ennek az embernek a mosolya sokkal félelmetesebb, mintha dühösen vagy éppen közömbösen nézne rá.

– Á, Nagy elvtárs, már vártalak – mondta nyájasan Rákosi Mátyás, és az előtte álló székre mutatott. – Gyere, foglalj itt helyet.

---

* Utalás az ottani gyűjtőfogházra.

Ivánnak mindig is az volt az érzése, hogy Rákosinak különösen nehezére esik a kommunisták körében elterjedt tegezés. Persze, mindenkit elvtársoztak, ez magától értetődő volt, ám a pertura sokaknak nehezen állt rá a szája. Iván ösztönösen megérezte ezt, és nem bízott az ilyen emberekben. Nem is igazi kommunisták ezek! Ám bölcsen megtartotta magának ezt a véleményét.

– Jó napot, Rákosi elvtárs – köszönt, és a kezét nyújtotta a közöttük lévő asztalkán keresztül. – Igyekeztem, hogy pontosan ideérjek.

– Nem is késtél el – nyugtázta Rákosi, elégedetten biccentve. – Én érkeztem korábban. Szeretem a találkozók előtt még egyszer átgondolni a dolgokat.

– Khm – krákogott Iván zavartan. – Jó is az.

Fogalma sem volt, miért rázza ki hirtelen a hideg. Sehogyan sem tetszett neki ez az alak. Mit akarhat tőle?

Nem kellett sokáig várnia, hogy megtudja.

– Térjünk a tárgyra – kezdte Rákosi, elnyomva a cigarettáját egy bádog hamutálban. – Ugye, emlékszel, Nagy elvtárs, hogy a múltkor említettem, valami fontos küldetést szeretnék rád bízni.

Iván bólintott. Igen, emlékezett rá. Csakhogy Rákosi akkor mintha nem ugyanezeket a szavakat használta volna. Mindegy. Várakozón nézett a férfira.

– Bécsbe kellene kimenni. Persze hamis papírokkal. Azokat a rendelkezésedre bocsátjuk. Fontos dokumentumokat kellene eljuttatnod oda.

Rákosi egy cédulát tett Iván elé, amin egy cím volt olvasható: *Glockengasse 6.*

– Megjegyezted? – kérdezte Ivántól. A férfi ismét bólintott. Rákosi apró darabokra tépte a cédulát. – Nem lehetünk eléggé óvatosak – mondta, apró szemét Iván arcára szegezve.

Ő igyekezett leplezni, mennyire meglepődött. Az ördögbe, ez a fickó aztán nem kerülgeti a forró kását. Most aztán mit csináljon? Érezte, hogy nem utasíthatja vissza a megbízatást. Ahhoz már túlságosan is belekeveredett ebbe az egészbe. Ráadásul tudta, hogy Rákosival nem ajánlatos ujjat húzni… A Pálmaházból is nehezen fogják elengedni – éppen most, napokkal az iskolaév kezdete előtt. Maga előtt látta Kőrösi nagyságos asszony arcát, amikor majd előrukkol ezzel a kéréssel. Néhány napos bécsi kiruccanás… na hiszen. Viszont azzal is tisztában volt, hogy Pálma asszony végül el fogja engedni. Az igazgatónő nem tudott neki nemet mondani… a csudába, hogy nem nyaralásról, vagy kirándulásról van szó, azt nem is bánná. Ekkor azonban hirtelen eszébe jutott valami.

– Mondd, Rákosi elvtárs, muszáj egyedül mennem? – kérdezte.

Rákosi a tenyerébe hajtotta az állát, és szokása szerint még jobban összehúzta a szemét, úgy fürkészte az előtte ülő férfit.

– Szeretnéd, ha valaki veled menne? – kérdezett vissza, jóindulattal a hangjában. Iván kapva kapott a lehetőségen.

– Igen! – vágta rá. – Van valaki… akit nagyon szeretnék magammal vinni.

* * *

A Bécs felé zakatoló vonaton Iván önelégülten mosolyogva ült a durcás arcú Helénával szemben, aki az indulás óta egyfolytában mereven kibámult az ablakon. Áhá, tudta ő, hogy a nő sem mondhat nemet Rákosinak. Micsoda zseni, hogy eszébe jutott: magával kellene vinni Helénát is. Így már sokkal nagyobb kedve volt ehhez az egész kétes kiruccanáshoz. Nem tudta ugyanis, mi lehet abban a táskában, amit tegnap este kapott meg a Thököly úti kiskocsmában, ahol Rákosi üzeneteit szokta átadni neki egy ismeretlen, szürke öltönyös elvtárs. Valójában nem is érdekelte.

A vele szemben ülő, duzzogó nő annál inkább.

Különben is, csak hadd duzzogjon. Ismerte ő már ezt! Majd megbékél, és a végén még hálás is lesz neki, hogy elhozta magával erre az útra. Még ha egy kicsit veszélyes is a dolog – ámbár Rákosi szerint az elvtársak már évek óta úgy grasszáltak oda-vissza az osztrák határon, hamis papírokkal, vagy akár mindenféle dokumentum nélkül, mint bárki földi halandó a budapesti Nagykörút egyik oldaláról a másikra. Igaz, hogy Ausztriában sem a kommunisták voltak hatalmon, az ottani kormány azonban sokkal elnézőbb volt a mozgalmárokkal szemben. Lám, a magyarországi Kommün bukása után is zokszó nélkül befogadta az emigránsokat, akik szinte zavartalanul szervezhették az otthoni földalatti mozgalmat a határon keresztül. Méghozzá az olyan vállalkozó kedvű (vagy éppen megbízott) elvtársak segítségével, mint Nagy Iván és Gordon Heléna.

Iván – azóta, hogy találkoztak a pesti pályaudvaron, és felszálltak a vonatra (másodosztályra, természetesen) – szinte csak tőmondatokban szólt a nőhöz, a legszükségesebbre korlátozva a társalgást, Heléna pedig még nála is szűkszavúbb volt. Egy-egy kurta szóval válaszolt, már ha egyáltalán…

Sebaj. Iván így is elégedett volt. Eldöntötte ugyanis,

hogy az út végére kifürkészi Heléna titkait. Azokat is, amelyekre azon az emlékezetes estén, amikor követte az összejövetelük után, nem sikerült fényt derítenie.

Akkor egészen Heléna körúti lakásáig követte őket, a nőt és titokzatos kísérőjét, persze tisztes távolságból. Meg volt róla győződve, hogy a pasas fel fog menni a nő lakására. Azért a saját szemével akarta látni. A szíve mélyén nem is bánta volna, ha így történik. Legalább megtudta volna, hogy Heléna másokkal „hajlandó"… akkor ővele miért is ne lenne kapható ugyanerre?

Ám nem az történt, amire számított. A kapu előtt a nő megfordult, a kezét nyújtotta a kalapos férfinak, aki viszonozta a mozdulatot, majd leheletnyire megemelte a kalapját, és elment. Még csak vissza sem nézett. Heléna pedig belépett a kapun, amit gondosan bezárt maga után.

Nocsak, szóval nem a szeretője. Akkor meg ki az ördög? Iván elhatározta, hogy végére jár a rejtélynek.

Miután a gőzös bepöfögött a bécsi Westbahnhofra (a határon valóban nem volt semmi gond – az egyenruhás határőr futó pillantást vetett az útlevelükre, amelyek szerint férj és feleség voltak, hanyagul tisztelgett, majd odébbállt) Iván előzékenyen levette a csomagtartóból mindkettejük bőröndjét, és a barna bőrtáskát, a Rákosi által küldött dokumentumokkal.

– Keresek egy hordárt – mondta Helénának, mikor már mindketten a peronon álltak, mire a nő bólintott. Iván elégedetten nyugtázta, hogy az arca mintha már sokkal kevésbé lenne zárkózott és barátságtalan. – Addig vigyázz a csomagokra – tette még hozzá, majd némi töprengés után a barna bőrtáskát inkább mégis magánál tartotta. Látta, hogy Heléna észrevette a habozását, de egyikük sem szólt semmit. Ivánt ugyan valóban nem izgatta, mi lehet a táskában (nyilván titkos feljegyzések, utasítások az itteni elvtársaknak), és mi lesz a sorsa a küldeménynek, de Helénát alig ismerte, Rákosival pedig nem akart fölöslegesen packázni. Érezte, hogy már így is túlfeszítette a húrt azzal, hogy magával hozta a nőt. Tisztában volt vele, hogy Rákosi szeretőknek hiszi őket.

Bár igaza lenne – sóhajtott. De ami késik, az nem múlik. Ez a bécsi küldetés eszményi alkalom arra, hogy végre elcsavarja a csinos, konok fejecskét.

Taxival mentek a II. kerületbe, a fényes császárváros legszakadtabb, piszkos és sivár munkáskerületébe, ahol a Glockengasse 6. számú házában volt egy csekély látogatottságú szakszervezeti munkáskönyvtár – ideális hely arra, hogy az illegális magyar kommunisták találkozót adjanak egymásnak. Iván és Heléna minden nehézség nélkül megtalálták a házat. Rákosi olyan részletesen leírta az odavezető utat, és magát az épületet is, hogy Iván tüstént konstatálta: biztosan ő is járt már ott, talán nem is egyszer. Á, mégis igaz tehát, hogy ezek a nagy konspirátorok kényelmesen ingáztak oda-vissza a nyugati határon keresztül.

Mivel ő egy árva szót sem tudott németül, Heléna viszont folyékonyan ezen a nyelven (már csak ezért is okos dolog volt elhoznia magával), utasította a nőt, hogy mondja meg a taxisnak: várja meg őket a bejárat előtt.

– Nem időzünk sokáig – magyarázta. – Állítólag már várnak minket, és ezt – felemelte a táskát. A bőröndöket felesleges lenne felcipelni. A szállásunk itt van nem messze, egy olcsó hotelban.

A „szállás" szót szándékosan megnyomta, és sokatmondóan nézett Helénára, aki azonban – látszólag – nem értette el a célzást.

– Azt akarod, hogy felmenjek veled, Nagy elvtárs? – kérdezte a nő halkan. – Ott már remélhetőleg nem kell tolmácsolni – tette hozzá kissé gunyorosan.

Iván elbiggyesztette a száját. No, hogy felvágták a nyelvét a kicsikének. De majd ő megmutatja, ki az úr a háznál.

– Igen, azt akarom, hogy mindig a szemem előtt legyél. Nem bízom meg teljesen benned – felelte, és gyorsan kiszállt a taxiból, még mielőtt Heléna visszavághatott volna.

A lépcsőn sietve mentek fel, Iván hosszú lábával kettesével vette a lépcsőfokokat, a nő pedig zihálva, mérgesen fújtatva igyekezett utána. Mikor felértek, és megálltak az ajtó előtt, gyilkos pillantást vetett rá, amitől a férfit mintha hájjal kenegették volna. Bekopogott az odahaza megtanult titkos jelet használva. Az ajtó szinte azonnal kinyílt, amitől Iván kissé visszahőkölt, és majdnem Heléna karjaiban kötött ki.

– Nagy elvtárs? – kérdezte a koravén arcú, bubifrizurás nő. Iván emlékezett rá, hogy már látta őt otthon, Pesten. A Vörös Segély egyik aktivistája volt, és néha tartott előadásokat, amellett agitálva, hogy segítsék a bebörtönzötteket. A nevére azonban nem emlékezett, és a nőnek esze ágában sem volt bemutatkozni. – Gyere velem – intett Ivánnak, Helénát pedig gyanakodva végigmérte. – Arról volt szó, hogy egyedül jössz – jegyezte meg epésen.

– Megváltozott a terv – vonta meg a vállát Iván. – Szükségem volt német tolmácsra.

– Aha – mondta a bubifrizurás nem túl nagy meggyőződéssel. De már be is értek a könyvtár olvasóhelyiségébe, ahol a polcok közötti asztaloknál néhány magányos, szegényes öltözetű fiatal diák- vagy munkásféle üldögélt.

A férfi, aki Ivánt várta, az egyik sarokban foglalt helyet, a bejáratnak háttal. Mikor Iván mellé lépett, és a férfi megfordult, Ivánnak elkerekedett a szeme.

– Kun elvtárs? – kérdezte hitetlenkedve.

– Halkabban – intett Kun Béla bosszúsan, ám az arcáról leolvasható volt, hogy hízelgett neki Nagy Iván meglepett reakciója. Nyilván nem számított rá ez a jöttment kis elvtárs, hogy hús-vér valójában láthatja maga előtt a kommün egykori teljhatalmú külügyi népbiztosát.

– Foglaljon helyet – mutatott maga elé, majd Helénát megpillantva némi szünet után hozzátette: – Azaz... foglaljanak helyet.

Ivánnak rögtön feltűnt, hogy Kun Béla magázta. Tehát az otthoni szokásoktól eltérően ő sem tegezte a biztost.

– Örülök, hogy megismerhetem, Kun elvtárs – nyújtotta a kezét, majd Helénára mutatott. – Ő Gordon elvtársnő, a kísérőm.

Kun Béla biccentett a nő felé, aki ezt merev mozdulattal viszonozta. Iván mintha elszánt, jeges gyűlöletet látott volna átsuhanni az arcán. Ám az egész egy szempillantásig sem tartott. Talán nem jól látta. Heléna arcán immár ismét a megszokott, kissé durcás, magabiztos kifejezés ült. Iván azonban beleborzongott annak a jéghideg tekintetnek az emlékébe.

Úristen, ez a nő ölni is képes lenne – futott át az agyán.

Na és aztán? Ki ne lenne képes ölni, ha eljön az ideje? Hiszen ő maga is ölt már – jutott az eszébe hirtelen az a néhány évvel ezelőtti augusztusi hajnal.

Különben sem biztos, hogy jól látta. És most Kun Bélára, valamint a küldetésére kell összpontosítania, nem Helénára. Vele majd ráér később foglalkozni. Majd ha a szállásra értek…

Kun Béla húsos ajkán viszont gúnyos mosolyféle játszott.

– Én úgy tudtam, egyedül jön, Nagy elvtárs – mondta. – Sebaj, akkor foglaljanak helyet mindketten. És elnézést, hogy most csak ilyen szerény körülmények között tudom fogadni magukat, de hát, ahogyan mondani szokták, szegény ember vízzel főz...

Ivánnak ekkor eszébe jutottak a pletykák, miszerint Kun elvtárs jó adag rabolt kinccsel hagyta el annak idején az országot. Az otthoni illegális találkozókon sokat sutyorogtak erről, ámbár hangosan senki sem merte kimondani. Amikor azonban kezet fogtak, Iván egy aranyóra láncát látta megcsillanni Kun Béla kifogástalan szabású zakója alatt, a selyemmellényen.

A mozgalom viszont tényleg szegény volt, efelől senkinek sem lehetett kétsége. A Vörös Segély aktivistái nem győzték ezt nap nap után hangoztatni, hogy adományokat csikarjanak ki a „lebukottak" megsegítésére. Az elvtársak pedig általában szívesen adtak, ki mit tudott. Hogyne, amikor senki sem lehetett benne biztos, hogy legközelebb nem ő szorul-e majd segítségre.

A volt népbiztossal hamar lezajlott a tárgyalásuk. Csak átadták a táskát, Kun elvtárs megnézte, mi van benne, elégedetten bólogatott, és egy mozdulattal kivette az iratköteget, amit azután az ölébe csúsztatott. Iván és Heléna egymásra néztek – vajon miért nem veszi el az egész táskát? Erre is hamarosan választ kaptak.

Kun Béla ugyanis egy másik nagyméretű mappát vett elő az asztalon lévő könyvkupac alól, és óvatosan a táskába csúsztatta. Iván elkerekedett szemmel nézte. Ez meg micsoda? Kun elvigyorodott.

– Á, szóval maguk nem tudták, hogy *visszafelé* is csempészniük kell valamit. Mit mondjak, pedig számíthattak volna rá. Tudják, minden lehetőséget ki kell használnunk, hogy kapcsolatot tartsunk egymással.

Mivel Iván még mindig értetlenül bámult rá, megvonta a vállát.

– Na, ne féljenek, csak újságok vannak benne. A *Proletár** legújabb száma. Persze, ha megtalálják maguknál, ezért is meggyűlik a bajuk a hatóságokkal, de mégsem olyan, mintha…

– Mintha? – kérdezte Heléna.

Kun Béla ránézett, olyan tekintettel, mint aki először vesz észre valakit, majd halkabban folytatta.

– Mintha, teszem azt, titkos adatokat vinnének át a határon az otthoni vezetőkről és a kommunista sejtekről. Ilyesmiről viszont szó sincs.

– Rendben van – bólintott Iván. – Idefelé sem volt semmi gond, visszafelé sem lesz.

– Visszafelé már… nos, kicsit *alaposabbak* – jegyezte meg Kun Béla mosolyogva. – De mi nagyra értékeljük az erőfeszítéseiket. Nem fogunk megfeledkezni magukról, amikor majd… de hiszen tudják, amikor újra eljön a *mi időnk*.

Iván ismét csak bólogatott, ám Kun elvtárs ezúttal Helénát nézte, akinek az arcáról az égvilágon semmit sem lehetett leolvasni. Legalábbis ő, az útitársa nem tudott. Bosszantotta is a dolog – mintha az előbb egy pillanatra belelátott volna a nő fejébe és lelkébe. De ez csak egy múló pillanat volt. Általában nem szokta érdekelni, mi járhat egy nő fejében – még Kocsis Teréziával kapcsolatban sem, úgyis biztosra vette, hogy a csinos tanárnő titok-

---

* Bécsben nyomtatott illegális kommunista újság az 1920-as évek elejéről.

ban fülig szerelmes belé – de Helénával más volt a helyzet. Mit nem adott volna érte, ha ebben a pillanatban is olvashatott volna a gondolataiban! Ráadásul úgy tűnt neki, hogy magának Kun Bélának is megtetszett a kicsike.

* * *

Néhány perc múlva már ismét lent voltak a ház előtt, ahol a taxis az autójának dőlve, egykedvűen cigarettázva várta őket. Miután beültek a hátsó ülésre, Iván bemondta az utca nevét és a házszámot, aztán a hátralévő utat egyetlen szó nélkül tették meg. Szerencsére már nem kellett sokat taxizniuk – gyakorlati és anyagi megfontolásból is ugyanott, a második kerületben vettek ki nekik szobát, ahol a munkáskönyvtár volt. Ebből az is következett, hogy a hely nem volt egy Ritz Szálló de Heléna nem is ezen háborodott fel, amikor átvették a kulcsot.

– Micsoda? *Egy* szobát kaptunk? Ezt meg hogy képzelték? Csak nem hitték, hogy én…

– Nos, nem tudom, mit hittek – sóhajtott Iván dühösen. – De az biztos, hogy nincs pénzünk még egy szobát kivenni. Szóval vagy itt alszol, vagy valamelyik híd alatt, választhatsz.

Heléna erre elhallgatott, és többé egy szót sem szólt Ivánhoz, aki hasztalan igyekezett semleges témákról beszélgetést kezdeményezni, miközben kicsomagoltak. Végül feladta. Eredetileg úgy tervezte, hogy meghívja a nőt vacsorázni egy közeli vendéglőbe, de mostanra belátta, hogy hiába is próbálkozna.

– Hozok valami harapnivalót – mordult rá a nőre, majd választ sem várva kiment a szobából. Heléna utána bámult, majd megvonta a vállát, és tovább hajtogatta kevéske szegényes, de tiszta és takaros holmiját. Fogas nem volt ezen a nyomorúságos helyen, vasalni sem lehetett, így elkeseredetten konstatálta, hogy kénytelen lesz majd gyűrött ruhában hazamenni holnap.

Ez is miattuk van – gondolta, és dühödten megrázta a fejét. – Az átkozott kommunisták miatt.

De már nem kell sokáig tűrnie, Tibor megmondta, amikor legutóbb találkoztak a Nemzeti Múzeumnál. Már csak néhány hétig kell kitartania, és akkor végre eljön az *ő ideje.*

Helénának ekkor eszébe jutott, hogy Kun Béla ugyanezeket a szavakat használta, amikor a várható jutalommal biztatta őket. Majd ha *eljön a mi időnk.*

A nő elmosolyodott. No hiszen, ha Kun elvtárs tudná… Ha rajta múlik, az az idő soha, de soha nem jön el!

Mire Iván visszaért, kezében egy bádog ételhordóval, Heléna már el is pakolta a holmiját. A férfi szótlanul tette le az ételt a szoba közepén álló, imbolygó lábú asztalkára, majd várakozón nézett a nőre, aki mozdulatlanul ült az ágya szélén.

– No, mi az? – kérdezte barátságtalanul. – Nem vagy éhes?

Heléna erre felállt, és leült az asztalhoz, a férfival szemben. Maga elé húzta az adagját, és elvette a szalvétába csavart bádogvillát és kést. Iván mindkettejüknek ugyanazt az egyszerű ételt hozta: húsgombócot krumplival és valami megfejthetetlen összetételű barnás színű mártással. Persze, hol volt ez Nyanya főztjétől, de laktató étel volt, Iván pedig mostanra igencsak megéhezett, így az utolsó morzsáig befalta. Heléna csak csipegetett. Miután végeztek a vacsorával, egy darabig még az asztalnál üldögéltek, és tanácstalanul bámultak maguk elé.

Most aztán hogyan tovább? Mindketten tanácstalanok voltak, ám afelől nem lehetett kétséges, hogy mást-mást terveznek éjszakára. Iván azon törte a fejét, hogyan közeledhetne a nőhöz, és hogyan törhetné meg – minden botrány nélkül – az esetleges ellenkezését. Heléna csak aludni szeretett volna, de nem tudta, Iván jelenlétében hogyan vetkőzzön le és bújjon ágyba. Végül úgy döntött, hogy blúzban-szoknyában fekszik le, csak a felsőruháját veti le. Felállt, a sarokban álló keskeny ágyhoz lépett, és levette egyszerű szabású szürke kiskabátját. Amikor megfordult, hogy az ágy mellett álló szék támlájára akassza, hirtelen egy erős kar szorítását érezte a derekán. Szinte sóbálvánnyá merevedett, és várta, mi fog történni. Egyelőre nem akart, és nem mert sem szólni, sem megmozdulni.

Nem kellett sokáig várnia. Hamarosan egy borotvált férfiáll dörzsölését érezte a nyakán, fülét pedig megcsapta Iván forró lehelete. A férfi suttogott.

– Ne félj, nem bántalak. Ne kiabálj! Itt úgy tudják, hogy a feleségem vagy, és ezen a nyomorúságos helyen nem először fordul elő, hogy valaki elnáspángol egy nőt. Úgyhogy ne ficánkolj, és ne sikítozz. Meglátod, jó lesz.

Heléna érezte, hogy a férfi keze lassan lejjebb csúszik, a combja közé, és elkezdi felhúzni a szoknyáját. Ebben a pillanatban összeszedte minden erejét, könyökével nagyot lökött Ivánon, és egy kétségbeesett mozdulattal kiszabadította magát a szorításából.

– Nem megmondtam, hogy ne… – kezdte Iván dühösen, ám a torkára fagyott a szó. Heléna szemben állt vele, támadó pózban, kezében egy éles kést tartva. A mindenségit! Hát ezt meg a bugyijában rejtegette, vagy hol?

– Ne gyere közelebb – sziszegte a nő. – Elvágom a torkodat. Megteszem, tudhatod.

Iván válaszként csitítóan felemelte a kezét. Ebben a mozdulatban benne volt a válasz: igen, tudja. Heléna habozás nélkül elvágná a torkát. Hacsak… ki nem csavarja valahogy a kezéből a kést. Iván egy szempillantás alatt felmérte a helyzetet. Jóval nagyobb és erősebb is volt a nőnél. Ám Heléna szeme vészjóslóan villogott, a kést pedig úgy szorította, hogy az ujjpercei elfehéredtek. A férfi látta, hogy nem lenne vele könnyű dolga. Á, túl veszélyes. Micsoda egy megveszekedett bestia!

– Jól van – zihálta. – Semmi baj. Úgyis holtfáradt vagyok. De egyszer még elkaplak, drágaságom. Vagy talán te fogsz hozzám jönni, ki tudja – némi habozás után még hozzátette: – Szeretőd van, tudok róla.

Heléna döbbenten kapta fel a fejét. Iván, a nő megrökönyödését látva diadalmasan folytatta.

– Hha! Erre nem számítottál, mi, bogaram. Láttalak a pasassal. A Nemzeti Múzeumnál.

Heléna elsápadt. *Miről* beszél ez a nyomorult? A *szeretője*? Végül eszébe jutott, hogy biztosan Tiborral láthatta, és nyilván azt hitte, titkos intim találka szemtanúja. Az ostoba barom! Még butább, mint gondolta. De nem baj, hadd higgye csak, hogy a szeretője.

– Na és aztán? – szegte fel az állát a nő. – Mi közöd hozzá? Szerezz magadnak te is szeretőt, valakit, aki szívesen ágyba bújik veled. Nekem ugyanis, fiacskám, akkor sem kellenél, ha az utolsó férfi lennél a Földön.

Erre Iván arca fehéredett el, majd lassacskán rákvörös színt öltött. Látszott rajta, hogy majd' felrobban a dühtől és a sértett büszkeségtől. Ám úgy döntött, jobb, ha most annyiban hagyja a dolgot. Megvonta a vállát, és a nőnek hátat fordítva az ágyához lépett. Ruhástul és cipőstül végigheveredett rajta, majd tüntetőleg a fal felé fordult. Alvást színlelt, de közben hegyezte a fülét: a hangokból ítélve Heléna is lefeküdt a szemközti falnál álló másik ágyba. Iván ugyan nem látta, de jól tudta, hogy a kést magánál tartotta, és hogy ma éjjel valószínűleg nem fogja lehunyni a szemét.

Hát, legyen ez az ő baja – gondolta. A férfi viszont valóban fáradt volt, így szinte azonnal elnyomta az álom.

Előtte azonban megesküdött magában, hogy Gordon Heléna egy nap még nagyon megkeserüli ezt.

* * *

A Pálmaházban szokás szerint szeptember közepe felé zökkent vissza az élet a rendes kerékvágásba az évkezdés elkerülhetetlen felfordulása után. Ekkorra az új elsősök is megismerkedtek az iskola helyiségeivel, szabályaival, és egyre kevesebb kisírt szemű, vagy orrát törölgető kislányt lehetett látni, amint a folyosókon bolyonganak, vagy egy-egy sarokban kucorognak.

Ők is rájöttek, hogy nem olyan borzasztó itt – gondolta Adél, amikor szembetalálkozott egy csapat kuncogó elsőssel. Legalábbis meg lehet szokni. Mindent meg lehet szokni.

Főleg annak, aki odahaza egyre cudarabbul érzi magát. Mivel a lány a vakáció utolsó napjait Alizéknál töltötte, és velük is utazott vissza az évnyitóra, több hete nem is találkozott az édesanyjával. Mama ugyan telefonált neki, és kimentette magát, hogy most pár napig nem látogathatja meg, de vigyázzon magára, és viselkedjen jól. Na hiszen! Biztosan a szeretőjével utazgat valamerre, no meg Gáborkával. Tőle, az imádott kisfiától bezzeg sohasem válna meg.

De talán jobb is, hogy nem nagyon jön már be ide. Úgyis kezdett egyre kínosabbá válni, hogy még mindig a fekete ruháját hordja, az elmaradhatatlan fátyolos kalappal. A fenébe is, hiszen Papa már évek óta meghalt! Épeszű ember nem visel ilyen sokáig gyászruhát. Ő aztán nem viselne. Egyetlen férfiért sem...

Ekkor elkerülhetetlenül eszébe jutott a megaláztatás, amit Andortól kellett elszenvednie a Szendrey-kastélyban. Azóta forralta magában a bosszút, ám arról még fogalma sem volt, miképpen leckézteti meg majd egy életre azt a ficsúrt. Viszont ami késik, az nem múlik. Előbb-utóbb megtalálja a módját, hogy megfizessen. Különösen boszszantotta, hogy barátnője, Aliz meglehetős rendszerességgel kapott levelet a bátyjától, és mindig beszámolt róla Adélnak, hogy Andorka éppen mit csinált, hová ment, kivel találkozott. Adél biztos volt benne, hogy egyszer majd megtud róla olyasmit, ami elősegítheti a tervét. Csak türelem...

Egyébként az a buta Aliz még mindig azt hitte, „Andorka" szerelmes a barátnőjébe, és csak azért nem ír neki vagy nem kérdez felőle a leveleiben, mert egyrészt szégyenlős (na persze!), másrészt fél a lebukástól. Mert hiszen titkolni kell a szerelmét a család előtt. Aliznak fogalma sem volt róla, hogy ezekkel a szavakkal csak növeli a másik lány keserűségét. Hogyan? Hát az őiránta érzett szerelmet titkolni kell, az valami szégyellnivaló dolog? Egy ízben meg is kérdezte Alizt, hogy akkor ő miért barátkozik vele.

– Ó, az más – felelte a lány, szokásos könnyedségével, a vállát megvonva. – Egy barátnő, drágám, az *egészen* más.

Hogy miért más, Adél inkább nem is kérdezte meg. Úgyis sejtette, mi lenne a válasz.

Aliz azonban biztatta őt. A maga részéről ugyanis nagyon örült volna, ha a barátnője a családjuk tagjává válik előbb-utóbb.

– Akkor mindig együtt maradhatnánk – mondta ilyenkor, majd átölelte és megpuszilta a barátnőjét. Adél pedig érezte, hogy a másik lány őszinte, ám valamiért mégsem tudott tiszta szívből örülni a szavainak. Ostoba, ő is olyan ostoba, mint az egész család... Miért sajog mégis így a szíve, amikor arra gondol, hogy minden hiába, soha nem kerülhet be közéjük. A lelke mélyén érezte, hogy ha Andor valami csoda folytán mégis belészeretne, és esetleg el is venné, ő akkor is kívülálló maradna, mindörökre.

De sebaj, attól még, hogy nem tartozik közéjük, elbánhat velük. Csak még azt nem tudja, hogyan.

Mikor a hálójukba ért, Aliz már ott várta. Előzőleg megbeszélték, hogy miután megírták a leckéjüket, a hálóban találkoznak. Aliz egy kis levélkét juttatott el hozzá a tanulószobában, amelyben csak annyi állt, hogy valamiről sürgősen beszélni akar vele. A lány könnyesen csillogó, kétségbeesett tekintetéből pedig Adél azt is látta, hogy valami igencsak felkavarhatta a barátnőjét, ámbár ez Aliz esetében nem számított ritkaságnak. Adél tehát sóhajtott egyet, mielőtt a helyiségbe lépett volna, és lélekben felkészült egy kiadós panaszáradatra.

Amit azonban Aliz újságolt, neki is felkeltette az érdeklődését.

– Képzeld, visszajött Nagy Iván, a kertész – Aliz nem köntörfalazott, mihelyt a másik lány mellé ült az ágyon, megragadta a karját, és azonnal a lényegre tért. A hatás nem is maradt el. Adél kerekre nyílt szemmel nézett rá.

– Nocsak! – kiáltotta.

Az évnyitó óta találgatták, hová tűnhetett a jóképű kertész, akit elsős koruk óta szinte mindennap láttak az iskola nagy kiterjedésű parkjában. Hol séta közben lehetett belebotlani, hol az ablakból lehetett megbámulni, amint a száraz leveleket gereblyézte, vagy a virágágyásokban szöszmötölt. Ráadásul gyakrabban is találkoztak vele, mint mások, mivel a húga, Irma az osztálytársuk volt, Iván ugyan nem léphetett be a lányok kollégiumába, de gyakran megvárta húgát az ebédlő kijáratánál, vagy a parkban csatlakozott hozzá. Közben pedig ők, a többiek, kedvükre legeltethették rajta a szemüket. Ugyanis mind szerelmesek voltak belé egy kicsit. Sőt, a Pálmaház egyik közszájon forgó pletykája szerint maga Kocsis Terézia, az osztályfőnökük is gyengéd érzelmeket táplált a csinos fickó iránt. Adél ezt hitte is, meg nem is… Terka néni túl hiú és büszke volt ahhoz, hogy egy ilyen jöttment alakkal kezdjen. A gondnoknő, Suhajdáné unokájával! Á, ez teljesen elképzelhetetlen. Legalább annyira, mint az, hogy Andor egyszer feleségül vegye.

– Láttam őt! – rukkolt elő Aliz a nagy újsággal, és kék szeme erre újra megtelt könnyel. Adél elmosolyodott, és a könyökével oldalba bökte.

– És most ezért bőgsz? Bánatodban vagy örömödben? – kérdezte kötekedő hangon.

– Jaj, ne legyél már ilyen – folytatta Aliz legörbült szájjal. – Csak várd ki a végét. Láttam őt… Nagy Ivánt Terka nénivel a tanárok folyosója előtt. Egy sarokban álltak, egymást átölelve, és… csókolóztak.

– Nahát! – Adél csak ennyit tudott mondani, utána mindketten sokáig hallgattak. Aliz szipogott, Adél pedig a fejét törte. Nocsak, nocsak, ez valóban váratlan fejlemény. A maga részéről soha nem hitte volna, hogy bekövetkezik.

Magában elismeréssel adózott Nagy Ivánnak, mivel úgy vélte, a férfi szándékosan tervelte ki, hogyan törje meg végül a szép Terézia ellenállását. Csupán annyi kellett hozzá, hogy néhány napra eltűnjön. Senki sem tudta, hová lett, és abban sem voltak biztosak, visszajön-e egyáltalán. Hiszen ők, a növendékek is aggódtak, hogy talán sosem látják viszont a jóképű kertészt. Irmust hiába is faggatták: csak a vállát vonogatta, és azt mondta, maga sem tudja, hol lehet a bátyja. Állítólag a nagyanyjuk, Suhajdáné (akit Irma Nyanyának hívott) sem sejtette, hol lehet idősebb unokája.

Tehát Terézia egy darabig azt hihette, akár örökre is elveszítheti Ivánt. Ettől pedig úgy kétségbeesett, hogy amikor a férfi felbukkant, nyomban a karjába vetette magát. Adél így okoskodott, és nem is sejtette, hogy nem is jár messze az igazságtól.

– Na, hagyd már abba a picsogást – szólt rá ingerülten a pityergő Alizra. – Nem is értem, mi ütött beléd. Melyikre vagy féltékeny, Nagyra vagy Terka nénire?

Ebben a pillanatban Aliz elhallgatott, és rémülten meredt a barátnőjére. Miket beszél? Még hogy ő féltékeny? Hogy azért sírna? Dehogyis…

De hogy akkor mégis miért, azt már nem tudta volna megmondani. Adélnak pedig, miközben a másik lány arcát nézte, hirtelen eszébe jutott valami, amitől mosolyra húzódott a szája.

Már tudta, hogyan fog bosszút állni Andoron, és ezen az egész csúf világon.

Elhatározta, ha törik, ha szakad, valahogyan elcsábítja Nagy Ivánt.

* * *

Iván önelégült arckifejezéssel járt-kelt egész délután az iskola parkjában, ahol az ilyenkor szükséges őszi munkákat végezte, ezúttal gépies mozdulatokkal és ímmel-ámmal. Máskor élvezte, hogy a friss levegőn, a kertben tesz-vesz, ha meg is volt győződve róla, hogy őt ennél különb hely illetné meg a nap alatt. Mégis elég kényelmesen, gondtalanul élhetett itt, és a munkában sem kellett megszakadnia. Legfőképp pedig senki sem gyanakodott rá. Nem tartották szemmel, mit művel és hová járkál a szabadidejében. Tehát egyelőre ennél jobbat nem kívánhatott. Ráadásul itt volt a csodálatos Terézia, akit napközben kedvére bámulhatott, éjjel pedig fantáziálhatott róla. Ráadásul most már volt is miről fantáziálnia.

Történt ugyanis, hogy ma délelőtt, miután hazaért a pályaudvarról, Nyanyánál letette a csomagjait (azt a bizonyos bőrtáskát is), első dolga az volt, hogy felmenjen az igazgatói irodába, bejelentkezni Kőrösi Pálmánál. Útközben pedig nem mással futott össze, mint Teréziával. A tanárnő füzetekkel a hóna alatt sietett a tanárok szállása felé, amikor váratlanul szembetalálkozott Nagy Ivánnal. És ebben a pillanatban lehullott arcáról az a rideg maszk, amelyet eddig felöltött, valahányszor dolga akadt a jóképű kertésszel. Miután napokig nem látta Ivánt, aggódni kezdett, hogy vajon hová tűnhetett, és most felkészületlenül érte a találkozás. Iván egyszerre csak ott állt előtte, teljes életnagyságban, kék flanelingében, szürke nadrágjában és zakójában, amit az igazgatónő tiszteletére vett fel. Úgy festett, akár egy mozisztár, mint Rudolph Valentino, igaz, rosszabbul öltözve és kócosabban, de éppoly jóképűen.

Terézia tehát megtorpant, egy lépést hátrált, majd felsikoltott, és elejtette a kezében tartott füzeteket.

– Ejnye – ugrott oda hozzá menten Iván, és lehajolva

szélsebesen felkapkodta a szanaszét heverő irkákat. – Bocsásson meg a tanár kisasszony. Igazán nem akartam megijeszteni.

Terézia ekkorra kissé összeszedte magát.

– Nem ijesztett meg – mondta higgadtan, szavait azonban meghazudtolta bíborvörösre gyúlt arca. Rájött ugyanis, hogy butaságot beszél. Akkor ugyan miért ugrott hátra, és miért sikoltott fel? – Azaz – folytatta, nagyot nyelve – kicsit bizony rám ijesztett, mi tagadás. Már csak azért is… jó pár napja nem láttuk. És hát… nem számítottam rá, hogy pont itt, a tanári folyosón...

– Igen, valóban nem járok erre gyakran – ráncolta a homlokát Iván. – Sajnos – tette hozzá, mélyen a nő szemébe nézve. – Akkor többet láthatnám magát.

Terézia lehajtotta a fejét, és hallgatott. Egy darabig zavartan bámulta a cipője orrát, és azon törte a fejét, hogyan szabaduljon ebből a kínos helyzetből. Vagy talán nem is akart szabadulni? Iván kissé közelebb lépett, és a nő mintha a bőrén érezte volna a testéből áradó forróságot. Nagy levegőt vett, hogy beszippantsa az illatot, amely hirtelen megcsapta az orrát. Vajon a férfi hajából áradhat? Iván még hajnalban, mielőtt Bécsből elindultak volna, a szállóban csap alá hajtotta a fejét, és megmosta a haját, ami most fényesen, dúsan omlott a homlokába. Igazából Heléna kedvéért tette, ám ő egyszerűen levegőnek nézte. Hazafelé jóformán ki sem nyitotta a száját, pedig akkor sem igen szólt Ivánhoz, amikor Bécs felé tartottak. Iván nem volt hozzászokva, hogy így kudarcot valljon egy nőnél. Úgy érezte, súlyos csorba esett férfiúi büszkeségén. Éppen ezért különösen jól esett neki a szép, eddig oly megközelíthetetlen Terézia piros arca, lesütött szeme és váratlan, kislányos zavara. Elhatározta, hogy kihasználja az alkalmat.

– Drága Terézia – folytatta halkan, mély, rekedt hangon. – Úgy hiányzott nekem! Egész nyáron csak maga után sóvárogtam. Majd' belepusztultam, higgye el!

Terézia nyilvánvalóan nem számított ilyen szenvedélyes szavakra. Ijedten kapta fel a fejét, és menekülni próbált volna, de már késő volt. Iván még közelebb lépett hozzá, szorosan átkarolta a derekát, és se szó, se beszéd, megcsókolta.

Aliz ekkor látta meg őket – aznap ő volt a felelős a folyosókon lévő virágokért, és éppen ezt a pillanatot választotta az igazgatói irodával szemben álló fikusz meglocsolására. Az egymásba feledkezett párocska nem hallotta meg könnyű, puha lépteit,. Talán azt sem hallották volna meg, ha valaki egy pisztolyt süt el a fülük mellett. Aliz egy darabig földbe gyökerezett lábbal bámulta őket, majd úgy döntött, hogy ma inkább nem locsolja meg a fikuszt. Kis bádogkannájával a kezében sarkon fordult, és elindult visszafelé, az ekkor már kihalt osztálytermek irányába. Nem jutott messzire, amikor – maga sem értette, miért – a válla rázkódni kezdett, és hangosan felzokogott.

A lelke mélyéig felkavarta az, amit látott. Alig várta, hogy beszámolhasson róla szívbéli barátnőjének, Adélnak, aki, lám, csak kinevette, megvádolva, hogy féltékeny. Féltékeny, de *kire*? Valóban, kire? Hiszen féltékeny csak az lehet, aki szerelmes, nem igaz? Márpedig ő nem az!

De akkor miért sajog úgy a szíve, hogy szinte meghasad, valahányszor maga elé idézi Nagy Iván és Terézia néni ölelkező alakját?

* * *

Adél kicsit megmozgatta a lábujjait a nemezpapucsban. Hiába, azért már szeptember vége felé jártak, és bár a nappalok még mindig kellemesen melegek voltak, az éjszakák egyre hűvösebbek lettek. Aznap ráadásul egész délután esett. Mostanra ugyan elállt, de alaposan lehűlt a levegő. Ő pedig elég régóta strázsált már itt, a kertben, egy fa törzsének támaszkodva. Innen ugyanis remekül be lehetett látni Terézia néni földszinti szobájába. A tanárnő ugyan gondosan behúzta a sötétítőket, maradt azonban egy kis rés a függöny két szárnya között. Pontosan elég arra, hogy a sötétben álldogáló Adél bekukucskálhasson, és a látottak alapján következtessen rá, mi folyik odabent.

Nem először szökött ki ide leskelődni – mióta Aliz elmondta, hogy együtt látta Terka nénit és Ivánt, rendszeresen megjelent itt, hogy az osztályfőnökük után kémkedjen, ám eddig még eredménytelenül. Pedig ez nem volt veszélytelen vállalkozás. Terézia néni és bármelyik lány is észrevehette volna, hogy az ágyában csak a ruhái púposodnak a takaró alatt. De nem adta fel, és lám, igaza volt. A türelem rózsát terem.

Ma éjjel ugyanis vendége volt a tanár kisasszonynak. Adél először csak magát a tényt konstatálta, a titokzatos személyt egyelőre nem sikerült megpillantania. Persze sejtette, ki az, de biztos akart lenni a dolgában. Azt is megállapította, hogy remekül mulatnak odabent. Terka néni gramofonján egymás után cserélődtek a hanglemezek. Először fürge foxtrottokat, divatos charlestonokat hallgattak, egy ideje azonban lassabb, érzelmesebb dalokat. Például Király Ernő könnyfakasztó szerzeményeit, még a háború idejéből. Táncoltak is, amennyire ezt a lány a sötétítőn átsejlő árnyakból meg tudta állapítani.

Na de vajon tényleg Nagy Iván van nála? Adélnak *muszáj* volt megbizonyosodnia erről. Ezért közelebb merészkedett, kockáztatva, hogy rajtakapják, és iszonyatosan megbüntetik. Sebaj, megéri a kockázatot. Egészen közel settenkedett tehát az ablakhoz, és a párkányra támaszkodva, lábujjhegyen ágaskodva belesett a két függöny közötti résen. Amit látott, attól kis híján diadalmasan felkiáltott.

Igen! Nagy Iván és Terézia néni egymást átölelve, lassan táncoltak Király Ernő búgó hangjára. Közben egymás szemébe néztek – holott csak el kellett volna fordítani a fejüket, hogy az ablakban meglássák a kíváncsi és kárörvendő lányarcot. Adél azonban tudta, hogy ettől most nem kell tartania, teljes biztonságban érezte magát. Az ostobák! Így enyelegni mindenki szeme láttára. Mi lesz, ha Kőrösi Pálma tudomást szerez erről? Világraszóló botrány… Adélnak egy pillanatra meg is fordult a fejében, hogy az elkerülhetetlen büntetést vállalva megy és felveri az igazgatónőt. Csak a móka kedvéért! Ám meggondolta magát. Á, sokkal jobb terve van ennél, és most már véghezviszi, ha a fene fenét eszik is.

* * *

Iván csak ma este jött rá, hogy ő valójában tud táncolni. Nem is olyan nagy kunszt ez – de nyilván az is hozzájárult, hogy a hetedik mennyországban érezte magát. Előzőleg napokon keresztül ostromolta Teréziát, aki a csókjuk után egy teljes napig levegőnek nézte, majd mikor már legalább a köszönését fogadta, Iván akcióba lendült. Levelet írt neki, amit Irmával küldött el, Terézia pedig megijedt, hogy így előbb-utóbb az egész iskola tudomást fog szerezni a kis kalandjukról, és beadta a derekát. Megbeszélték, hogy találkoznak. Na, igen, de hol?

Ez óriási, szinte megoldhatatlan problémának bizonyult. Nyanyánál vagy valahol a parkban nem találkozhattak – valaki biztosan meglátta volna őket. Ugyanez volt a helyzet az iskola épületeiben. Végül abban állapodtak meg, hogy az intézeten kívül randevúznak, egy kis kávézóban, a Mokkában, amely a pesti Duna-parttól nem messze, egy csendes mellékutcában volt. Ámde a Dunapart közelében egy mellékutca is csak viszonylag lehet csendes. Még az esős, borult szeptember végi délutánon is folyton jöttek-mentek az emberek az utcán, nyitott ernyőjükkel, a széllel viaskodva, és Teréziának úgy rémlett, hogy egytől-egyig mind bebámulnak a kávézó nagy üvegablakán a benti meghitt félhomályba, méghozzá egyenesen az ő arcába. Ettől olyan ideges lett, hogy nem tudott semmire sem odafigyelni; kilötyögtette a kávéját, nem válaszolt Iván kérdéseire. Folyton közömbös témákról, az iskoláról, Irmáról akart beszélni, és közben azt leste, mikor bukkan fel valaki ismerős a kirakatüveg másik oldalán – egy növendék szülője, egy kolléga, vagy ne adj' isten, maga Kőrösi Pálma. Vagy akár Iván valamelyik ismerőse. Ó, hiszen ő nem is sejtheti, hogy ennek az embernek miféle ismerősei lehetnek. Talán jobb is, ha sohasem tudja meg.

Másrészt kellemes izgalom bizsergette végig, valahányszor a férfi a szemébe nézett, vagy valami ostoba semmiséget, üres bókot mondott neki. Igen, hiába is tagadná, Nagy Iván egyáltalán nem közömbös számára. Hogyan lehetséges ez? Egy közönséges kertész, műveletlen, faragatlan alak, ami még így is nyilvánvaló, hogy most igyekszik úriemberként viselkedni. Mégis, amióta csak ismeri (és ennek már idestova négy éve), egyre mélyebb vonzalmat érez iránta. Vajon miért? Hiszen tagadhatatlan, hogy jóképű és sármos, minden darabossága dacára, de ez önmagában még nem elég magyarázat. Terézia valamiképpen érezte, hogy Ivánnak van egy ismeretlen, titokzatos, talán sötét oldala, és ettől csak még jobban vonzotta. Igazi férfi – gondolta, majd rögtön elszégyellte magát. *Valóban* ilyen lenne az igazi férfi, akire vágyik? Egy ilyen… *proletár?*

Úgy tűnik, igen. Kár tovább tagadnia, legalábbis önmaga előtt. Amióta pedig néhány napja megcsókolta, szüntelenül rá gondol. Most pedig itt ül a férfival szemben, aki ostobaságokat beszél, neki pedig csak azon jár az esze, hogy legjobb lenne áthajolni az asztalon, átkulcsolni a nyakát, és egy forró csókkal befogni végre a száját...

– Valami baj van? – kérdezte Iván aggodalmas arckifejezéssel, amikor Terézia már harmadszor ejtette le a kiskanalát az asztal alá. Egyszerre hajoltak le érte, és a kezük összeért, amint a kanál után nyúltak. Nyilvánvaló volt, hogy Terézia nem érzi jól magát.

– Ha akarja, hazamehetünk – mondta a férfi nem is leplezett csalódottsággal a hangjában.

– Igen – Terézia kapott az ajánlaton, olyan lelkesen, hogy Iván arca egyszeriben megnyúlt. – De… nem együtt. Ugye, megérti?

Iván erre nem válaszolt, csak bólintott. Persze, megérti. Az arcán azonban olyan fájdalmas és sértett kifejezés jelent meg, ami miatt Terézia megszánta. Menteni próbálta a menthetőt.

– Ha úgy gondolja… jöjjön fel ma este – bökte ki, majd elpirult.

– Fel? – Iván arcán értetlenkedés látszott. Hová fel?

– A… szobámba – nyögte ki Terézia, majd nyomban a szája elé kapta a kezét. Hihetetlen, hogy *ezt* ő mondta ki. Mégis megtörtént. Már nem lehetett visszaszívni.

Iván arca felragyogott.

– Hogyne! És… mikor?

– Tíz óra után. Akkor ellenőrzöm először a kollégistákat, hogy alszanak-e már. Utána jó darabig nyugtom van. De vigyázzon, ne vegyék észre, az istenért. Nálam nyugodtabban beszélgethetünk…

Iván buzgón bólogatott. Persze, persze. *Sokkal* nyugodtabban.

Magában pedig arra gondolt, hogy ha hinne Istenben, most biztosan elrebegne egy hálaadó fohászt.

* * *

Terézia teával, aprósüteménnyel várta a férfit, amelyet egy közeli cukrászdában szokott venni, és esténként, a diákok fogalmazásainak javítása közben majszolgatta. Ezúttal azonban kiöntötte a papírzacskóból egy porcelán tányérra, és a szoba közepén álló kerek asztalka közepére tette. Mellé állította az ezüsttálcát a teáskannával, a két csészével és a cukortartóval. Mikor ezzel végzett, idegesen lesimította a szoknyáját. Vajon jó lesz ez így? Nem szokott férfiakat fogadni… viszont nyilvánvaló, hogy Nagy Ivánnak nincsenek különleges igényei. Nem is lehetnek. Örüljön neki, hogy…

Ebben a pillanatban eszébe jutott a gramofon és a lemezek. Á, nagyszerű! Ezzel elkápráztathatja a férfit; ilyent Iván biztosan nem látott még. Vagy legföljebb kirakatokban, mint ahogyan tavalyelőttig ő is. Akkor kapta a gramofont karácsonyra özvegy édesapjától, aki jól tudta, hogy egyetlen, elkényeztetett leánya mennyire vágyik egy ilyen szerkezetre. Szegény Papa, azóta meg is halt... Ő pedig egyes-egyedül maradt a nagyvilágban. De legalább itt van ez a gramofon, amellyel néha elűzheti a magányát, az unalmát.

És ma este itt lesz Nagy Iván is.

A férfi halkan, diszkréten kopogtatott, úgy negyed tizenegy körül, és a késő esti körútjáról (Adél ezután surrant ki a hálóból) visszatérő Terézia szinte azonnal ki is nyitotta az ajtót. Máskor pironkodott volna az árulkodó sietség miatt, most viszont dobogó szívvel húzta be Ivánt magához, majd még kihajolt, és körbenézett a folyosón. Egy árnyék sem rezdült. Nagyszerű. Eddig minden simán ment.

No de hogyan tovább? Egy darabig mindketten feszengve álltak. A máskor oly magabiztos Iván rettenetes zavarban volt. Nem így képzelte el ezt az egészet. A szoba is olyan furcsa volt... egy igazi *vénlány* szobája a sok porcelánnal, könyvvel és a mindent átható molyirtószaggal. Holott Terézia mindig olyan csinos, friss, szinte kislányos – akár még ma is össze lehetne téveszteni a növendékeivel. De ez a szoba...

A férfi egyébként is ideges volt. Ma este ismét találkozott az összekötőjükkel, aki üzenetet hozott Rákosi elvtárstól. Megkapták a barna bőrtáskát, benne az illegális újsággal, de Rákosi hiányolt valamit. Aminek szerinte szintén a táskában kellett volna lenni. Ivánnak sejtelme sem volt róla, mit kereshet Rákosi, azt pedig még végképp nem tudta, hogy miért nem volt a táskában. Az összekötő szerint azonban Rákosi elvtárs „feszült" volt emiatt. Megüzente, hogy mindenképpen találkozni akar Ivánnal... és Helénával is.

Éppen itt volt a bökkenő. Helénának ugyanis napok óta nyoma veszett.

Ma este azonban nem akart velük törődni: sem a kiszámíthatatlan Helénával, sem Rákosival, sem azzal az átkozott barna táskával. Ma este csak Teréziával akart törődni. Még akkor is, ha még mindig irritálta a molyirtó szaga. Hiába csapta meg az orrát a nőből áradó parfümillat, egyelőre nem tudta elnyomni azt a másik, kellemetlen szagot.

Terézia eközben már a kis kerek asztalkához lépett, és kitöltötte a csészékbe a teát.

– Hogyan szereti? – kérdezte kedvesen, háziasszonyos gondoskodással. – Hány cukorral?

Iván, ha tehette, öt kockacukrot is beletett egy kávésvagy teáscsészébe, most viszont nem akart szemtelennek és mohónak tűnni.

– Khm… hárommal – vágta rá némi tűnődés után.

– Rendben – bólintott a nő, és a kis ezüst fogóval kiosztotta a cukrokat. Hármat a férfinak, egyet magának. – Jöjjön – folytatta, és Ivánra mosolygott. – Foglaljon helyet. Van sütemény is.

Egy darabig csendben kavargatták a teájukat és a szemközti falat bámulták. Iván elvett egy-egy süteményt, és az italba mártva bekapta őket. Terézia elgondolkodva nézte. Ő így soha nem evett teasüteményt – nem szerette, ha a morzsák belepotyogtak az italába. Ő mindig félbeharapta a süteményt, majd ivott rá egy korty teát, hogy kicsit megpuhuljon, mielőtt lenyeli.

Terézia ekkor felugrott, olyan hirtelen, hogy Iván ijedtében kis híján magára öntötte a forró teát.

– Hallgassunk zenét – indítványozta, majd fürgén az egyik sötét sarokban álló gramofonhoz ugrott. – Táncolni is lehet, van elég hely – folytatta, a válla fölött pajkosan visszanézve, miközben felkapcsolt egy közeli állólámpát. Iván eddig észre sem vette aranyozott cirádás fadobozba beépített impozáns szerkezetet a hatalmas réztölcsérrel. Elismerő tekintettel mérte végig, mialatt a nő a hanglemezek között keresgélt. Aztán egyszeriben a torka elszorult a rémülettől.

Atyaúristen, de hát ő nem is tud táncolni!

Soha nem volt sem ideje, sem alkalma – és valljuk be –, sem kedve hozzá, hogy megtanuljon táncolni. Felesleges időpocsékolásnak tartotta, úgy gondolta, a férfiak csak azért hajlandók erre az ugrabugrálásra, hogy könnyebben levegyék a lábukról a kiszemelt nőt. Neki azonban nem volt szüksége ilyesfajta trükkökre.

Ám Terézia most táncolni akart. Két kezét a férfi felé nyújtva, arcán hívogató mosollyal közeledett, és Iván szégyenkezve, vonakodva állt fel az asztaltól. Úgy gondolta, ezúttal célravezetőbb az őszinteség, és a vállát megvonva kibökte:

– Nem tudok táncolni.

A nő erre leengedte a kezét, de még mindig mosolygott.

– Ó, nem baj – mondta biztatóan. – Akkor megtanítom. Nemhiába vagyok tanárnő – kuncogott. – Na, jöjjön közelebb. Így, megmutatom hová tegye a kezét. Ne a cipőmet nézze, az isten szerelmére! A szemembe nézzen. Úgy. Egy-két-há'-négy. Hallgassa a zenét. Na ugye, nem is olyan nehéz!?

Iván persze eleinte botladozott, nagy lábával nem találta a helyét Terézia kecses körömcipői között, és így jó néhányszor alaposan rájuk is taposott. A nő azonban láthatóan nem bánta. Végre elemében érezte magát – hiszen azt csinálhatta, amihez értett, vagyis taníthatott –, és minden zavara elmúlt. Ivánnak szerencsére jó ritmusérzéke és könnyed, ruganyos mozgása volt, ezért hamarosan egész ügyesen lépkedett, sőt egyes lépéseknél ösztönösen át is vette az irányítást.

– Nagyszerű – mormolta Terézia, Iván pedig egyre jobban élvezte az egész kalandot.

Szóval mégiscsak tud táncolni. Hiába, az ilyesmire születni kell. Milyen remek érzés, ahogyan átkarolja a nő karcsú derekát, és az arra mozdul, úgy hajlik, ahogyan ő irányítja, vezeti.

Ezt már szerette. Legfőképpen pedig: közben nem kellett beszélgetni.

* * *

Adél eközben egyre türelmetlenebb lett odakint. Fázott, álmos volt, és igazából már unta az érzelmes dallamok sodrában összekapaszkodó, egymás tekintetébe mélyedő párocskát. Csak nem ezt akarják csinálni egész éjszaka? Már-már azon gondolkodott, hogy mégiscsak vissza kellene osonnia az ágyába, még mielőtt megvirrad, és észreveszik, hogy nincs a helyén. Akkor aztán ráadásul máskor nem is tudna kiszökni ezzel a trükkel. Márpedig biztosan szüksége lesz még rá, hogy éjszaka leskelődjön – akár Terka néni, akár bárki más után. Erről a kis játékáról nem szívesen mondott volna le. Tenyerét a szája elé emelve hatalmasat ásított, majd az orrát fintorgatva még egy pillantást vetett az osztályfőnöke és a kertész idegen szemmel nézve meglehetősen egyhangú táncára, és már éppen sarkon akart fordulni, hogy visszamenjen a hálójukba... amikor végre történt valami. Adélnak egyszeriben elröppent az álmossága, és még a nyirkos hidegről is megfeledkezett. Közelebb hajolt az ablaküveghez, olyannyira, hogy kis híján beleütötte az orrát. Ugyanis az, amit látott, teljesen lenyűgözte.

Iván és Terézia szenvedélyes csókban forrtak össze. Még mindig táncoltak, de egyre lassabban és lassabban, a zene ütemére ringatózva, holott már nem is figyeltek a gramofonhangokra. Amikor lejárt a lemez, nem is cserélték ki újra, és hamarosan már csak a lejátszó tűjének halk sistergését lehetett hallani. A két szerelmes azonban tovább táncolt, vagyis csak forogtak körbe-körbe, és közben mintha egyre szorosabban tapadtak volna egymás ajkára. Adél csodálkozott, hogyhogy nem fulladnak meg, kiváltképp, hogy Terézia még teljes erőből át is karolta a férfi nyakát – úgy csimpaszkodott belé, mintha tényleg fuldokolna.

Adél kezdte már ezt is unni – hogy a csudába lehet egymás száját ennyit harapdálni. Visszaemlékezett az Andorral váltott csókjára. Persze, izgalmas volt, főleg azért, mert tiltott gyümölcsnek számított, még most is beledobbant a szíve, amikor visszagondolt rá, de akkor inkább nyálasnak és picit kellemetlennek érezte. Csak az orrán tudott levegőt venni, különösen azután, hogy a fiú a nyelvét is a szájába dugta, és amikor el akart húzódni tőle, nem engedte, hanem csak még jobban szorította magához. Mintha ő akarta volna eldönteni, mikor végeznek. Adél teljesen kiszolgáltatottnak érezte magát, amiben volt valami varázslatos, ám összességében – úgy emlékezett – megkönnyebbült, mikor Andor végre elengedte. Akkor még úgy hitte, azért, mert félt, hogy észrevehetik.

Most viszont, ahogyan Teréziáékat nézte, rájött, hogy más is volt a dologban. Ahogyan leskelődőként óhatatlanul a másik nő helyébe képzelte magát, szinte megijedt

Iván követelőző, már-már erőszakos mozdulataitól. Közben a párocska megállt a szoba közepén, és a férfi apró, ám céltudatos léptekkel a középen álló asztalka felé irányította a nőt. Micsoda? Az *asztalon* akarja csinálni? Adél szeme elkerekedett a csodálkozástól, és legszívesebben felkiáltott volna, figyelmeztetve Terka nénit, hogy ne hagyja magát, ne engedelmeskedjen ennek a tahónak.

Ám úgy tűnt, Terka néni egyáltalán nem bánja a dolgot. Sőt, nyilvánvalóan élvezte. Holott *borzasztó* kényelmetlen lehetett neki, ahogyan Iván (a teáskészletet félresöpörve) deréktól felfelé a csupasz asztalra fektette, ő mégis két kezébe vette a férfi arcát, és egészen közelről a szemébe nézve szerelmesen a nevét búgta:

– Iván!

A férfi nem válaszolt, legalábbis szavakban nem, ám a tettei magukért beszéltek. Egyik kezével Terézia tarkóját tartotta, hogy kényelmesen csókolhassa, a másikkal már ki is húzta a blúzát és a kombinéját a szoknyából. Ejha, meg kell hagyni, a fickó tudta, mit csinál. Nyilván már van benne gyakorlata... Adél, ha lehetséges, még közelebb hajolt az ablakhoz, hogy egyetlen mozzanatot se szalasszon el. Iván ügyesen, gyorsan kigombolta Terézia blúzát, lehúzta a vállán a kombiné selyempántját, és a következő pillanatban már csókolta is a nő előbukkanó mellét. Sőt, nem csak csókolta. A leskelődő lány legnagyobb döbbenetére még nyalogatta, sőt harapdálta is, amire Terézia, ahelyett, hogy tiltakozott volna, a fejét hátraszegve apró nyögésekkel nyugtázta a férfi minden mozdulatát. Adél pedig, minden felháborodása ellenére egyszerre úgy érezte, mintha már nem is lenne annyira hideg idekint...

Ami azonban ezután következett, az minden képzeletet felülmúlt.

Iván és Terézia együtt kapcsolták ki a férfi övét, és némi matatás után előbukkant a nadrágból *valami*... a lány nem hitt a szemének: *ez* ekkora is lehet? Úristen! Nem létezik, hogy beférjen *oda*!

És mégis... Néhány pillanat múlva Iván már a nő szoknyáját is felhajtotta, lerángatta a bugyiját és a harisnyáját, amelyeket a cipőjével együtt a háta mögé hajított. Majd a nő fölé hajolt, egyik kezével maga felé húzta a derekát, másikkal megfogta meredező férfiasságát, és (habár ezt Adél a Terézia combjától nem egészen jól látta), könnyedén, csípője egy-két erőteljes lökésével beléhatolt. Ezután néhány pillanatig mindketten mozdulatlanok voltak, és csak azt lehetett látni, hogy zihálva lélegeznek Iván végül megmozdult, és ütemes lökésekkel tette magáévá a nőt. Adél megbabonázva bámulta őket. Kísérteties módon, az üresen forgó gramofon sistergése pontosan egybeesett a szeretkező pár mozdulataival és halk nyögéseivel, sóhajaival.

A lánynak fogalma sem volt róla, mennyi idő telt el – lehetett pár perc, de akár néhány óra is. Csak azt érzékelte, hogy újra elkezdett rettenetesen fázni. Mindegy, most már megvárta a pásztoróra befejezését. Elhatározta ugyanis, hogy a végére jár valaminek, ha a fene fenét eszik is.

* * *

Iván óvatosan, lábujjhegyen ment végig a kihalt, kongó folyosókon, mindvégig rettegve, hogy esetleg összefut valakivel. Megfordult a fejében, hogy akkor valami kifogással kellene előrukkolnia, amelyet előre ki kell fundálnia, ám úgy érezte, teljesen üres a feje. Vagy inkább túlságosan is tele volt: Teréziával, az illatával (amelynek végül sikerült elnyomnia az undok molyirtószagot), a váratlan és teljes odaadásával. Ó, édes Terézia! És boldog jövendő! Iván ugyanis egészen biztos volt benne, hogy mostantól bármikor megkaphatja majd a tanárnőt.

A férfi minden bonyodalom nélkül kijutott az udvarra, és ettől megkönnyebbülten felsóhajtott. Itt már nem fenyegetett a veszély, hogy netán belebotlik valakibe. Rajta kívül ugyan ki mászkálna éjnek évadján a nyirkos, sötét kertben? Ebben a pillanatban azonban rémülten megtorpant, és az ijedségtől majd kiugrott a szíve. Az egyik fa mögül egy emberi alak lépett elő. Fehér köntöst viselt, és az arca sápadt volt – talán kísértet? Az első rémület elmúltával Iván látta, hogy ez csak egy lány. Egy növendék… ismeri is. Ötödikes, Irma osztálytársa. Egyszer őt húzta ki a hóból, azon az emlékezetes téli napon. Nyugtalanító, villogó macskaszeme van és egészen csinos pofikája. Most azonban valóban kísérteties látványt nyújtott. És egyáltalán: mi az ördögöt keres ez idekint *ilyenkor*?

– Jó ég, te lány – mondta neki. – A rossz nyavalyát hozod rám. Mit csinálsz itt az éjszaka kellős közepén?

– Téged kereslek – mondta a lány komoran.

Iván visszahőkölt a választól és a tegezéstől. Nocsak, a kis csitri… mi a fenét akarhat?

– Azt akarom, hogy tegyél magadévá – folytatta a lány merészen.

Micsoda? Iván nem hitt a fülének. Ez biztosan csak egy rossz álom…

– Na, menj csak vissza a hálóba, amíg szépen mondom – förmedt rá. – Tisztára megbolondultál. Ha ezt elmondom Pálma nagyságos asszonynak!

– Nem mondod el – Adél karba fonta a kezét, és magabiztosan nézett Iván szemébe. – Láttalak az előbb.

– Mi?

Hol látta ez a kis rongy? Hol láthatta? Csak nem…

Adél közelebb lépett, megfogta a férfi gallérját, és lábujjhegyre állva a szemébe nézett.

– Azt akarom, hogy azt csináld velem, mint amit Terézia nénivel – súgta.

Iván dühösen ellökte magától. Tehetetlenségében a fogát csikorgatta. Most aztán mit tegyen? Az lenne a legjobb, ha megölné… Nem, azt mégsem. Akkor börtönbe zárnák, felakasztanák, és soha többé nem láthatná Teréziát. Vagy éppen Helénát. De akkor mit csináljon vele?

A lány végül megoldotta a dilemmáját.

– Jól van – mondta, és megigazította zilált pongyoláját. – Ha most még nem akarod, rendben. Nekem így is jó. Egyszer majd *te* fogsz könyörögni érte.

Iván csak megvetően felhorkant. Adél undorral végigmérte, mielőtt elindult vissza, a kollégium épületébe. Még csak néhány lépésre távolodott, amikor visszafordult, és figyelmeztetően felemelte az ujját.

– Ne feledd! – mondta halk, fenyegető hangon. – Láttalak.

A hálóba visszaérve a fekhelyéhez surrant, és a takaró alatti holmikat sebtében az ágy alá dobálta. Az igazat megvallva az előbb egy kicsit ő is megijedt a saját merészségétől. Már éppen a takaró alá akart bújni, amikor a szeme megakadt a szomszédos ágyon édesdeden alvó Aliz arcán. Á, a jó kislány. Mélyen, nyugodtan alszik, hiszen tiszta a lelkiismerete. A lány most ismét elcsodálkozott azon, mennyire hasonlít Terka nénire. Majd eszébe jutott az a régi csínytevésük, még elsős korukból, amikor az unszolására és a közreműködésével Alizka levágatta a haját az övéhez hasonló apródfazonra. Micsoda botrány volt, istenkém!

Aliz mindent, de mindent megtenne érte. Nem az ő hibája, hogy Andor ilyen csúful bánt vele. Ha rajta múlna, ő habozás nélkül befogadná a családjukba. Drága Aliz! Kár, hogy nem vagy fiú…

Adél még néhány pillanatig bámulta alvó barátnőjét, majd újra ledobta a takaróját, és leszállt az ágyról. Hangtalanul, lábujjhegyen átlopózott Alizhoz, és kellemesen langyos takaróját felhajtva befészkelte magát a másik lány mellé. Aliz megmozdult, de mivel már máskor is előfordult, hogy a barátnője odabújt hozzá, nem lepődött meg. Kinyújtotta a karját, és átölelte Adélt.

– Hű, de hideg vagy – suttogta.

– Akkor melegíts meg – súgta vissza a másik lány, és még közelebb húzódott. Az egyik kezét lassan felemelve a hálóingen keresztül megérintette Aliz kicsi, puha mellét. A lány erre megrándult, mintha áramütés érte volna.

– Cssss – suttogta Adél. – Ne félj, nem bántalak. Mutatok valamit, csak ne ficánkolj. Képzeld, ezt ma tanultam.

Lehajolt, bebújt a takaró alá, és lassan, óvatosan felhajtotta a barátnője hálóingét. Aliz moccanni sem mert, ám kisvártatva, az első ijedtség elmúltával már nem feküdt olyan mereven. Még később pedig már arra kellett vigyáznia, nehogy túl hangos legyen, és felverje a körülötte alvó osztálytársait.

3. FEJEZET

1925.

Mikor Iván kilépett a sötét folyosóról a masszív vaskapun át az utcára, egy darabig hunyorogva, pislogva állt, a szürke téglafalnak dőlve, könnyező szemmel várva, hogy megszokja a hirtelen verőfényt, ami igazán szokatlan volt ilyenkor, január elején, különösen a lehangolóan szürke, sáros, tocsogós karácsony után. Az ünnep előtt néhány napig szállingózott a hó, vékony fehér lepedőt húzva a háztetőkre és a faágakra, ámde az utcákon már az is csak fekete latyakként jelent meg. A Szenteste napján érkezett hirtelen felmelegedés pedig a fehér karácsonynak még a leghalványabb reményét is elűzte. No, nem mintha ő bánta volna – inkább örült, hogy megúszta a hólapátolást a kertben és az iskola előtti járdán. A bokáig érő sárban pedig egyéb munkákat sem lehetett végezni, így Ivánnak jutott néhány szabadnap karácsonykor, ami amúgy – ünnep, nem ünnep – ritkán adatott meg neki.

A fehér karácsonyt inkább csak Irma hiányolta. Nyanya pörölt is vele eleget, amiért olyan „kényes kisasszonyka" lett a Pálmaházban. Nohát, végtére is nem mindegy, esik-e az az átkozott hó *pont* karácsonykor? Esik az máskor eleget, a szegény ember bosszúságára. Mással meg törődjenek a gazdagok, akiknek nincsen egyéb gondjuk. Ők sóhajtozhatnak a fekete karácsony miatt, ha úgy tartja kedvük, a magunk fajta ágrólszakadt meg örüljön, hogy kicsit melegebb van, és nem kell annyi tűzifát hasogatni.

Irma erre elhallgatott, nem panaszkodott többet. Iván nem akart beleszólni nagyanyja és húga vitájába. Valójában őt is bosszantotta Irmus nyávogása – tényleg, mit kényeskedik –, másrészt viszont a lelke mélyén örült neki, hogy a húga kezd amolyan „kisasszonyos" allűröket felvenni. Ebből is meglátszik, hogy semmi nem attól függ, hová születik az ember. Irma, úgy tűnik, igazi úrilány lett – egy idegen, az osztályukon végignézve, nem sejthette, hogy az a sovány, magas, csontos és kissé sértődött arcú leány egy levegőtlen, sötét, főzelékszagú angyalföldi odúban született, és nem kastélyban, nagypolgári lakásban vagy éppen egy fehér, fertőtlenítő illatú kórházban. Ha pedig most sóhajtozik a fehér karácsony után… ej, még jó, hogy egyelőre nem más után sóhajtozik.

Néhány nap eltéltével azután lett más oka is a sóhajtozásra. A két ünnep közötti egyik borús hétköznapon ugyanis eljöttek a rendőrök Ivánért. Már megint. És *ilyenkor*. Újév előtt néhány nappal. „Hogy nem szégyellik magukat" – morgott Nyanya az orra alatt, habár hangosan, persze, nem mert tiltakozni.

Másnap azonban már ki is engedték. Azzal a feltétellel, hogy majd visszajön – önként. Iván pedig beleegyezett, hogyne tette volna. Az időpontot is megbeszélték: az Újév utáni első héten. Minél hamarább.

Ekkorra már megtanulta, hogy *ezekkel* nem lehet packázni. De nem ám! Szóval jobb, ha együttműködik velük, amíg szépen mondják. Ugyanis már volt alkalma megtapasztalni, milyen az, amikor az ember ellenkezik velük. Vagy nem is ellenkezik, csak… hallgat.

Amikor először bevitték, egy ideig ki sem nyitotta a száját. Igazság szerint nem is volt sok mondanivalója. A bécsi útjáról kérdezték, még huszonhárom őszén, úgy egy hónappal a küldetésük után. Először hallgatott – illetve kitartott amellett, hogy semmit sem tud. Ami igaz is volt. A nyomozókat az a bizonyos táska érdekelte, márpedig neki fogalma sem volt róla, mi lehetett benne. Ó, igen, az újságok – azt el is mondta, holott látta, hogy nyilván tudnak róla. Előtte az asztalon ott hevert jó pár példány. De nem arra voltak kíváncsiak. Az újság vajmi kevéssé érdekelte őket.

Valami más is volt a táskában.

Iván tényleg nem tudta, mi lehetett az, és hát kezdetben – valamiféle rosszul értelmezett lovagiasságból – Helénát is védeni akarta azzal, hogy konokul hallgatott. Ma is fanyar mosolyra húzódott a szája, mikor erre visszaemlékezett. Milyen ostoba is volt – talán csak nem ezzel akart imponálni a nőnek? Nevetséges…

Heléna ugyanis az ő emberük volt. Némi időbe tellett, míg rájött, de akkor aztán hirtelen minden megvilágosodott előtte, akárcsak a cellájában, ahol éjjel-nappal égett a plafonon a meztelen izzó, nehogy álom jöjjön a fogoly szemére, hanem legyen bőségesen ideje gondolkodni. Hogyan is nem vette észre! De a legbosszantóbb az volt, hogy még ezek után is ette a fene a nő után. Sőt, ha lehetséges, még jobban. Nyilvánvalóan ő lopta ki a táskából azokat az iratokat, amelyeket Rákosi oly nagyon várt. Az újságok csak afféle alibinek kellettek. No de mikor, hogyan? Ő, amennyire vissza tudott emlékezni, egy pillanatra sem veszítette szem elől a táskát. Még éjszakára is betette maga mellé az ágyba, a falhoz. Az ördöngös bestia mindenit! Csak kapná még egyszer a keze közé…

Ekkor azonban eszébe jutott a szempillantás alatt előkerülő kis bicska, amivel a nő a szállodában megfenyegette. Hm, talán mégsem olyan jó ötlet újra próbálkozni nála. Legalábbis nem *úgy*. Máshogyan viszont egyáltalán nem mutatott semmi hajlandóságot a Ivánnal való kapcsolatra. A csudába, amikor más nők meg majd' megvesznek érte!

Ilyesmiken tépelődött éjjel-nappal kivilágított, büdös, levegőtlen cellájában, ami egyáltalán nem könnyítette meg a dolgát. Abban az átkozott táskában fontos iratok lehettek: nevekkel, helyszínekkel, tervekkel… a kihallgatásokon ugyanis nagyon úgy tűnt, hogy azok a mocskos zsernyákok mindent tudnak. Nem lehetett mellébeszélni. És igen: Iván most már arról is megbizonyosodhatott, hogy az illegális találkozókon terjengő pletykák a vallatási módszerekről mind igazak voltak. Nem mintha kipróbálta volna őket. Valójában, mihelyt megmutatták neki a kihallgató szobát és az „eszközöket" – akárcsak egykor, az inkvizíció idejében, habár ezt Iván nem tudhatta –, ő máris belátta, hogy legokosabb, ha szépen „énekelni" kezd.

Úgyis tudtak már mindent.

Még azt is elvállalta, hogy egyfajta kettős ügynökként kémkedik nekik. Ekkortájt jött rá, hogy Heléna pontosan ugyanezt csinálta. Habár ő valószínűleg önszántából. De vajon miért? Hiszen ezzel nagy veszélybe sodorta magát. Ha Rákosiék rájönnek… Mostanra azonban bottal üthették a nő nyomát, és Iván, az igazat megvallva, ezt sajnálta a legjobban.

Felsóhajtott, beletúrt a zsebébe, kihalászta belőle a gyűrött cigarettásdobozt, amelyet az előbb a portán adtak vissza neki. Mikor belépett az épületbe mindig ki kellett ürítenie a zsebeit. Az inge mellzsebéből kivette a gyufát, rágyújtott, és mohón szippantgatta a füstöt, miközben az arcát a simogató téli napfény felé fordította.

Lássuk csak, mihez kezdjen most? Előtte állt az egész nap, de semmi kedve nem volt hazamenni, Nyanyának magyarázkodni, majd a kertben dolgozni. Amíg elszívta a cigarettát, ezen töprengett. Majd eldöntötte: a cigivel együtt némi aprót is átadtak neki. Talán elég lesz egy fröccsre egy közeli kocsmában. Utána pedig hazamegy, de nem Nyanyához, hanem egyenesen Teréziához, aki mostanában úgyis halálra aggódja magát miatta. Iván megvetően elhúzta a száját.

Akárcsak egy átkozott feleség – gondolta kedvetlenül, majd a cigarettacsikket ledobta az utcakőre, és a cipője sarkával eltaposta.

* * *

Adél réveteg tekintettel bámult ki az ablakon, elbágyadva a késő délelőtti napsütéstől és Komjáthyné, az új matematikatanáruk monoton hangjától. Már-már el is aludt volna, amikor hirtelen a nevét hallotta, majd közvetlenül utána az osztály nevetését.

– Mondja, süket maga, Groó kisasszony? – kérdezte a tanárnő karba tett kézzel, barna csontkeretes szemüvege mögül nézve rá. – Már harmadszor szólítom.

Valóban? Adél csodálkozva pislogott. Ő ugyan nem hallott semmit… Most is csak úgy jutott el hozzá a tanárnő hangja, mintha vödröt húzott volna a fejére, és abból beszélne. Erre a gondolatra halványan elmosolyodott.

– Most meg mi olyan vicces? – Komjáthyné tényleg méregbe gurult. Az arcán két piros folt jelent meg, amelyek egyre növekedtek, miközben a tanárnő apró, sötét szemével Adélt fixírozta. – Mulat valamin a kisasszony? Tán csak nem rajtam?

Adél megvonta a vállát. Ugyan, dehogy – mondta volna, ha lett volna bármi értelme, hogy megszólaljon. Úgyis tudta, mi lesz a vége a dolognak. Nem is csalódott.

– Na, jöjjön ki szépen a táblához – lépett közelebb a tanárnő, diadalmas kifejezéssel az arcán. – Majd itt kint kedvére vigyoroghat. Már ha lesz min…

Adél lassan, álmodozó arccal lépett fel a katedrára. Innen remek kilátás nyílt a kertre, és ő kinyújtotta a nyakát, hátha megpillanthatja Nagy Ivánt. Vagy Terézia nénit. Esetleg mindkettőt. Ámbár… az nem valószínű. A párocska kínosan ügyelt rá, hogy nyilvánosan ne mutatkozzanak együtt. – Mi lelte magát, az istenért? – ütötte meg a fülét egészen közelről Komjáthyné kellemetlen csoroszlyahangja. Összerezzent, és a tanárnő felé fordult tágra nyílt, ártatlan szemmel. – Talán rosszul van? – kérdezte a tanárnő halkabban, és az arcán egyszeriben aggodalom jelent meg. Milyen sápadt ez a lány, szinte falfehér – gondolta. Csak az hiányzik, hogy elájuljon…

Adél azonnal kapott a kínálkozó lehetőségen.

– Ó, igen… Nem érzem jól magamat – rebegte. – Női problémáim vannak… tudja – tette hozzá suttogva, egészen közel hajolva a tanárnőhöz, aki erre szinte visszahőkölt.

– Jól van – mondta, és zavartan megigazította a szemüvegét. – Akkor hát… Menjen vissza a helyére, és próbáljon meg figyelni, kérem. Ne az ablakot bámulja!

A lány megkönnyebbülten indult vissza az ablak melletti padhoz. Bár, mindent egybevéve, nem túlzottan izgatta volna, ha megint beszekundázik matematikából, hiszen már így is bukásra állt. De nem bánta: tudta, hogy

Terézia néni megszervezi majd a korrepetálását, méghozzá nyilvánvalóan Alizzal, akinek nemcsak jó esze volt a reáltárgyakhoz, de mindig szívesen segített is bárkinek. Kiváltképp Adélnak. Hogy aztán a számtanlecke után mit műveltek a tanulószobában, az már igazán nem tartozott másokra…

Mielőtt visszaült volna a helyére, Adél elkapta a középső padsor végében ülő Aliz tekintetét, és pajkosan rákacsintott. A másik lány pedig nem állta meg, hogy el ne mosolyodjon, egészen belepirulva a sokatmondó pillantásba. Ám azt senki, de senki sem tudhatta, hogy miért. Még csak nem is sejthették.

Azt viszont ő nem sejthette, hogy a barátnőjének min jár az esze, miközben visszaült a helyére, és a nyakát nyújtogatva ismét megpróbált kinézni az ablakon, egy csapásra teljesen megfeledkezve Alizról. Legnagyobb bánatára azonban csak a fák lombját láthatta. Ha Nagy Iván felbukkan is a kertben, nem fogja megpillantani. Adél hamar meg is unta a bámészkodást – inkább úgy tett, mintha a füzetét tanulmányozná, és közben a ma estéről ábrándozott.

Ma este ugyanis, a sötétedés beálltával találkozni fog Ivánnal, miután a férfi eljön Teréziától, még szinte forrón, csatakosan a tanárnő szerelmétől, csókjaitól, ölelésétől. Mikor erre gondolt, önkéntelenül újra mosolyra húzódott a szája, és úgy érezte, rettentően elégedett lehet saját magával. Hiszen úgy tűnik, azt csábít el, akit csak akar. Legyen az akár lány, akár fiú, akár meglett, tapasztalt férfi.

Legközelebb tehát Szendrey Andor sem fog tudni ellenállni neki, az bizonyos!

* * *

Iván fintorogva kanalazta a paradicsomos káposztát Nyanya konyhájában a hokedlin ülve, ölében a csorba, piros lábassal. Mindig is utálta ezt az ételt, már gyerekkora óta, de Nyanya természetesen sohasem törődött ezzel. Micsoda úri huncutság finnyáskodni?! Örülni kell, hogy van mit enni. Iván ezért nem is tiltakozott, amikor meglátta a tűzhelyen a kihűlt, kissé odakozmált maradékot, csak megvonta a vállát, és azonnal falatozni kezdte az ételt. Egyébként is olyan mindegy, csak legyen valami a gyomrában, és ráadásul farkaséhes volt. Mikor végzett, a kézfejével megtörölte a száját, és elégedetten hátradőlt, a falnak támasztva a hátát.

– Ledörzsölöd a vakolatot – mordult rá Nyanya a mosogató mellől.

– Kész vagyok – felelte a férfi, elengedve a füle mellett a nagyanyja megjegyzését, és odalökte az asztalra a kislábast. – Elmoshatod ezt is.

– A fenekedet ne töröljem ki? – dühöngött Nyanya, de azért közelebb lépett, és elvette a lábast az asztalról. – Jóllaktál? – kérdezte kicsit enyhültebb hangon.

Iván válaszként csak nyújtózott egy jólesőt.

– Mit csináltak veled? – kérdezte Nyanya. – Odabent… – tette hozzá halkabban.

A férfi megvonta a vállát.

– Semmit – válaszolta szűkszavúan.

Nyanya és Irma mit sem tudtak arról, hogy ővele mik történtek *odabent*. Soha nem beszélt róla. Tudta, hogy azt hitték, vallatják, esetleg meg is kínozzák, de nem bánta. Csak hadd higgyék. Egyedül Kőrösi Pálmát avatta be a titkaiba – őt is csak azért, hogy megőrizze a jóindulatát, és nehogy elzavarja őket, Nyanyástul, Irmástul. Amikor először bevitték, majd kiengedték, bizony fennállt ez a veszély. Így hát kénytelen volt elmondani mindent az igazgatónőnek. Vagyis *majdnem* mindent. Ugyanis kicsit megszépítette a dolgot. Azt állította, hogy mélyen megbánta a kommün alatt elkövetett bűneit, és ma már segíteni szeretne a hatóságoknak. Így hát időről időre beviszik, és kihallgatják, de mindez csakis formalitás. Pálma asszony hitte is meg nem is, de azt látta, hogy valóban mindig kiengedik Ivánt, és hogy látszólag a haja szála sem görbül. Így hát fejcsóválva bár, de elfogadta a magyarázatot. Csak annyit szabott feltételül, hogy az iskola jó hírneve még csak véletlenül se kerüljön veszélybe. Ez a legfontosabb!

Iván egyetértett. A jó hírnév, hát persze. Közben pedig az járt a fejében, vajon Pálma asszony mit szólna, ha tudná, hogy viszonya van az egyik oszlopos tanerővel, Kocsis Teréziával.

Terézia volt a másik, akinek ezt-azt elárult – csakis azért, mert a nő hisztérikusan aggódott miatta, és őt nem lehetett olyan könnyen leszerelni, mint Nyanyát vagy Irmát. Neki azt mondta, hogy valójában ő maga is rendőr. Civil detektív. Terézia eleinte hitetlenkedett, ámde Ivánnak végül sikerült meggyőznie. Arról is, hogy felesleges aggódnia. Úgy vette észre, hogy azóta a tanárnő nemcsak testileg vonzódott hozzá, hanem bizonyos mértékig fel is nézett rá. Ezt pedig – kár tagadni – még élvezte is.

Éppen elég, ha ő aggódik. Ugyanis bármikor lebukhatott. Azt nem tudta, Rákosi mi módon állna bosszút rajta, de azzal tisztában volt, hogy könyörtelen, kíméletlen és ravasz emberrel áll szemben. Nem tanácsos vele ujjat húzni.

Most azonban nem az övé a hatalom, és ez fontos tényező. Mindent figyelembe véve Iván úgy látta, jól döntött. Ha ösztönösen úgy érzi is, nem jó oldalon áll, az eszével tudja, hogy ebben a mai világban így könnyebben úszhatja meg ép bőrrel. Szó szerint *ép bőrrel.* Persze csak akkor, ha továbbra is elég ügyesen lavíroz. A nyomozók célja az, hogy Rákosit bekasztlizzák, ez nyilvánvaló. Neki, Ivánnak pedig mindenáron igyekeznie kell elkerülni ezt a sorsot.

Este még elüldögélt Nyanyával forró teát kortyolgatva egy bádogbögréből, a minduntalan szájába kerülő tealeveleket egykedvűen a földre köpködve, de egyre sűrűbben és hosszabban ásítozott, így végül a nagyanyja elküldte aludni. Még csak fél tíz felé járt az idő, de Iván is úgy érezte, hogy leragad a szeme.

A szobájába érve nem készülődött sokat: csak levetkőzött, a zománcos lavórban megmosta az arcát, és kis langyos vizet lötykölt a felsőtestére, majd lefeküdt. Már éppen elnyomta volna az álom, amikor valami furcsa zajra riadt. Mintha valaki vagy valami – egy ijedt kismadár – kopogtatta volna halkan kívülről az ablakát.

„Mi a fene?" – gondolta félálomban. Egy darabig még feküdt a paplan alatt, amit csak néhány perce sikerült felmelegítenie, és ami alól sehogyan sem akaródzott kibújnia. Lehet, hogy csak álmodta az egészet…

De nem. A kopogás csak nem akart szűnni, és most már az is nyilvánvaló volt, hogy nem kismadár az. Iván halkan káromkodva szállt ki az ágyból, az ablakhoz ment, és kinézett. Amikor meglátta, mi okozta a zajt, még cifrább káromkodás hagyta el a száját.

Odakint ugyanis Adél sápadt, ijedt kis arcát látta meg, ahogyan a lány lábujjhegyen ágaskodva kukucskál befelé.

– Mi az isten... – dühöngött Iván. Mi a fenét keres itt ez a kis hülye? Meg akar fagyni? Vagy ki akarja rúgatni magát? Ha így folytatja, e kettő közül bármelyik vágya teljesülhet.

Magában fortyogva, ámde a tőle telhető legcsendesebben, nehogy Nyanyát felverje, magára kapta a kabátját, papucsba bújt, és kiment a lányhoz, aki egy szál köntösben, dideregve várta őt a kis házikó falához simulva. Iván odalépett hozzá, megragadta a karját, és durván megrázta.

– Megőrültél?

Adél nem válaszolt, csak összehúzott szemmel, kihívóan nézett rá. Iván felsóhajtott, majd körülnézett.

– Jól van – mondta. – Itt nem maradhatunk. Megvesz az isten hidege. A szobámba sem mehetünk, még csak az hiányzik, hogy Nyanya…

Adél elfordította a fejét, és a közeli fészer felé nézett. A mellette álló kutyaólból ekkor kijött Cézár, az öreg farkaskutya, aki azonban nem ugatott – jól ismerte már a lányt. A farkát csóválva futott oda hozzájuk.

– Most nem mehetünk oda? – kérdezte Adél fogvacogva.

– Ott is hideg van – válaszolta a férfi bosszúsan. – Ma nem számítottam rád, és…

– Nem voltál Teréziánál! – vágott a szavába Adél szemrehányón. – Vártalak…

– A mindenségit! – szitkozódott tovább Iván. – Na, jó – mondta végül. – Gyere.

Újra megfogta a lány karját és maga után húzta a fészerbe. Ott valóban szinte ugyanolyan hideg volt, mint odakint. A kis vaskályha, amelybe az itteni találkáik előtt Iván idejekorán be szokott fűteni, ezúttal hidegen, sötéten állt a sarokban. Adél azért ösztönösen közelebb húzódott hozzá, és összébb fogta magán a pongyoláját. Iván odalépett hozzá, és a vállára terített egy pokrócot, amit az imént a földről vett fel. A lány elmosolyodott. Jól ismerte már ezt a pokrócot – sokszor tett már jó szolgálatot a földre terítve, az itteni találkáikon.

– Jó – mondta újra Iván. – Akkor most mondd el szépen, mi az ördögöt keresel itt.

– Mégis mit keresnék? – válaszolta Adél durcásan. – Hát téged. Szerda esténként Terka nénivel szoktál lenni, tudom. Vártalak a folyosón, ott a lépcső mögött. De nem jöttél, és később láttam, hogy Terka néni sem volt a szobájában. Ekkor haboztam, mit tegyek: menjek vissza a hálóba, vagy jöjjek ide hozzád. Úgy döntöttem, idejövök.

– Nagyszerű – jegyezte meg Iván gúnyosan. – Úgy tűnik, addig nem nyugszol, míg ki nem rúgatod magad innen.

– Ha engem kirúgnak, te is röpülsz, abban a minutumban – vágott vissza a lány. – És a drága jó Terka néni is.

A férfi elhallgatott. A kis bestiának igaza van. Ha beárulja őket Kőrösi Pálmánál, alighanem rögvest elapad az igazgatónő iránta tanúsított, kifogyhatatlannak tűnő jóindulata. Habár lehetséges, hogy nem is hinne neki… Mindegy: nem kockáztathat. Éppen ezzel zsarolta meg a kis ribanc úgy másfél évvel ezelőtt. Akkor is úgy döntött, hogy inkább nem kockáztat, pláne, hogy Adélnak igazán könnyen teljesíthető feltétele volt a hallgatásért cserébe. Azt akarta, hogy feküdjön le vele.

Ez pedig megoldható volt, bár némi szervezést és konspirációt azért igényelt. De hát neki már volt gyakorlata az ilyesmiben. Kétségtelenül elég veszélyes volt már az is, hogy egy tanárnővel folytat titkos viszonyt az iskola falai között. Hát még egy növendékkel! Először nem is akart kötélnek állni, megpróbálta a lányt lekenyerezni mással, pénzzel, ajándékokkal, de Adél hajthatatlan volt. Ő pedig a maga részéről – mindent egybevéve – nem is bánta olyan nagyon a dolgot. Hiszen egészen csinos volt a kicsike, és milyen tüzes… Terézián mindenféleképpen túltett, és ráadásul Ivánt halványan emlékeztette Helénára. Különösen a szeme, a titokzatos, villogó macskaszeme. Ha már Helénát nem kaphatta meg, legalább ezzel a kis taknyossal kárpótolta magát. Terézia az utóbbi időben kezdett az idegeire menni örökös nyafogásával, féltékenykedésével… Már-már úgy viselkedett, mint egy feleség. Egy megunt feleség. Persze, azért volt egy lényeges különbség: a megunt feleségtől ugyanis nem olyan könnyű megszabadulni, a megunt szeretőtől, és… Terézia érezte ezt, amitől a kapcsolatuk egyre zaklatottabb lett. A felgyülemlett feszültséget pedig Iván szívesen vezette le az Adéllal való viharos szeretkezésekben.

Csak ne kezdjen el ez is követelőzni! Féltékenykedni igazán nincs joga, hiszen éppen a Teréziával való viszonyával zsarolta őt. Akkor meg mi baja van? Iván ismét megragadta a lány karját, és közelebb rántotta magához.

– Mi bajod van? – kérdezte tőle hangosan is.

– Hol voltál? – kérdezte Adél, aki bátran állta a férfi dühtől szikrázó tekintetét.

– Mi közöd hozzá? – vágott vissza Iván, és még erősebben szorította a lány karját. Valószínűleg meg fog látszani a bőrén az ujjai helye. De Adél ezt egyáltalán nem bánta, sőt.

Már előre élvezte, hogy Aliz féltékeny lesz, mint mindig, amikor Iván hevességének félreismerhetetlen jeleit vette észre a barátnőjén. Aliz azt akarta volna, hogy csakis vele… mert, hogy ő mindig olyan gyengéd, finom. Hogyne! Amikor ő éppen ezt szerette, ezt a durvaságot. Á, ha Aliz csak sejtené, milyen egy igazi férfi! Ki tudja, megtudja-e egyszer? Adélnak kuncognia kellett, mikor erre gondolt, ám Iván tekintetét látva rögtön elkomolyodott. Vállat vont, és elhúzta a száját.

– Semmi közöm hozzá – mondta. – Csak… már azt hittem, ráuntál Terka nénire, azért nem mentél hozzá. Egy ideje már számítottam erre. Én nem bánom, csak akkor egyezzünk meg, hogyan találkozzunk a jövőben.

Iván erre elengedte a lányt, karba fonta a kezét, és gúnyosan elmosolyodott.

– Á, ráuntam, mi? –utánozta a lány hanglejtését. – Ezt szeretnéd… Nos, tudd meg, kicsikém, nem untam rá. *Még* nem. De ha te így folytatod…

– Akkor miért nem voltál nála? – Adélnak ez sehogyan sem fért a fejébe. Amióta ugyanis első alkalommal megleste őket, Iván minden áldott szerda este meglátogatta Teréziát. Ő pedig mindannyiszor végignézte az együttlétüket az ablakon belesve. Mióta pedig megzsarolta Ivánt, a Teréziával zajló pásztorórájuk után szoktak találkozni. Adél megvárta a férfit a sötét folyosón, a lépcső alatt a falhoz lapulva, akár egy besurranó tolvaj, majd ők is szeretkeztek. Jó időben odakint, a parkban, eldugott, koromsötét helyeken, amelyeket csak Iván ismert, rossz időben pedig itt, a fészerben, ahol a férfi mindig idejekorán befűtött.

Kivéve ma. Talán azt hitte, mivel ma nem járt Teréziánál, Adél sem fog eljönni. Hát, ebben tévedett.

– Miért nem voltál nála? – makacskodott a lány.

– Voltam nála! – Iván szeme diadalmasan felvillant a lány döbbent arckifejezése láttán. Majd megvonta a vállát, mintha ez mit sem számítana. – Voltam nála – folytatta. – Csak nem este, hanem ezúttal délután.

– Délután! – Adél szeme elkerekedett. – Ti meghibbantatok. Teljesen. Mi lett volna, ha valaki észrevesz?

Iván újra vállat vont.

– Nos, nem vett észre senki. És te? – megint a lányhoz fordult. – Mit akarsz?

Adél közelebb lépett, és a karjával átfonta a férfi nyakát.

– Mit akarnék? – búgta. – Téged!

Iván elvigyorodott. Ezt már szerette! Közelebb hajolt, és belenézett abba a zöldes szempárba, amely olyannyira hasonlított Helénáéra. Közben átfutott a fején, hogy mi van, ha *közben*, magáról megfeledkezve esetleg néha Helénának szólítja a lányt… Nos, ha így van is, eddig még nem panaszkodott miatta. Márpedig, amennyire ismeri ezt a fruskát, az ilyesmit biztosan nem hagyná szó nélkül.

Adél csak egy jó óra múlva szökött vissza a hálójukba, szaporán szedve a lábát, mivel akkorra már valóban majd' megvette az isten hidege. Mikor azonban dideregve végre a paplan alá bújt, érezte, hogy valaki, egy puha, meleg kis test hozzásimul.

Úristen – gondolta – Aliz!

– Hol voltál? – suttogta a másik lány. – Már kerestelek…

Adél rémülten rezzent össze. Szent egek, csak nehogy elkezdjen kémkedni utána.

– Sehol – vágta rá gondolkodás nélkül, majd eszébe jutott, hogy talán nem kellene ilyen nyersen visszavágnia a barátnőjének. – A toalettre mentem, hol lettem volna – tette hozzá kicsit gyengédebben, és hátat fordított Aliznak, jelezve, hogy most inkább aludni szeretne. A másik lány értette a célzást, és kissé elhúzódott, ámbár nem mászott ki Adél paplanja alól.

Tudta, hogy a barátnője hazudik. Az ember nem tölt hosszú órákat a mellékhelyiségben. Márpedig nagyon sok idő telt el azóta, hogy látta Adélt lábujjhegyen kilopózni. És ez már nem először fordult elő. Aliz behunyta a szemét, és érezte, hogy hirtelen elöntik a könnyek, és lecsorognak az arcán. Ekkor óvatosan leszállt Adél ágyáról, és visszaosont a sajátjába. Nem akarta, hogy a barátnője észrevegye: sír.

Az pedig meg sem fordult a fejében, hogy esetleg kémkedni kezdjen utána.

* * *

Szendrey Andor kissé aggodalmas arccal figyelte, ahogyan a húga sápadtan, kedvetlenül piszkálja az előtte lévő franciakrémest. Hallatlan! Pedig Lizi imádja a franciakrémest – máskor percek alatt eltünteti, és még a száját is megnyalja utána, mint egy jóllakott kiscica.

Úgy egy félórája találkoztak itt, a hűvösvölgyi Bokréta cukrászdában, ami az évek során, amióta Aliz a Pálmaházba járt, afféle törzshelyükké vált. Andor rögtön rendelt magának egy rigójancsit, Aliznak egy krémest, és mindkettejüknek egy-egy pohár szódát – ahogyan máskor is.

– Mi a baj, Lizi? – kérdezte gyengéden. – Az iskolában történt valami?

Aliz megvonta a vállát, ám a szeme megtelt könnyel, a szája pedig legörbült. Á – gondolta Andor. A húgocskám nem tud tettetni. Valószínűleg hamarosan magától kiböki majd, miről van szó, fölösleges hát faggatni. Andor újra a tányérja fölé hajolt, és a villájára tűzte a rigójancsi utolsó darabját.

– Igaz is – próbálta másra terelni a szót –, hogy van a barátnőd?

Erre már eltörött a mécses. Aliz eltolta maga elől a tányért, és a kis sakktábla–asztalra borulva zokogni kezdett. Andor néhány pillanatig döbbenten figyelte. A húgára igazán nem volt jellemző az ilyen heves érzelemkitörés. Annál inkább Adélra... Hm, úgy tűnik, az a lány, egyre rosszabb hatással van rá. Lám, most is nyilván hajba kaptak valamin, és Lizi ezért van így elkámpicsorodva.

– Megehetem a krémesedet? – kérdezte végül, mire Aliz felkapta a fejét, és meglepetten nézett rá. Andor már ki is nyújtotta a villáját, ám Lizi arckifejezését látva a keze megállt a levegőben. Zavartan elmosolyodott.

– No, hát... Azt hittem, neked már nem kell.

– Edd csak meg – Aliz megvonta a vállát. – Nekem nincs étvágyam.

Andor maga elé húzta a krémest, és mohón máris bekapott egy falatot.

– Tudod – magyarázta teli szájjal –, borzasztó éhes vagyok. Az úton... semmit sem ettem, és már hajnalban elindultam Magyaróvárról. De... neked mi bajod van, édesem? Ilyen még nem fordult elő, hogy ne edd meg a franciakrémest. Csak nem valami szívügy? – tette hozzá mosolyogva, és a húgára kacsintott.

Ami ezután következett, arra álmában sem gondolt. Legalábbis a húgával kapcsolatban biztosan nem.

Aliz ugyanis felugrott az asztaltól, hátrarúgta a székét, olyan erővel, hogy az a falig szánkázott, majd se szó, se beszéd, kirohant a cukrászdából. Mire a bátyja felocsúdott, már csak a fehér kabátját és kalapját látta meg-megvillanni az utcát szegélyező gesztenyefák között.

– A mindenségit! – szitkozódott, majd ő is felpattant

a székéről, és a lány után eredt. Csak a következő sarkon érte utol. Elkapta a karját, aztán szembe fordította magával. Aliz egy darabig zihálva farkasszemet nézett vele, majd lassan lehajtotta a fejét.

– Mi az ördög ütött beléd? – kérdezte Andor dühösen.

– Botrányt csinálsz nyilvános helyen! Ez soha nem volt jellemző rád. Ezt is a drágalátos kis barátnődtől, az Adéltól tanultad?

A barátnője neve hallatán Aliz újra pityeregni kezdett, mire Andornak megesett rajta a szíve. Soha életében nem tudta elviselni, ha a kishúgai sírtak. Különösen azt nem, ha Aliz, akit mindig is érzékenyebbnek, finomabbnak tartott Ágónál. Mint egy egzotikus virág – gondolta, miközben gyengéden magához húzta, és a hátát simogatva vigasztalta. Egy orchidea.

– Jól van, drágám – mormolta lehajtott fejjel. – Most szépen visszajössz velem a cukrászdába. Itt rettentő hideg van, a végén megfázol. Ráadásul még ki sem fizettem a süteményeket. – Rövid szünetet tartott, majd megkérdezte: – Akkor mehetünk?

Aliz nem válaszolt, csak bólintott. Andor megkönnyebbülten sóhajtott fel.

– Remek. Induljunk hát. Valamit még feltétlenül el kell mondanom neked. Te pedig vagy elárulod, miért sírtál, vagy nem. Ahogyan akarod. Jó lesz?

Aliz újra bólintott, majd a kabátjából elővett egy zsebkendőt, és megtörölte a szemét, orrát.

A cukrászdába visszaérve újra leültek az asztalukhoz, a többi vendég és a pincérek kíváncsi tekintetétől kísérve. Az érkezésükkor támadt síri csend azonban nem tartott sokáig: miután a vendégek látták, hogy a csinos, fiatal lány már nem sír, a magas, szőke fiatalember pedig, aki nyilván a testvére, mert annyira hasonlítanak egymásra, rendreutasító pillantásokat vet néhányukra, elfordultak, és ismét a saját dolgukkal foglalkoztak. A cukrászda kellemes, délutáni duruzsolása néhány percen belül helyreállt. Andor ekkor előrehajolt, és gyengéd, gondoskodó mozdulattal megfogta a húga kezét.

– Figyelj rám egy kicsit, Lizi – kezdte sejtelmesen, mire Aliz érdeklődve kapta fel a fejét. Szinte még a saját bánatáról is megfeledkezett. Vajon mit akarhat mondani Andor, mi lehet ez a rejtélyeskedés? Halványan elmosolyodott, és a szeme vidáman, pajkosan villant.

– Csak nem valami szívügy? – kérdezte, a bátyja iménti szavait visszhangozva.

Andor meglepetten hőkölt vissza. Nahát, Lizinek humora is van? Ez újdonság. Ő is elmosolyodott, és megrázta a fejét.

– Nem, dehogy – mondta. Nagyot sóhajtott. – Egészen más, komolyabb ügyről van szó. Országos ügyről. Sőt, világra szólóról. Azt hiszem, ezt túlzás nélkül állíthatom.

Aliz szeme elkerekedett. Micsoda? Andorka meg miről beszél? Ő meg a világraszóló ügyek! Ugyan!

Nagyon szerette a bátyját, és világéletében felnézett rá, de azt igazán nem tudta volna elképzelni, hogy a kedves, udvarias Andor valami világrengető tettet hajtson végre. De azért a fiú szavai felkeltették a kíváncsiságát. Ugyanakkor aggódni kezdett. Csak nehogy valami veszélyes kalandba keveredjen ez az ostoba!

– Mégis, mi az? – súgta, majd visszafojtott lélegzettel hallgatott.

Andor kihúzta magát, körülnézett, majd miután meggyőződött róla, hogy immár senki sem figyel rájuk, csillogó szemmel, büszkén bökte ki:

– Bosszút állunk Trianonért!

Aliz egy darabig szótlanul nézett rá, majd hangosan felkacagott. Mikor látta, hogy a cukrászda közönsége megint egy emberként fordul feléjük, a szája elé kapta fehér kesztyűs kezét, és úgy pukkadozott a nevetéstől. Andor a füle hegyéig elvörösödött, és dühösen az asztalkára csapott, amitől a süteményes tányérok és a poharak riadtan csörömpölni kezdtek.

– Mi van ezen nevetnivaló? – kérdezte, nem törődve azzal, hogy a vendégek egymáshoz hajolva sugdolózni kezdtek.

– Jaj, ne haragudj – Aliz csitítóan fogta meg a bátyja kezét. – Ne légy mérges, Andorka, csak… tudod, belegondoltam, hogy ha te akarsz bosszút állni Trianonért, akkor az Antant ugyancsak felkötheti a nadrágját!

A lány erre ismét elnevette magát. Andor sértődött arccal hallgatott, sápadtan, karba font kézzel. A cukrászda vendégei még mindig kíváncsian nézték ezt a furcsa párt: a hol síró, hol nevető leányt, és az eddig oly nyugodtnak tűnő, majd hirtelen dühösen kitörő fiatalembert. Szerelmespárok szoktak ilyen szenvedélyesen, kiszámíthatatlanul viselkedni, ám ők nyilvánvalóan testvérek voltak. Mindenesetre furcsa. Otthon lesz majd miről pletykálni a vacsoraasztal mellett.

Az ingyen műsornak azonban ebben a pillanatban vége szakadt. Andor intett a pincérnek, fizetett, és a még mindig halkan kuncogó húgának egy fejmozdulattal jelezte, hogy távoznak. Aliz széles jókedvében még visszafordult az ajtóból, és pukedlizett a Bokréta egyre döbbentebben bámuló közönségének.

– Viszontlátásra – mondta. – További jó mulatást.

Andor erre elkapta a karját, és maga után húzta őt az utcára.

– Megőrültél! – korholta, de ekkorra már ő is elmosolyodott. – Te tisztára megőrültél.

– Én őrültem meg? – kérdezte Aliz. – Hát ki állt elő ezzel a Trianon-dologgal?

Andor erre elkomolyodott.

– Ez egyáltalán nem őrültség – mondta halkan. – Vagy talán mégis az… majd elválik.   Most mindenesetre nem mondhatok többet.

– Hát akkor ennyit is minek mondtál? Á, csak azért, hogy megnevettess. Hálás köszönet érte!

– Hagyd már abba! – a fiú újra dühbe gurult, és megragadta a húga karját. – Néha már teljesen olyan vagy, mint a *kebelbarátnőd*.

Aliz arcáról erre lefagyott a mosoly, és szinte riadtan nézett a bátyjára. Aha – gondolta Andor. Hát jól sejtette: itt van a kutya elásva.

– Mi az? – kérdezte. – Csak nem kaptatok össze valamin?

Aliz egy rántással kiszabadította magát, és Andornak hátat fordítva elindult az utcán. A fiú utána eredt, és néhány gyors lépéssel be is érte.

– Jól van, na! – mondta békülékenyen. – Megmondtam, hogy nem kell beszélned róla, ha nem akarsz. De te is mindig kíváncsiskodsz, hogy mi van velem, nem igaz? Másrészt… furcsálltam, hogy ezúttal nem akartad magaddal hozni Adélt. – Andor egy kis ideig hallgatott, és mivel nem kapott választ, halványan elmosolyodva folytatta: – Emlékszel, hogy egy időben mindenáron össze akartál boronálni minket? Tudod mit: ma már nem is lenne ellenemre a dolog!

Aliz erre megállt, és a fülére szorította a kezét.

– Hagyd abba! Hagyd már abba!

Andor meglepetten nézett rá.

– Jól van! Te jó ég! Mi rosszat mondtam?

Aliz erre már nem felelt, és így szótlanul, rosszkedvűen sétáltak vissza az iskolához. Nem sokkal a kimenőidő vége előtt értek oda, így elég sok lánnyal találkoztak, a kisebbek szüleik kezét fogva, a nagyobbak pedig apjukba, bátyjukba, barátnőjükbe vagy éppen udvarlójukba karolva tartottak a Pálmaház felé. Közvetlenül előttük például a kedves, duci Jojó sétált, és egyik oldalról az édesanyjába, a másikról a tánciskolában megismert udvarlójába karolt. Valamin épp elnevette magát, és jókedvű kacagásától visszhangzott az utca. Aliz a bejárattól nem messze nekidőlt az öntöttvas kerítésnek, és bánatosan nézte az elhaladókat. Andor elé állt, és a vállára tette a kezét.

– Ne így váljunk el! – kérte a lányt.

– Hogyan? – kérdezte Aliz szórakozottan.

– Hát… nem is tudom… hogy neheztelsz rám… valamiért.

Aliz könnybe lábadt szemmel nézett rá. Neheztel? Őrá? Dehogyis! Két kezébe vette a fiú simára borotvált, kellemes vonású arcát, és egy csókot nyomott rá.

– Isten veled, Andorka – suttogta. – Gyere máskor is.

Ezzel hátat fordított neki, és belépett a kapun. Andor nem követte – habár a vendégek egészen a portáig bemehettek, és csak ott kellett elbúcsúzniuk a növendékektől, úgy érezte, ma nincs értelme odáig kísérnie a húgát. Sehogy sem tudott kiigazodni Alizon. Mi ez a hirtelen szeszélyesség, ezek a váratlan hangulatváltozások? Aliz sohasem volt ilyen. Az a *másik*, a barátnője, az Adél bezzeg… úgy látszik, eltanulta tőle. Anyuska mindig is mondogatta, hogy rossz hatással van az a leány a szelíd, szófogadó, bájos gyermekükre. Apuska és ő azonban mindig megvédték Adélt. Azzal, hogy nem baj, ha Lizinek van egy talpraesett, életrevaló barátnője, hiszen nem csak rosszat tanulhatnak egymástól.

No meg ebben a korban hajlamosak elveszteni a fejüket a fiatal lányok. Ugyan ezzel kapcsolatban egy szót sem tudott kihúzni belőle, de mi van, ha Lizi valóban szerelmes? Az mindent megmagyarázna…

Andor megvonta a vállát, majd odébbállt. Elhatározta, hogy egy darabig gyalog megy, majd levillamosozik a Széll Kálmán térre, nem költ taxira. Takarékoskodnia kellett. Ki tudja, mikor lesz szüksége a félretett pénzére? Bármelyik pillanatban utasítást kaphat rá, hogy utazzék el, méghozzá valahová külföldre. Az pedig tudvalevőleg sokba kerül. Tehát össze kell húznia a nadrágszíját, nincs mese, és le kell mondania a megszokott kényelméről. Lassan, ráérősen sétált, és rágyújtott egy cigarettára. Ebben a pillanatban igazi férfinak, a hazájáért veszélyeket is vállaló hősnek érezte magát. Ilyenekről lehet olvasni Jókai regényeiben. Manapság az ember azt hihetné, kiveszőfélben vannak a bátrak, de lám, mégsem.

Mikor idáig ért a gondolatmenetében, elfogta ugyanaz az izgalom, amely minden egyes alkalommal, amióta az apja beavatta merész (sőt, valljuk be, őrült) tervükbe, és egyszeriben meg is feledkezett furcsán viselkedő húgáról.

Aliz pedig, mire belépett a kollégium épületébe, összeszedte magát. A folyosón még bement az ilyenkor teljesen kihalt fürdőszobába, és a mosdókagylók fölött függő kis tükrök egyikében alaposan szemügyre vette magát.

Jól van, már nem lehet látni, hogy nemrég sírt. Ez az

ostoba Andor a lehetetlen kérdéseivel! Még csak az hiányzik, hogy valaki idebent is meglássa rajta, hogy valami bántja. Különösen *ő* nem veheti észre.

Egyetlen barátnője, szerelme, mindene, akiről most már nemcsak sejti, de biztosan tudja, hogy megcsalja. Méghozzá valószínűleg régóta. És nem is akárkivel. A tanárnőjükkel, Terézia nénivel.

* * *

Adél türelmetlenül rángatta maga után a kisöccsét, Gáborkát, a kicsi törökméztől ragacsos kezét szorongatva. A városligeti majális forgatagában így is nehezen tartotta a lépést Ivánnal, aki szemmel láthatóan füstölögve kerülgette a piknikezőket és a napozókat a friss, tavaszi gyepen.

– Várj már meg! – zihálta, megragadva a férfi csuklóját. – Nem tudok a gyerekkel így rohanni. Különben is, mi a fene ütött beléd?

– Még kérdezed? – fordult hátra Iván dühösen. – De én voltam a marha – folytatta fejcsóválva –, nem kellett volna belemennem, hogy itt találkozzunk! Őrültség volt, megláthat bárki. És te még ráadásul magaddal cipeled ezt az átkozott kölyköt is!

Az „átkozott kölyök" szavakra Gáborka szája sírásra görbült, és közelebb húzódott a nővére szoknyájához. Nagyon félt ettől az óriásira nőtt embertől, aki leplezetlen undorral nézett rá. Adél pedig nem sokat tett, hogy enyhítse az ijedelmét – a törökmézet ugyan azért vette neki, de a nyalánkság mostanra elfogyott, és ez az ember továbbra is kiabál és fenyegetőzik…

– Nem tehettem mást – vonta meg a vállát a lány. – Elhiheted, hogy nem jókedvemben hoztam magammal.

Anyám megint isten tudja, hol császkál, a kölyköt pedig rám bízta. Otthon nem hagyhattam, mert akkor úgy ordít, hogy az összes szomszéd összeszalad. Ne félj, jó gyerek. Veszünk neki még valamit, és befogja a száját. Én már sok helyre magammal vittem, és még soha nem árult el…

Iván felemelte a kezét, jelezve, hogy nincs kedve tovább hallgatni ezt az ostoba fecsegést. Adél nyomban elhallgatott – jól ismerte már a férfi testbeszédét, és szinte mindent kiolvasott az arckifejezéséből. És most látta, hogy Iván még a szokásosnál is dühösebb rá.

Talán valóban nem volt jó ötlet, hogy együtt jöjjenek el a majálisra. Viszont annyira szeretett volna már valami *rendes* helyen is találkozni a férfival. A ligeti sokadalom ideális helynek tűnt – ide biztosan senki sem jön el a Pálmaházból. Nem az ottani kisasszonyoknak vagy a családjaiknak való a Liget ilyenkor, amikor a pesti munkásnép május elsejét ünnepli.

Iván azonban okkal tartott tőle, hogy régi ismerősökbe botolhat. Az előbb még a gyomra is összerándult, amikor messziről megpillantott egy férfit, aki ugyanabba az illegális kommunista sejtbe járt, mint ő. Még szerencse, hogy az illető nem vette észre. Vagy nem ismerte meg. De mi történik, ha legközelebb nem lesz ilyen szerencsés? Micsoda ostobaság így, nyilvánosan mutatkozni egy tizenhat éves diáklánnyal, aki ráadásul még egy maszatos képű kölyköt is vezet kézen fogva. Teljesen elment az esze, tényleg.

Mi lesz, ha mondjuk, Helénával futnak össze?

A nőt a bécsi útjuk óta nem látta, de azt tudta, hogy továbbra is a rendőrségnek dolgozik, kettős ügynökként. Mint ő maga is, jobb meggyőződése ellenére. Würth Tibor, az őt felügyelő nyomozótiszt annyit elárult neki, hogy a nő jól van, és hogy valami más feladatot bíztak rá, ugyanis túl veszélyes lett volna, ha a korábbi tevékenységét folytatja. Forró lett a lába alatt a talaj – Würth úr ezeket a szavakat használta, és Iván úgy érezte, hogy ezt saját magáról is elmondhatná.

Habár az igaz, hogy az iratokat Heléna lopta el a táskából. Azóta pedig a rendőröknek egy másik nagy fogásuk is akadt. Kun Béla és egy másik idióta egy bécsi taxi hátsó ülésén felejtett fontos dokumentumokat a hazai illegális mozgalom vezetőiről. Véletlenül vagy sem... Iván ezekről az alakokról bármit el tudott képzelni. Persze, ők könnyen ugráltak odakint, Bécsben, ahol a hajuk szála sem görbülhetett.

– Juj, nézd, kolbász mustárral – mutatott rá Adél egy közeli lacikonyhára, ahonnan ínycsiklandó illatok szálltak feléjük. – Te, én nagyon éhes vagyok – jelentette ki. – Menjünk, lassan úgyis ebédidő lesz.

Iván felsóhajtott, és megadta magát a sorsnak. Ha lebukik a lánnyal, annyi baj legyen. Jobb is lenne, ha kiszállhatna ebből az egészből. Talán ha meglátják őt egy ugrifüles diáklánnyal, többé nem bíznak meg benne...

Hacsak nem hiszik azt, hogy ez a fruska a húga. Hiszen – majdnem egyidős Irmával, az édes húgával. Iván hirtelen elszégyellte magát. Úristen, ebbe még bele sem gondolt. Márpedig ha egy magafajta pasassal kapná rajta Irmust, hát kitaposná a belét annak a fickónak!

Egyre rosszabb kedvvel falatozta a kolbászt, a nagy karaj kenyeret és a mustárt, miközben kifejezéstelen arccal bámulta a körülöttük jövőket-menőket. Adél a kis Gábor kezébe nyomott egy szelet kenyeret a kolbásszal, majd ő is hozzálátott az ebédjéhez.

– Mi az, miért vágsz ilyen fancsali képet? – kérdezte Ivánt teli szájjal. – Ne félj, szerelmem, senki sem fog itt felismerni – folytatta, mintha olvasott volna a férfi gondolataiban. – Gondolod, hogy a Pálmaházból itt grasszál valaki? Ugyan… – Adél megvonta a vállát. – De ha mégis, mondhatjuk nekik azt, hogy itt találkoztunk, véletlenül. A kölyök – és fejével az ebédjét mohón faló Gáborka felé intett – jó alibi, ismerd el. Legalább valami hasznát veszszük. Mondhatom, hogy őt sétáltattam a Ligetben, amikor összefutottunk, és te gálánsan meghívtál ebédelni.

Iván ezen elgondolkodott, de nem válaszolt. Adélnak igaza van, de ő nem is a pálmaháziaktól tartott. Hanem az elvtársaitól. Vagyis *egykori* elvtársaitól, már maga sem tudta. Na, mindegy, majd azt mondja nekik, hogy ez itt Irma, a húga. Adél csak nem hazudtolja meg…

– Apropó, Pálmaház – folytatta a lány, vidám, csevegő stílusban. –Tudod, mi az újság?

Iván rosszat sejtve kapta fel a fejét.

– Mi? – kérdezte gyanakodva.

– A barátnőm, tudod, a Szendrey Aliz – Iván türelmetlenül bólogatott, mert ki ne tudná, kicsoda Adél szívbéli barátnője – vagy egy hónapja neheztel már rám.

A férfi felvonta a szemöldökét. Nocsak! Ezt nem tudta…

– És tudod, miért?

– Honnan tudnám, az ég szerelmére?

– Jól van, ne légy ilyen pukkancs. Szóval, azt hiszi, hogy én… hogy viszonyom van Terézia nénivel.

Ivánnak hirtelen a torkán akadt a kenyérhéj, és hangosan köhögni kezdett. Adél mellé ugrott, és előzékenyen megütögette a hátát. A mellettük álló kisfiú tátott szájjal, a kezében tartott ételről megfeledkezve bámulta a jelenetet.

– Na, jobban vagy már? – kérdezte a lány, miután kissé csillapodott a köhögés. Iván könnybe lábadt szemmel bólogatott.

– Jobban – mondta rekedten. – De te… mi az istenről beszélsz te itt?

Adél a vállát vonogatta.

– Hát, én nem tudom, honnan vette. Azt hiszem, meglesett, amikor rád vártam a folyosón. Azt már szerencsére nem látta, hogy veled találkoztam, ezért kitalálta, hogy biztosan Teréziával…

– De hogyan juthat eszébe ilyen… ilyen *szörnyűség?*

Adél elmosolyodott. Még hogy *hogyan?* Ha Iván tudná… De nem fogja az orrára kötni, ő aztán nem! Újra megvonta a vállát.

– Gondolom azért, mert mást sem lát a Pálmaházban maga körül, csak nőket. Ez nem egészséges dolog. Ha belegondolunk, te vagy az egyetlen valamirevaló férfi a láthatáron, de lássuk be, te nem elégíthetsz ki *mindenkit.*

Iván szeme elkerekedett. Miket nem beszél ez a kis bestia? Mindig is tudta róla, hogy gátlástalan teremtés, de ez… Miközben hallgatta, szörnyű gyanú ébredt a szívében. Közelebb lépett Adélhoz, és megmarkolta a lány blúzát.

– Mondd csak… Terézia… ugye, ő *nem?*

– Mit tudom én! – Adél elbiggyesztette a száját. – Elvégre ő a *te* szeretőd, drágám. Neked kéne ismerni a legféltettebb titkait.

Iván dühösen eleresztette a lányt. Belátta, hogy nem húz ki ennél többet belőle. Ej, minek is kezdett vele. Csak azért, mert kicsit emlékeztette Helénára. Megcsóválta a fejét.

– Hagyjuk. Hagyjuk a fenébe az egészet. Menjünk innen. Befejezted az evést?

Adél sértődött arcot vágott.

– Még nem, láthatod. Gáborka is eszik még – a kisfiú, mintha vezényszóra tenné, újra beleharapott a kenyérbe és a kolbászba. – Mindjárt úgyis haza kell őt vinnem, de addig is – folytatta Adél – valamit még mondani szeretnék. Vagyis… pontosabban szeretnélek megkérni valamire. Igazából ezért akartam ma veled találkozni, méghozzá az iskola falain kívül.

– Nocsak! – Iván rosszat sejtett, és ez az arckifejezésén is látszott. A lányt őszintén mulattatta a helyzet, ámbár megpróbált komoly képet vágni.

– Éppen Szendrey Alizról lenne szó – mondta ünnepélyesen. – Ezért is hoztam őt az imént szóba, csak másra terelődött a beszélgetésünk… Nos, drágám, szeretném, ha megpróbálnád elcsábítani a kisasszonyt.

Iván döbbenten meredt rá, de aztán csak legyintett egyet.

– Ugyan, te megőrültél. Rám se nézne az a kis penészvirág. Meg aztán… nem is tennék ilyet. Már Teréziával és veled is sokat kockáztatok. A fél iskolával mégsem lehet viszonyom. Semmi kedvem lebukni, és az utcára kerülni. Az igazgatónő ráadásul azon nyomban kirúgná Nyanyát és Irmát is. Tudod jól. Terézia még hagyján… ő végtére is felnőtt nő, szabadon dönthet, de egy diáklány...

Adél felkapta a fejét.

– No és én? – kérdezte éles hangon.

– Te! – Iván keserűen elmosolyodott. – Te más vagy – bökte ki végül, és megvonta a vállát. Adél nem tudta eldönteni, hogy ezt dicséretnek vagy sértésnek vegye-e. Végül elengedte a füle mellett.

– Nos, én csak jót akarok neki – sóhajtotta. – Ugyanis észrevettem, hogy néha bizony rajtad felejti a szemét.

Persze, a Pálmaházban nincs nagy választék férfiakból, de hidd el, ha nem lennél ilyen jóképű, rád se hederítene. Hiszen azért lát más férfiakat is, a moziban még amerikai filmsztárokat is, tehát van összehasonlítási alapja.

Iván hallgatott. Hitte is meg nem is, amit Adél mondott. A kis Szendrey lány... szőke, kékszemű, ondolált hajú. Olyan, mint egy kényes porcelánbaba. Még a végén összetörné, ha hozzányúl! Megcsóválta a fejét.

– Á, ebből csak baj lenne. Én ugyan nem vettem észre, hogy valaha is rám nézett volna, de még ha úgy van is... Az már nem biztos, hogy szóba állna velem, vagy pláne hagyná, hogy hozzáérjek. Őrültségeket beszélsz, aranyom.

Adél közelebb hajolt a férfihoz.

– Nem egészen értettél meg, igaz? Szépen kértelek, de nem mondhatsz nemet. A kezemben vagy, tudod. Bármikor tönkretehetlek, és az nem érdekel, hogy velem mi lesz. Vagy éppen Teréziával, vagy a drágalátos Irmussal. Tudod, hogy így van.

Rövid hatásszünetet tartott, hogy Iván végiggondolhassa, amit mondott. Amikor látta, hogy a férfi arca lassan elkomorodik, folytatta.

– Legalább próbáld meg. Higgy nekem, nem fogod megbánni. A kis *Alice* nem az a földre szállt angyal, akinek képzeled.

– Te már csak tudod – mormolta Iván, majd hirtelen eszébe jutott valami, de úgy vélte, jobban teszi, ha ezt inkább nem kérdezi meg. Csak hosszasan, elgondolkodva nézett Adél arcába. Soha nem fogok kiigazodni a nőkön – gondolta. Legalábbis ezeken... ezeken a mimózalelkű úri kisasszonyokon. Bezzeg Nyanya vagy akár Irmus is, mennyivel egyszerűbb, kiszámíthatóbb teremtések. Ilyenekkel kéne inkább kezdeni. De mit csináljon, ha ezek az elkényeztetett kis csitrik valamiért ellenállhatatlanul vonzódnak hozzá? Ha igaz, még a kényes-fényes Szendrey lány is. No, majd elválik. Ugyanis tisztában volt vele, hogy már csak kíváncsiságból is meg fogja próbálni elcsábítani.

És nem csak azért, mert ez a megátalkodott bestia megzsarolta.

* * *

Aznap este Iván gondterhelt arccal lépett be a külső Üllői út egyik talponállójába. Itt beszéltek meg találkozót Würth Tiborral, az őt felügyelő rendőrtiszttel, és az soha nem jelentett jót, ha Würth a kihallgató szobán kívül akart vele találkozni. Iván valamilyen furcsa okból a Gyorskocsi utca füstös, szürkésfehér falú kis szobájában már egészen otthonosan, és főként biztonságban érezte magát. Itt nyugtalan volt, és miután a pultnál megrendelte a sörét, idegesen tekintgetett körbe. Az ivó teli volt a majálisról hazatérő „munkáselemekkel", és Iván egyáltalán nem rítt ki közülük. Egyszeriben megértette, Würth miért éppen ezt a helyet választotta. Itt nem fognak feltűnést kelteni. Márpedig amibe Würth bele akarja rángatni, annak hétpecsétes titoknak kell maradnia. Habár Iván véleménye az volt, hogy az egész ügy nem más, mint úri huncutság, annak is dilettáns fajtájából. Ha az urak minden hájjal megkent csalót akarnak játszani, az soha nem sikerülhet. Nem értenek hozzá, és előbb-utóbb megütik a bokájukat. A detektív azonban megígérte, hogy ha a segítségükre lesz, azzal jóváteheti a múltban elkövetett minden bűnét, és többé nem fogják zaklatni. Nos, ha így van, ám legyen!

Még egyszer körülnézett: talán már a rendőr is itt van, csak nem vette észre. Ő is képes beleolvadni mindenfajta társaságba – legyen az egy előkelő bál közönsége, értelmiségi asztaltársaság vagy jól megérdemelt sörüket állva nyakaló, vastag nyakú munkások kompániája. Hisz detektívként ez volt a munkája, és meg kell hagyni, értette is a dolgát. Nem csoda, hogy folyton az volt az érzése, már látta ezt az átkozott detektívet valahol... Á, butaság. Belekortyolt a sörébe. Mostanában állandóan rémeket lát – már ő is kezd olyan lenni az ostoba megérzéseivel, mint a pálmaházi kisasszonyok. Jöhetne már ez az átkozott Würth. Ismét körülnézett, de nem látta sehol. Ekkor kifejezéstelen tekintettel a szemben lévő mocskos falat kezdte bámulni – nem akarta, hogy a barátságos cigarettafüstben és sörszagban bárki is szóba elegyedjen vele.

Így aztán ijedten összerezzent, amikor a rendőrtiszt rá-köszöntött.

– Jó estét, kedves Nagy. Hát hogy van, mondja?

Iván mindig is utálta ezt a bizalmaskodó hangnemet, ahogy a rendőrök beszéltek vele – mintha csak érzékeltetni akarnák, hogy a markukban tartják, ami, sajnos, igaz is volt.

– Jól, köszönöm – válaszolt mogorván, majd kérdőn nézett Würthre. A rendőr ugyanis nem volt egyedül. Két fiatalember állt mellette, akik vele ellentétben nagyon is kilógtak ebből a környezetből, és láthatóan kínosan feszengtek. Iván magában elismeréssel adózott a rendőrnek, akinek nyilván ez is volt a célja. Máskülönben ezek a kikent-kifent ficsúrok biztosan leereszkedően viselkednének vele és Würthtel, itt azonban behúzták a nyakukat, és kissé ijedten pislogtak Ivánra, várva, hogy a rendőr bemutassa őket.

Az alacsonyabb, zömökebb fiatalúr neve Máriássy Domokos volt. Mikor Iván kezet fogott vele, Máriássy úgy megropogtatta az ujjait, hogy kis híján felszisszent. Nyilván így akarta demonstrálni, hogy vele nem lehet packázni, szájon vág ő bárkit, aki akárcsak egy ferde pillantást vet rá. A másik, a magas, karcsú fiú viszont kecsesen, elegánsan, ám mégis erélyesen szorított vele kezet, miközben tiszta kék szemével rezzenéstelenül állta Iván tekintetét. Ejha, ez is hogy hasonlít valakire – gondolta a Pálmaház kertésze, akinek az is átfutott a fején, hogy tényleg üldözési mániában szenved. Ám ekkor Würth ezt a fiatalembert is bemutatta.

Báró Szendrey Andor.

* * *

Adél megállt a házuk kapuja előtt, és a szoknyájából előrángatott egy zsebkendőt, majd megragadta a kisöccse karját, és maga felé fordította a gyereket.

– Te jó ég, hogy nézel ki! – szörnyülködött. – Így nem kerülhetsz Mama szeme elé, mert én szorulok miatta. Nesze, nyald meg.

A zsebkendő egyik csücskét a kisfiú szája elé tartotta, mire a gyerek kötelességtudóan kinyújtotta a nyelvét, hogy benedvesítse a kendőt. Ezután a lány erőteljesen dörzsölni kezdte a kicsi zsírtól és cukortól maszatos arcát. Gáborka szótlanul tűrte a procedúrát (ő sem akart kikapni), csak az orrát fintorgatta, és könnybe lábadt nagy, barna szemével hunyorgott. Az arca egyre jobban kipirosodott.

Adél kicsit hátrébb hajolt, és megszemlélte a művét.

– Na, így jó lesz – jelentette ki. – Mehetünk.

Kézen fogta a kisfiút, és felkaptattak a homályos lép-
csőházban a harmadik emeletig, ahol a lány bezörgetett
az egyik ajtón. Mama nyitott ajtót, aki még mindig fia-
talos külsejű, karcsú, csinos nő volt, kopottas pongyolá-
ja és kissé zilált haja dacára is.

– Szervusz, Mama – rebegte Adél.

– Szervusztok – felelte az anyjuk, majd megfogta Gá-
borka kezét, és elindult vele befelé, a lakásba. Félvállról
szólt vissza a lánynak. – Mi az, nincs kulcsod?

– Soká tartott volna előkotorni – Adél megfordult, és
belülről gondosan bereteszelte az ajtót. – Te mégsem vol-
tál sehol? – kérdezte, az anyja pongyolájára mutatva.

– Á – a nő szórakozottan beletúrt a hajába –, nem volt
kedvem elmenni. Tibor nem ért rá.

– Akkor Gáborka igazán itthon maradhatott volna ve-
led – Adél duzzogva, karba tett kézzel dőlt az ajtófélfának
az előszoba és a konyha között.

– Miért, talán terhedre volt? Valami mást terveztél má-
ra?

Adél erre csak elbiggyesztette a száját, és a vállát vo-
nogatta. Mama lehajolt a kisfiúhoz, és gyengéd hangon
kérdezte:

– Éhes vagy, kicsim?

– Á, telizabálta magát törökmézzel meg kolbásszal –
válaszolta az öccse helyett Adél. Mama szemrehányó te-
kintetet vetett rá.

– Nem téged kérdeztelek.

– Köszönöm, nem vagyok éhes – csipogta Gáborka jól
nevelten. – Adél meg az a bácsi vettek nekem ebédet.

– Bácsi? – Mama felegyenesedett, és döbbenten meredt
a kisfiúra. – Miféle bácsi?

A kisfiú ijedten a szája elé kapta a kezét. Ajjaj! Eszébe jutott, hogy Adél a lelkére kötötte, egy szót se szóljon a mai kísérőjükről. Különben lesz nemulass! Lám, mégis eljárt a szája, méghozzá a nővére füle hallatára. Lopva Adélra sandított, és a félelmei beigazolódni látszottak: a lány gyilkos, fenyegető pillantást vetett rá.

– Miféle bácsi? – kérdezte Mama újra, ezúttal már a lánya felé fordulva.

– Ó, hát véletlenül összefutottunk a Ligetben a… tudod, az iskola kertészével.

Adélnak hirtelen semmiféle alkalmas hazugság nem jutott eszébe, letagadni pedig már nem lehetett a dolgot. Ezért hát könnyed, nemtörődöm hanghordozással próbálta bagatellizálni az esetet. Ám rögtön látta, hogy Mamát ennyivel nem szerelheti le. A nő elsápadt, és közelebb lépett a lányához.

– Kivel? – kérdezte, mintha nem jól hallotta volna az imént.

– Á, azzal a hogyishívjákkal… Nagy Iván a neve, azt hiszem. De… csak nem hiszed, Mama, hogy én? Meg ő? Ugyan, hát csak egy koszos kertész, és különben is túl öreg hozzám.

Mama azonban egyre sápadtabb lett, olyannyira, hogy Adél megszeppenten el is hallgatott. Csak nem ekkora baj, hogy összefutottak a kertésszel, aki meghívta őket ebédelni? Hiszen csak ennyi derült ki, és ez igazán ártatlan kis epizód, Mamának pedig vele kapcsolatban sohasem működtek túl jól a megérzései. Most mégis úgy tűnt, mintha tisztában lenne az egész históriával, ami a lánya néhány szavas beszámolója mögött rejlett. Közelebb lépett Adélhoz, a lány két vállára tette a kezét, és kényelmetlenül közelről a szemébe nézett.

– Meg kell ígérned nekem valamit, kislányom – kezdte mély, ünnepélyes hangon. Nocsak, gondolta Adél, ha már „kislányomnak" szólít, akkor tényleg komoly a dolog. – Meg kell ígérned nekem, hogy soha, semmi közöd nem volt, nincs, és nem is lesz ahhoz az emberhez. Soha, semmilyen. Megértetted?

– De miért? – akadékoskodott a lány.

– Azt hosszú lenne most elmagyarázni. Legyen elég, hogy Nagy Iván veszélyes ember. Nagyon veszélyes.

– Te ismered őt? – Adél szeme kerekre nyílt. – Honnan?

Mama sietve megrázta a fejét.

– Nem ismerem – mondta. – Csak tudok róla egyet s mást. Tudom, hogy veszélyes fickó. Tartsd magad távol tőle, ha jót akarsz.

Na, ez a figyelmeztetés már elkésett kissé – gondolta a lány, de fennhangon nem mondott semmit. Különben is, vagyok én is olyan veszélyes, mint ő. Minden jel arra mutat, hogy a markomban tartom. Nincs okom félni tőle, bárhogy is huhog Mama."

Egyébként, honnan hallhatott róla? Talán Terézia vagy Kőrösi Pálma figyelmeztette? Nem is járt annyiszor az iskolában, az utóbbi időben már szinte be sem tette oda a lábát. Márpedig Nagy Iván, bármekkora csirkefogó is, azért nem országos hírű gazember. Vajon honnan ismeri őt Mama?

Elhatározta, hogy legközelebb okvetlenül megpróbálja erről kifaggatni Ivánt.

Mama pedig, amikor aznap este, Gáborkát átölelve álomra hajtotta a fejét, szemrehányást tett magának. Nem lett volna szabad engednie, hogy Adél ebbe az iskolába járjon. Már akkor ki kellett volna vennie, azon az első évnyitón, amikor megpillantotta Nagy Ivánt a kerítés mögött. Hiszen jól tudta, hogy ennek nem lehet jó vége. Csakhogy Adél annyit makacskodott, olyan botrányos jeleneteket rendezett, hogy a végén ő is megmakacsolta magát, és nem hallgatott a jobbik eszére. Most csak magát okolhatja, ha valami jóvátehetetlen történik. Hagyta, hogy a lánya ott legyen a közelében annak az alaknak... akiben nem sokkal a találkozásuk után felismerte a férje egyik gyilkosát.

* * *

Andor lassan forgatta a kezében a világoskék, elmosódott színű bankót. Hirtelen közelebb emelte az arcához, és megszagolta. Megcsóválta a fejét.

– Valami baj van? – kérdezte a barátja, Máriássy Domokos, aki közvetlenül mellette állt, és minden mozdulatát árgus szemmel figyelte. Válasz helyett Andor az orra alá dugta a bankjegyet.

– Szagold meg te is! – utasította.

Domokos átvette a pénzt, és engedelmeskedett. Majd ő is ide-oda forgatta a kezében, ahogyan Andortól látta. Végül ismét az orrához emelte.

– Nos? – kérdezte Andor.

– Én nem érzek rajta semmit – vonta meg a vállát Domokos.

Andor bosszúsan felsóhajtott, majd az alagsori ablakhoz lépett, amelyen a késő novemberi délutánon alig szűrődött be a helyiségbe némi fény. Mindkét kezével egy ott álló asztalkára támaszkodott, és csüggedten lehajtotta a fejét.

– Mondd csak, Domi, jártál már Párizsban? Vagy egyáltalán Franciaországban, bárhol?

– Nem – felelte Domokos. – De mi bajod van, bökd már ki.

Andor megfordult, az asztalnak támaszkodott, és karba tette a kezét.

– Ez vacak! – jelentette ki a barátja kezében lévő bankóra mutatva. – Olyan silány hamisítvány, hogy kilométerekről szemet szúr bárkinek, akinek már volt valaha *igazi* frank a kezében. Ha belegondolok – folytatta keserűen felnevetve – mennyi időt, energiát, pénzt, lelkesedést öltünk ebbe… ebbe a csődtömegbe.

Andor legyintett, és a kezébe temette az arcát. A lélegzetvételén hallatszott, hogy a sírással küszködik. Domokos megilletődve közelebb lépett hozzá, és a barátja vállára tette a kezét.

– Ugyan, hagyd már – csitította. – Honnan veszed, hogy ez olyan vacak? Nincs mindenkinek olyan éles szeme vagy kifinomult szaglása, mint neked. No meg… úgy tudom, nem minden sorozat egyforma. Vannak jobban sikerültek is. Hiába, ennyire futotta a kapacitásunkból. De talán így is elérhetjük a célunkat.

Andor felnézett, és újra elnevette magát.

– Hogy csődbe vigyük Franciaországot? Ezzel? – undorral emelte fel a hamis bankjegyet, amelynek a színe, az állaga, de még a szaga is nagyban különbözött a valódi frankétól. – Ugyan, ez teljességgel lehetetlen! Ostoba illúzió volt az egész. Pedig hogy hittem, hittünk benne. Apámat hónapok, sőt évek óta már csak ez élteti. Hogy így bosszút állunk majd Trianonért… Ó, milyen ostobák is vagyunk!

Domokos kihúzta magát.

– Kérlek! Még hogy ostobák. Amikor te is tudod, ki mindenki van benne… például az apád, igen. De nála magasabb poszton lévők is – *őket* szintén ostobáknak titulálnád? Országunk vezetőit?

Andor hallgatott. Ő aztán nem tudta, ki van benne és ki nincs. Senki sem tudta bizonyosan, Domokos sem, az édesapja sem. Csak sejtéseik voltak a keringő pletykák alapján. No meg azok a bizonyos vezetők nem olyan bolondok, hogy a nevüket adják egy ilyen kockázatos vállalkozáshoz. Pedig valóban évek óta dolgoztak rajta, minden követ megmozgattak, és mégis… Maga Domokos is hallgatott. Úgy tűnt, mintha elgondolkodott volna, talán ugyanazokon a dolgokon, mint Andor.

– Az országos rendőrkapitány mindenesetre… – kezdte halkan. – Hiszen mi is egy rendőrtől kapjuk az utasításokat, ettől a Würthtől. Akkor pedig a belügyminiszternek, sőt a miniszterelnöknek is tudnia kell róla…

– Bethlennek! Vagy a volt miniszterelnöknek, Teleki Pálnak? – Andor ismét megcsóválta a fejét.

– Persze, hiszen másképp hogyan kerülnénk ide, a Térképészeti Intézet* alagsorába? A Honvédelmi Minisztérium fennhatósága alá! Egyébként… visszatérve Würthre… Vele aztán ki vagyunk segítve. Ő lőcsölte a nyakunkba ezt a tahót.

Fejével a bejárati ajtó felé intett, amely mögött Nagy Iván állt őrt. Amióta bemutatták őket egymásnak, Würth értésükre adta, hogy a férfi lesz a segítőjük. Egy jöttment senki, egy volt kommunista! De hát úgy tűnt, Würth megbízott benne. Talán jobban, mint bennük… Andornak az volt az érzése, hogy a rendőr mamlasz, ügyetlen úri fiúknak tartja őket, akik nyilvánvaló lelkesedésük ellenére (vagy éppen azért) veszélyeztetnék a küldetés sike-

---

* Teleki Pál ott működött földrajztudósként.

rét. Ezért rendelte melléjük ezt a minden hájjal megkent alakot, ezt az egykori Lenin-fiút! Szerinte Nagy nélkülözhetetlen az expedíciójukban, mert már van gyakorlata az ilyesmiben, már teljesített titkos küldetést. Méghozzá nem mások, mint Kun Béla és Rákosi között közvetített! No hiszen, szép kis ajánlólevél. Most, hogy Rákosit dutyiba csukták*, ennek az alaknak sem kéne szabadlábon lennie. De Würth szerint jó szolgálatot tehet nekik. Nyilván Rákosi lebuktatásában is része volt – micsoda gerinctelen alak lehet. „Higgyék el, fiúk, a markomban van!" – bizonygatta, és ők kénytelenek hinni neki. Kénytelenek rábízni magukat erre az emberre.

– Na, menjünk – fordult Andor Domokoshoz. – Megvan minden?

Domokos bólintott, és felemelte a kezében tartott sötétbarna bőröndöt.

– Ebben van a pénz és az úti okmányok.

– Ó, az úti okmányok!

Persze, azok is hamisítványok.

– Csak remélni merem, hogy azok *sokkal* jobb minőségűek, mint a pénz – tette hozzá Andor egy keserű félmosollyal. – Menjünk. Odakint még megfagy az emberünk, de mindenesetre bőrig ázik.

Kint Nagy Iván a falat támasztotta a szemerkélő esőben és a lassan beálló sötétségben. A földön szétszórt csikkekből látszott, hogy amíg az úrfiak odabent tartózkodtak, vagy tíz cigarettát végigszívott. A legutolsót éppen abban a pillanatban taposta el, amikor Andor mellé lépett.

– Mehetünk, jóember – mondta neki. Iván gyűlölte,

---

* 1925 szeptemberében

ha így szólították, de nem mondott semmit, csak a szeme villant vészjóslóan.

– Végeztek? – kérdezte mogorván.

– Igen – válaszolta Domokos buzgón. Az igazat megvallva, tartott ettől a fickótól. – Nézze. Ez a magáé, a fáradozásáért.

A kopottas bőröndből előhúzott egy halványkék bankót – egy hamis ezerfrankost – és a férfi felé nyújtotta. Iván megvetően felhorkant, ám mégis elvette a pénzt, és begyűrte a nadrágja zsebébe.

– Mikor indulunk? – kérdezte.

– Mihelyt Würth úrtól utasítást kapunk rá – válaszolta Andor, majd megigazította a kalapját. – Most már tényleg menjünk, mielőtt mind megázunk és meghűlünk. A küldetés során nagy szükségünk lesz az egészségünkre.

Domokos egyetértően bólintott, majd a két fiatalember egymás mellett elindult a sötét Retek utcában. Iván zsebre tett kézzel bandukolt mögöttük, és míg halk, izgatott fecsegésüket hallgatta, egyre csak az járt a fejében, hogy már megint jól kifogta. Pátyolgathatja ezeket a tejfölösszájú ficsúrokat, akik biztosan bajba fogják sodorni.

Úgy tűnik, akármelyik oldalt szolgálja is, mindenféleképpen ő húzza a rövidebbet. Talán Nyanyának mégiscsak igaza volt, és nem kellett volna belekeverednie a politikába. Enélkül is van éppen elég baja.

4. FEJEZET

1925. december – 1926. január

Az Abbázia kávéház ablakán kinézve még sokkal szebb volt a kivilágított Andrássy út az egyre korábban leszálló esti sötétségben, mint odakint fagyoskodva. Legalábbis Máriássy Domokos ezt állapította meg, miután helyet foglalt az egyik ablakhoz közeli asztalnál, maga elé húzta a középen lévő hamutartót, és komótosan rágyújtott. Alighogy ezzel megvolt, asztalánál ott termett egy pincér – szinte a semmiből bukkanva elő, de hát az Abbáziában ez természetes volt.

– Parancsol valamit az úr? – kérdezte a pincér, udvariasan meghajolva. Úgy, hogy ne tűnjön túl szolgainak, de hányavetinek sem. Domokos elégedetten mustrálta végig. Hja, mennyivel különbek ezek a pesti pincérek, mint akikkel szűkebb pátriájában, Szegeden volt dolga.

– Nem kérek semmit – mondta. – Egyelőre. Várok valakiket – tette hozzá magyarázatképpen, mire a pincér ismét meghajolt, és ugyanolyan diszkréten távozott, mint ahogyan megjelent. Domokos a mellénye belső zsebéből előhúzta az édesapjától örökölt zsebórát, amelyet állítólag még a dédapja hozatott Svájcból, de a szerkezet ma is kifogástalanul működött, és konstatálta, hogy Andor késik. Márpedig ez nem volt jellemző a barátjára. Nem szerencsés dolog, hogy éppen most enged meg magának ilyen hanyagságot, amikor életük legjelentősebb tettére készülnek. Nem tűrhetnek el semmiféle slendriánságot!

Habár az is igaz, hogy Andor ma a húgával együtt jön ide, és ez sok mindent megmagyaráz. Bizonyára a kisasszonyra kellett várnia, és ezért késnek. No igen, a nők már csak ilyenek – tette hozzá Domokos gondolatban egy tapasztalt világfi unottságával. Holott az igazság az volt, hogy huszonhárom évesen még csak nem is udvarolt soha senkinek. Valahogyan nem maradt rá ideje – ameddig iskolába járt, azért, most pedig, hogy ügyvédbojtárkodik, hát azért. Meg aztán… nem is találkozott még olyan lánynyal, aki megfelelt volna neki. Vagyis inkább az álmainak, amelyeket a kamaszkorában olvasott regények és a fővárosi mozikban látott amerikai filmek ihlettek.

Mikor aztán meglátta a barátját belépni az ajtón, nyomban felállt, és intett neki. Az arcán meglepetés tükröződött: Andor nem is egy, de két lánnyal érkezett a kávéházba. Domokos idegesen igazította meg a nyakkendőjét. Nem erről volt szó! Andor ma reggel azt mondta neki, amikor telefonon megbeszélték a találkát, hogy a húgát hozza majd magával. Az idősebbet, *Alice*-t, akinek óriásira nyílt, csodálkozó kék szemére, szalmaszőke, derékig érő hajfonataira Domokos halványan emlékezett azokból a napokból, amikor még gimnazista korukban néha nyáridőben meglátogatta a barátját a birtokukon. Valamiért arra számított, hogy ugyanazt a copfos, fehér kötényruhás kislányt fogja viszontlátni, legfeljebb kicsit magasabb változatban. Amikor azonban Andor és a két hölgy az asztalhoz értek, Domokosnak a szája is tátva maradt.

Az nem lehet, hogy ez az elegáns, komoly arcú, érett tekintetű leány *Alice*? Márpedig ő az… a szeme, a haja színe, a nyilvánvaló hasonlóság a bátyjával…

Ó, uramisten!

A másik, szerényebb öltözetű, barna hajú lányt Domokos szinte pillantásra sem méltatta. Különben is úgy vélte, Andor biztosan azért hívta őt is magával, hogy ne „páratlanul" üljenek az asztalnál. Ha pedig így van, csakis Alice lehet az ő potenciális partnere, nem igaz? A fiatalember szeme felcsillant erre a gondolatra, és kipirult arccal, kissé ostobán mosolyogva foglalt helyet a bemutatkozások után a szépséges Alice mellett. A székét pedig egy ügyes mozdulattal úgy fordította, hogy kedvére, és lehetőleg nagyobb feltűnés nélkül legeltethesse a szemét a lányon.

Adél Andor és Aliz között foglalt helyet, kínosan ügyelve rá, hogy nagyjából ugyanakkora távolságra legyen mindkettejüktől. Semmi kedve nem volt ehhez a találkozóhoz, és csakis Aliz könnyes rimánkodására egyezett bele, hogy eljön. Hiba volt, ez egyre nyilvánvalóbb. Viszont nem akarta újra megsérteni a barátnőjét. Neki, Adélnak szörnyűséges volt az a pár hónap, amíg nem beszéltek egymással. Nem is hitte volna, hogy a népszerű Aliz barátságának simogató melege nélkül micsoda jéghideg magány vár rá. Miután az osztálytársai észlelték, hogy Aliz valamiért neheztel rá, kerülni kezdték, mint egy pestisest. Lenke, Jojó, Gitta és a klikk tagjai mind, mintha csak erre vártak volna, hogy végre megint levegőnek nézhessék. Most derült csak ki, hogy mindig is afféle betolakodónak tartották. Próbált megint Irmával, a másik „kakukktojással" barátkozni, mint elsős korukban, a lány azonban éppen olyan barátságtalan, gyanakvó és zárkózott volt, mint akkoriban – habár a modora már szerencsére sokat finomodott. Ráadásul most, hogy Ivánnal, a lány bátyjával titkos viszonyt folytatott, Adél sem forszírozta olyan nagyon a barátkozást. Irma és Iván nagyanyját, Suhajdánét, a gondnokot pedig szívből utálta: tudta jól, hogy az öregasszony sem szíveli, és hogy örömest megfojtaná egy kanál vízben. Talán sejtette, hogy ő és az imádott Ivánja… Mindenesetre, ha valamiképpen tudott is róluk, nem leplezte le őket. Adélt viszont gyűlölte az asszony, és ezt minden mozdulatával, minden pillantásával a lány tudtára adta. Így hát igazán nem bánta, hogy Irma nem fogadta szívesen a közeledését, és nem hívogatta Nyanya hátsó udvari kulipintyójába. Végső soron jól megvolt nélkülük.

Ez azonban nem változtatott azon a tényen, hogy borzasztóan magányos volt, és egyre nyomorultabbul érezte magát. Végül Aliz jó szívének köszönhetően szeptemberben megtört a jég. Miután Adél ünnepélyesen megesküdött rá, hogy ő és Terka néni soha, de soha, sőt még csak nem is gondolt rá… Nos, erre igazán könnyedén megesküdhetett, hiszen igaz volt. Aliz pedig megbocsátott neki, jobban mondva: még ő kért bocsánatot, hogy alaptalanul megvádolta, és emiatt oly sokat szenvedtek mindketten. A vége az lett, hogy sírva egymás nyakába borultak, és újra szent lett a béke közöttük. Aliz azóta ismét mindig magával cipelte Adélt, valahányszor Andorral találkozott. Szerencsére ez eddig nem túl gyakran fordult elő – a fiatalember valami rejtélyes oknál fogva jóval elfoglaltabb volt, mint azelőtt, és a találkozóikon is gyakran elrévedezett, szórakozottan maga elé bámult, vagy idejekorán kimentette magát valami átlátszó indokkal, és magára hagyta a lányokat.

– Valami szívügy lehet – mondta ilyenkor Aliz jól értesült mosollyal. Adél pedig maga sem értette, miért ütik szíven ezek a szavak.

Hiszen ő egy cseppet sem kedveli ezt a fennhéjázó Andort. Sőt, ki nem állhatja. Azok után, ahogyan vele bánt!

Ma is ezért vonakodott eljönni, ámde Aliz olyan szépen kérte, hogy végül kötélnek állt. Azt viszont kikötötte, hogy valamit majd kérni fog az engedékenységéért cserébe, Aliz pedig boldogan elfogadta ezt a feltételt. Hiszen mit is kérhetne tőle a barátnője, amit ne teljesítene szívesen, akár önként is!

Adél tehát kénytelen-kelletlen ült itt most a két testvér között az Abbázia asztalánál, szemben ezzel a kövérkés, ám kedves arcú fiúval, aki tátott szájjal bámulta Alizt.

Miközben Adél ezen mulatott, nem is vette észre, hogy Szendrey Andor meg őt bámulja lopva. Még közelebb is húzódott hozzá egy kicsit. Ez inkább Aliznak tűnt fel, aki alaposan meg is lepődött.

Micsoda, Adél? És éppen ma? Nem, nem, biztosan csak rosszul látta. Évekkel ezelőtt még azt hitte – mi több, bízott is benne, hogy a bátyja és a barátnője egymásba szeret, és így örökre magához kötheti Adélt. Most azonban már egészen másképp szerette volna őt magához láncolni…

Ma Adél különben is, még a szokásosnál is egyszerűbben, már-már puritánul öltözött fel. Szürke kiskosztümöt viselt, egyenes gallérú fehér blúzzal, és divatosan a szemébe húzott kis szürke tokkalappal, amelyet egy oldalára tűzött páros cseresznye díszített, némi vidámságot kölcsönözve az amúgy egyszínű öltözéknek. A lány ösztönösen kiváló ízlésről tett tanúságot; a száját a kalapdísszel azonos élénkpiros színű rúzzsal festette ki – persze lopva, miután elhagyták az iskola területét. Égőpiros szájával, az orra körül elhintett, halvány téli szeplőkkel, és a homlokába húzott tok alól titokzatosan elővillanó macskaszemével roppant vonzó jelenség volt, legalábbis egy férfi szemében. Egy nő – amint Aliz is – talán túlságosan egyszerűnek tarthatta a megjelenését.

Aliz ezzel szemben az egyik legszebb, párizsi divatlap alapján varratott ruháját vette fel, nehéz, sötétrózsaszín selyemből, rávarrt gyöngyökkel, hozzáillő fehér, rózsaszín szalagos kalappal és hófehér kabáttal, kesztyűvel. Adél kölcsönadta volna a rúzsát, de Aliznak nem kellett – igaza is volt, a rózsaszínű ruhától nagyon elütött volna a piros száj. Szőke hajával, csillogó kék szemével és festetlen, rózsaszínű szájával Aliz úgy nézett ki, mintha abból a bizonyos párizsi divatlapból vágták volna ki.

– Nem maradhatunk soká – jelentette ki kissé ideges hangon, alighogy helyet foglaltak. – Igaz, hogy vasárnap van, de a kimenő…

– Ne aggódj, Lizi – szakította félbe Andor. –Tisztában vagyunk a kimenő szabályaival. Időben hazakísérlek titeket, nem kell félned.

Adél csak elhúzta pirosra festett száját. Hát Aliz soha nem akar már felnőni? Ugyan, mi történhet, ha kicsit elkésnek? Legfeljebb nem kapnak vacsorát, de hát itt úgyis süteményezni fognak, tehát nem maradnak éhen. Mit kell ennyit izgulni, igazán! És még a kimenő végéig is volt majd' két órájuk. Az idő alatt inkább próbálják meg jól érezni magukat ezzel a két fiúval – már amennyire ez lehetséges.

– Nem rendelünk valamit? – indítványozta a lány.

– Ó, hogyne – Andor felemelte a kezét, és az asztalhoz intette a pincért. Kávét rendeltek (a fiatalemberek feketén, a lányok habosan) és süteményt. Miután eléjük rakták a finomságokat, ők pedig hozzáláttak, a hangulat is oldódni kezdett – kisvártatva már Aliz sem tűnt annyira feszültnek, és Domokos sem vágott olyan bamba képet.

– Igazából – kezdte Andor a társalgást a bevezető udvariaskodások után – azért hívtunk meg titeket, mert búcsúzni szeretnénk.

A két lány egyszerre tette le a süteményes villát, és meglepetten néztek a fiúra. Ő számított is erre a reakcióra, így elégedetten elmosolyodott.

– Igen, búcsúzni – ismételte meg, hogy fokozza a hatást –, de nem hosszú időre. Nemsokára visszajövünk. Remélem, diadalmas hírekkel – tette hozzá sokat sejtetően.

– De hát… – kezdte Aliz, aki láthatóan nehezen ocsúdott fel a döbbenetéből. – Hová mentek?

Mivel a kérdést többes számban tette fel, Domokosra is vetett egy futó pillantást, aki erre elpirult, és ültében kihúzta magát. Lám, a gyönyörű Aliz felőle is érdeklődik! Szeretné tudni, hová mennek. Lelkesedésében elhatározta, hogy őszintén válaszol neki.

– Nos, mi… – kezdte, ám Andor résen volt, és rögtön közbevágott.

– Azt sajnos nem árulhatjuk el. Most még nem. Talán, miután hazatértünk, és sikeresen elvégeztük a küldetést.

Küldetést! Aliznak hirtelen eszébe jutott az a néhány hónappal ezelőtti beszélgetésük a cukrászdában. Akkor a bátyja valami olyasmire utalt, hogy most majd boszszút állnak Trianonért, de ő alig figyelt rá, mivel az Adél miatt összetört szívével volt elfoglalva. Uramisten, csak nem erről van szó?! Miféle őrültségbe keveredtek bele?

Andorból azonban minden igyekezete ellenére sem tudott kihúzni semmi érdemlegeset, és Adélra is hiába vetett sokatmondó pillantásokat, hogy próbálja ő is kifaggatni Andort, hátha több sikerrel jár. A barátnőjét mintha egyáltalán nem érdekelte volna ez az egész ügy.

Hamarosan egy zenekar kezdett játszani, charlestont

meg fürge foxtrottokat, és egy feltűnően csinos, fiatal éne-
kes lépett a mikrofonhoz, hogy szórakoztassa a nagyér-
deműt.

– Te, kicsoda ez? – hajolt Adél a barátnője füléhez, mi-
re Aliz csak megvonta a vállát. Mit érdekelte őt a behízel-
gő hangú dalnok kiléte – sokkal komolyabb dolgok fog-
lalkoztatták.

– Weygand Tibor – válaszolta helyette Andor, aki ép-
pen ebben a pillanatban nyomta el a cigarettáját. – Na-
gyon tehetséges. Azt beszélik, fényes jövő előtt áll.

Erre már Aliz is felkapta a fejét, és jobban szemügyre
vette a sima, szabályos arcú fiút. Fényes jövő! Ó igen, pon-
tosan ez az, amire ő is vágyakozik. Ez a fiú pedig nem is
lehet sokkal idősebb, mint ők. No persze ő nem úgy kép-
zelte el ezt a jövőt, hogy kávéházakban lép fel. De hát-
ha ez is megteszi kezdetnek. A világhírhez vezető út el-
ső lépésének.

– Szabad lesz?

Aliz meglepetten nézett fel. Domokos hajolt meg előt-
te, és a kezét nyújtotta felé. Már–már megrázta a fejét,
amikor valami eszébe jutott.

Talán ebből a maflából könnyebben ki tudja húzni, mi-
ben is mesterkednek Andorral. Hiszen a vak is látja, hogy
teljesen megbabonázta a fiút, és tánc közben akár még
jobban elcsavarhatja a fejét. Mikor pedig látta, hogy An-
dor szintén felkérte Adélt, már csak azért is a kezét nyúj-
totta az iruló-piruló ifjúnak.

– Hát persze, hogy szabad, kedves Domokos – mond-
ta a legelbűvölőbb mosolyával.

Eleinte szótlanul járták a foxtrottot, és Aliz magában el-
ismerte, hogy a fiú sokkal ügyesebb, mint gondolta. Sok-
kal ügyesebb, mint a tánciskolában néhány nála maga-

sabb és vékonyabb fiatalember, akik izzadó tenyerükkel összemaszatolták a legszebb selyemruháját, és letaposták a cipőjét. Hamarosan teljesen átengedte neki a vezetést, és átadva magát a tánc örömének, körülnézett a parketten. Ám attól, amit látott, fájdalmasan összeszorult a szíve. Andor és Adél nem messze tőlük pörgött-forgott a zene vérforraló ritmusára, és a bátyja olyan közel hajolt a partnere arcához, hogy úgy tűnt, mindjárt megcsókolja. Csak nem *mégis* beleszeretett? Adél azonban tüntetően elhúzódott, és a fejét is kissé oldalra hajtotta. Jól van, tehát ő nem… Bármit akar is tőle Andor, úgy látszik, a lány ezúttal nem viszonozza a közeledését.

– Mondja, Alice… – hallotta a lány a partnere bátortalan hangját. – Mondja, lehet egy hatalmas kérésem?

– Ó… az attól függ – felelte a lány óvatosan.

– Miután hazajöttünk… tudja, a bátyjával – Domokos nagyot nyelt, és rövid szünetet tartott. – Találkozna velem… kettesben?

– Egy feltétellel – válaszolta Aliz a fejét felszegve.

– És pedig? – a fiú szeme boldogan felcsillant, és látszott rajta, hogy ebben a pillanatban bármit megtenne a lányért.

– Árulja el, hová mennek a bátyámmal, és miért.

Domokos elvörösödött, és egy darabig szó nélkül meredt a lányra. Látszott rajta, hogy szörnyű viharok dúlnak a lelkében.

– Rendben van… – nyögte ki végül. – De… esküdjön meg, hogy senkinek sem árulja el. Senkinek! – tette hozzá még egyszer, még nyomatékosabban, Adél felé sandítva. Aliz megértette a pillantását.

– Ne féljen, nem mondom el senkinek. Még a barátnőmnek sem!

– Jól van.

Domokos közelebb hajolt Aliz füléhez, és suttogni kezdett. Aliz arca, miközben hallgatta, egyre sápadtabb lett, a szemében pedig hitetlenkedés látszott.

A zenekar ebben a pillanatban elhallgatott, a táncosok megálltak.

– Menjünk, üljünk vissza – indítványozta Aliz, mire Domokos meghajolt, és a karját nyújtotta. Már éppen indultak volna, amikor valaki megszólalt közvetlenül mellettük.

– Szabad a következő táncot, kisasszony?

Mikor megfordultak, a fess, fiatal énekest, Weygand Tibort pillantották meg. Aliz szó nélkül bólintott, és a kezét nyújtotta az énekesnek. Domokos pedig meghajolt, és láthatóan az orrát lógatva visszament az asztalukhoz. Andor és Adél már leültek, és a két fiatalember jelentőségteljesen egymásra nézett.

– Ejha! – mondta Andor, és csettintett a nyelvével. – A húgocskámnak, úgy tűnik, nagy sikere van.

Domokos nagyot nyelt, de nem válaszolt semmit. Persze hogy nagy sikere van, hiszen ha körülnéznek a kávéházban, egyértelmű, hogy ma este ő itt a legcsinosabb leány. Habár… és az este folyamán most először a maradék kávéját unott arccal kavargató Adélt is jobban megnézte magának. Nocsak, ez a kis szeplős sem rossz bőr. Egyáltalán nem!

Domokos szinte maga is meglepődött, amikor a következő pillanatban felállt, és ezúttal Adél előtt hajolt meg.

– Szabad lesz egy táncra?

Andor felkapta a fejét, és döbbent arccal nézte a barátját. Ez meg micsoda árulás? Hisz ugyan nem beszélték meg, de az eddigiekből nyilvánvalónak kellett lennie, hogy Adél ma este az övé. A lány azonban elmosolyodott, majd kecsesen bólintott, és a kezét nyújtva Domokosnak, hagyta, hogy a fiú a táncparkettre vezesse. Andor a homlokát ráncolva, elgondolkodva bámult utánuk.

Amikor a szám végeztével a hölgyeket a táncosaik viszszakísérték az asztalukhoz, Aliz azonnal megnézte a csuklóján díszelgő kis ezüstórát, és aggodalmas arccal fordult a bátyjához.

– Andorka, nekünk most már vissza kell mennünk, különben baj lesz. Tudod, hogy nem késhetünk el, még hétvégén sem.

Adél erre csak az égnek emelte a tekintetét, mire Andor halványan elmosolyodott, de a húga felé fordulva készséges arccal bólintott.

– Hát persze. Már indulunk is. Természetesen visszakísérünk titeket, egészen az iskola kapujáig, nehogy szó érje a ház elejét.

Miközben odakint taxira vártak, nagy pelyhekben lassan szállingózni kezdett a hó. Aliz közelebb húzódott Adélhoz, és belékarolt.

– Úgy fázom! – panaszolta. – Jó lenne már hazaérni, a jó meleg hálóba – egy gyors oldalpillantást vetett a barátnőjére, aki azonban nem reagált. – Különben is – folytatta Aliz –, fontos dolgokat szeretnék neked mondani.

Adél erre már felfigyelt. Aliz közelebb hajolt, és közvetlenül a fülébe súgta:

– Kiszedtem ebből a málészájú Domiból, hová utaznak, és mi is a nagy, titkos tervük. Cserébe találkára hívott… – a lány finoman az orrát fintorgatta, majd megvonta a vállát. – A terv nagy ostobaság. Gyerekesség. Hiszem is meg nem is, hogy komolyan gondolják. Csak nehogy bajba kerüljenek miatta!

Adél erre nem válaszolt – az igazat megvallva egy cseppet sem érdekelte ezeknek a ficsúroknak a hazafias hőzöngése. Nem ettől lesznek férfiasak és vonzók… Erről eszébe jutott valami, megfordult, és a barátnőjére mosolygott.

– Drágám, úgy irigyeltelek, amikor felkért az a jóképű énekes. Olyan jól mutattatok együtt! Mit gondolsz… van olyan csinos, mint például Nagy Iván?

– A kertész? – kérdezte Aliz némileg meglepődve. – No igen… ő is jóképű férfi, de azt hiszem, a kettőt mégsem lehet egy napon említeni – megvonta a vállát. – Emlékszem, régebben ő és Terka néni… már akkor sem értettem, hogy a tanárnő mit evett rajta. De… nem is hiszem, hogy bármi komoly lett volna köztük.

Adél ezt hallva elkomolyodott. Na hiszen! Buta liba… Pedig éppen ezt akarta a mai találkozóért cserébe kérni Aliztól – hogy őszintén beszéljenek Nagy Ivánról. Szerette volna kipuhatolni, hogy vajon Aliz vonzódik-e a férfihoz, netán van-e köztük valami. De akkor jól gondolta. Ivánnak még mindig nem sikerült elcsavarnia a barátnője fejét. Talán meg sem próbálta. És akkor, régen Aliz talán *mégis* Terka nénire volt féltékeny, nem Ivánra. Márpedig ez nem jó előjel, dugába dőlhet a terve, nem fog tudni bosszút állni. Nem is beszélve arról, hogy így nehéz lesz megszabadulnia Aliztól.

Ugyanis Adélt egyre jobban fárasztotta, hogy Aliz folyton ráakaszkodott. És többé nem is találta már izgalmasnak az együttléteiket. Mennyivel más a dolog egy férfival. Egy *igazi* férfival… amilyen például Nagy Iván. Vagy amilyen Szendrey Andor lehetne, ha egy kicsit megemberelné magát. Ó, Andor!

De neki erre még csak gondolnia sem szabad.

* * *

Andor elmélázva nézegette a behavazott tájat a robogó vonat ablakából. Domokos és kényszerű útitársuk, Nagy Iván a szemközti ülésen aludt, ketten kétfelé dőlve. Domokos még horkolt is, halkan, ütemesen. Andor nem tudott elaludni, és a hosszú út alatt csak néha, pár percre csukta le a szemét. Különben is, jobb szeretett nézelődni. Merre járhatnak? Valahol Németország közepén. Egy ideje már nem vette elő a térképet, és azoknak a kisebb állomásoknak a nevét sem nézte meg, amelyeken hangos fütyüléssel átrobogtak. Hihetetlen, milyen óriási ez az ország! A vonat zakatol, kattog, parazsat és füstöt okád – csak úgy falja a kilométereket. Mégis, mintha még mindig borzasztó messze lennének az úti céljuktól. Andor a szája elé emelte a kezét, és diszkréten elnyomott egy ásítást. Ugyan senki sem látta, de egy úriember akkor is úriember, ha nincsen közönsége. Az édesapja mindig erre tanította.

Legalább a határig elérnének már! De az még több óra, talán egy fél nap is. Mindenesetre biztos, hogy ma egész éjszaka úton lesznek. Lám, odakint már sötétedik… Mi lenne, ha mégiscsak megpróbálna aludni egyet? Amikor megérkeznek, nagy szükség lesz az éberségére. Úgy tűnik, ezt a Nagy Ivánt is neki kell majd szemmel tartania. Andor karba fonta a kezét, megpróbálta befészkelni magát az ülés sarkába, és a fejét óvatosan a támlára hajtva igyekezett megtalálni a lehető legkényelmesebb pózt.

Mikor végre lehunyta a szemét, valamiért Adél sápadt kis arca és a szürke kalapka alól elővillanó zöldes szeme jelent meg előtte. Mielőtt azonban ezen elgondolkodhatott volna, erőt vett rajta a fáradtság, és szinte észrevétlenül álomba merült.

Csak akkor riadt fel, amikor a határhoz értek, és a vonatot megszállták az egyenruhás határőrök. Andor szíve a torkában dobogott – hiába, nem tudta megszokni, hogy az, amire készülnek, törvénytelen, és hogy ők maguk, hiába is próbálja szépíteni a dolgot, közönségek csalók. Ez az igazság, még akkor is, ha egy örök érvényű és szent ügy érdekében cselekszenek. A hazájukért.

No igen, és a cél szentesíti az eszközt. Csak ne lenne ez az oktalan idegessége, ami nyilván meg is látszik az arcán, a mozdulatain. Domokos arcáról mindenesetre lerí, hogy valami rosszban sántikál. Egyedül Nagy Iván őrizte meg egykedvű nyugalmát, és rezzenéstelen arckifejezését. Würth úrnak talán mégis igaza volt, amikor ezt a gazfickót is elküldte velük. A szeme sem rebben, miközben a határőr összeráncolt homlokkal tanulmányozza a papírjait.

Ej, de hát kár aggódniuk! A dokumentumaik kifogástalanok, ráadásul diplomáciai mentességet biztosítanak a számukra. A dán határőrök pedig láthatóan nem kerítenek nagy feneket a Németország felől érkező utasok átvizsgálásának. Még akkor sem, ha azok egy olyan távoli, számukra egzotikus helyről valók, mint Magyarország. *Ungarn.* Persze, ha jobban megnézzük a térképen, csak néhány határral odébb van, de számukra az már a világ vége, vagy tán azon is túli hely.

Mindegy is: az a lényeges, hogy a táskáikat, bőröndjeiket nem kutatták át, mert akkor menthetetlenül lebuktak volna, még mielőtt egyáltalán megkezdhették volna az akciót. Andornak az a kényelmetlen érzése támadt, hogy ezt részben Nagy Iván magabiztos fellépésének köszönhették. Ez a senkiházi, mint kiderült, még németül is megérteti magát. (Iván, miután a bécsi útjukon úgy leszerepelt Heléna előtt, néhány leckét vett Teréziától és Adéltól, az utóbbi persze kinevette a buzgalma miatt. Most azonban jó hasznát vette a mégoly felületes tudásnak is.)

Miután szerencsésen átjutottak a határon, már egyikük sem tudott elaludni. Andor és Domokos a hófehér, fagyos skandináv tájat bámulta az ablakból, Iván pedig a még otthonról hozott, és az úrfiak által már kiolvasott Pesti Hírlapot lapozgatta.

Egyszer csak Domokos előrehajolt, és egészen közelről, halkan kérdezte Andortól.

– És most hogyan tovább?

Andor érezte a barátja hangjában a rémületet, és ettől ő is megborzongott. Ahogyan közeledtek az úti céljukhoz, úgy erősödött benne a kétely, hogy a tervük nem a legtökéletesebb, és ami még nagyobb baj, a kivitelezés sincs kellően előkészítve, bármilyen befolyásos támogatók állnak is mögötte. Nem számít, most már végig kell csinálniuk. Ránézett a barátjára, és biztatóan a karjára tette a kezét.

– Majd mindent végiggondolunk és megbeszélünk, ha odaértünk. Először is: a nehezén túl vagyunk. A határokon gond nélkül átjutottunk. Most irány a főváros. Elfoglaljuk a szállásunkat, azután majd meglátjuk. Addig is nyugalom! Mondom: a nehezén már túl vagyunk.

Domokost láthatólag úgy-ahogy megnyugtatták a szavai, őt magát azonban nem. Sőt, egyre idegesebb lett. Fél szemmel az újságot böngésző Iván felé sandított, mintha tőle remélne támogatást. A férfi észrevette a pillantását, és felnézett a térdére terített Hírlapból. Ám biztatás helyett megvetéssel elegy gúny áradt sötét szeméből. Ugyanakkor továbbra is valamiféle megingathatatlan magabiztosság sugárzott az egész lénye, ami végső soron mégiscsak nyugtatóan hatott Andorra.

Würthnek mégiscsak igaza volt, amikor ragaszkodott

hozzá, hogy ez az alak is velük jöjjön – gondolta ismét, útjuk során már nem először, és valószínűleg nem is utoljára.

Hamarosan befagyott csatornák mellett és egyre sűrűbben lakott vidéken robogott a vonat. Valószínűleg közelednek a fővároshoz – gondolta Andor, ám szeretett volna bizonyosságot szerezni. Kiment a folyosóra, és egy ott dohányzó és nevetgélő társaságtól németül megkérdezte. Biztosították róla, hogy körülbelül egy óra múlva odaérnek.

Valóban, nemsokára be is gördültek a központi pályaudvar fedett csarnokába, ahol több táblára is ki volt írva a város számukra idegen, ámde felismerhető neve: København. Fülkéjükbe beszűrődtek a nemzetközi állomás jellegzetes zajai: hordárok kiáltoztak, kerekek csikorogtak, hangosbemondó recsegett. Próbálták kivenni a szavakat, s bár a fura, torokhangú nyelv hasonlított kicsit a németre, de nem annyira, hogy megértsék. Amikor leszálltak, orrukat sülő kenyér és alma illata csapta meg.

Koppenhága. Milyen furcsa érzés, hogy itt, ebben a távoli, fagyos városban fog eldőlni a hazájuk sorsa. Az élet különös fordulatokat tartogat.

Würthnek ebben is igaza volt. Párizsban, vagy bárhol Franciaországban semmiképpen sem tudták volna elsütni a rossz minőségű hamis ezerfrankosokat. Ezért a megbízottjaik, köztük ők is, kisebb európai országok fővárosaiban próbálkoztak a „terítéssel". Hágában, Amszterdamban, Koppenhágában, Hamburgban, Milánóban. Ily módon kellene majd előbb–utóbb gazdasági csődbe taszítani Franciaországot. Andor nagyot sóhajtott. Ha Isten is megsegít… Ámbár itt aztán az átlagosnál nagyobb segítségre lesz szükségük. Még akkor is, ha az ő oldalukon van az igazság. Ez azonban, lássuk be, nem garancia a sikerre.

* * *

A hotel, ahol megszálltak, nem volt túl hivalkodó, de a központ, a Nyhavn városrész közelében állt, és ráadásul mind a hárman külön szobát vehettek ki a rendelkezésükre álló pénzből (természetesen itt tisztességes, banki pénzváltóban beszerzett dán koronával fizettek). Andor döntött úgy, hogy megengedhetik maguknak ezt a luxust. Meg aztán úgy érezte, szüksége van egy kis magányra. Elég volt, hogy a hosszú vonatozás alatt össze volt zárva az úti- és cinkostársaival, és nézhette Domokos aggodalmas képét vagy Nagy Iván gunyoros pillantásait. Mielőtt azonban elfoglalták volna a szobáikat, megegyeztek, hogy egy óra múlva találkoznak az előcsarnokban. Azután keresnek egy félreeső kávéházat, vagy kocsmát, és megbeszélik a továbbiakat.

Azt a *bizonyos* bőröndöt Andor, mint az expedíció hallgatólagos vezetője, magánál tartotta. Mikor belépett a szobájába, azonnal az ágyra dobta, mintha égette volna a kezét. A fejével intett a mögötte álló londinernek, hogy a többi csomagját is tegye oda mellé. Miután ezzel megvolt, a zsebéből előkotort néhány aprót, és a fiúnak nyújtotta.

– *Danke schön!** – mondta neki. – Most már elmehet.

A fiú valamit elhadart dánul, amiből Andor annyit vett ki, hogy valószínűleg felajánlotta a további szolgálatait. Megrázta a fejét, és intett, hogy hagyja magára.

---

* Köszönöm szépen! (német)

Mikor egyedül maradt, az ágyra roskadt, és a kezébe temette az arcát.

– Ó, Apa – suttogta. – Mibe rángattál bele?

Hogy mibe, az majd hamarosan elválik, Szendrey Emil számára is, aki ebben a pillanatban éppen egy amszterdami szállodában tartózkodott, ugyanazzal a küldetéssel, és bizonyára hasonló félelmek és kétségek között hányódva, mint egyetlen fia. Nos, hát nem hozhat szégyent az apja fejére. Andor megdörzsölte a szemét, ami sajgott és viszketett a kialvatlanságtól. Szükségem van egy jó erős kávéra – gondolta, és már-már megbánta, hogy nem hozatott egy csészével az alkalmazottal. No, sebaj Nemsokára úgyis beülnek egy kávéházba, ott majd iszik egy csészével.

Muszáj összeszednie magát; Domokos afféle vezérként tekint rá, és tőle várja a döntéseket. És ha Nagy Iván egyelőre még félvállról veszi is, tenni fog róla, hogy ez megváltozzék. Az a senkiházi többé nem fog olyan arcátlanul viselkedni vele, mint a vonaton! Meg fogja adni neki azt a tiszteletet, ami a társadalmi helyzete és a műveltségbeli fölénye alapján megilleti, még ha valamivel fiatalabb is nála.

Ámbár… mit várjon az ember egy ilyen exkommunista gazembertől?

Végül a három összeesküvő megegyezett, hogy a színpompás, kék, élénkpiros és narancssárga házak szegélyezte forgalmas Nyhavn-on ülnek be egy kávéházba, ahonnan gyönyörű kilátás nyílt a kikötőre, a hajók árbocaira, és ahol még ezen a fogcsikorgatóan hideg téli napon is rengetegen fordultak meg. Úgy ítélték meg, hogy itt biztosan nem keltenek feltűnést. A pincér (aki kiválóan beszélt németül – talán német volt), fürgén kerülgette az asztalokat, és a feje fölé emelt tálcán egyensúlyozva néhány percen belül meghozta a várva-várt kávéjukat. Andor nagyot sóhajtott, mikor a két tenyere közé fogta a gőzölgő csészét.

– Végre! – mondta halkan, mintegy saját magának, majd hangosabban hozzátette, hogy valamivel elkezdje a beszélgetést. – Iszonyú hideg van ebben az átkozott városban.

– Na igen – válaszolta Domokos buzgón. – Nem is értem, miért télvíz idején kellett idejönnünk…

Andor megvonta a vállát.

– Mostanra érett meg a dolog. Halogatni pedig nincs értelme. Végül is… minél előbb elkezdjük, annál jobb, nem?

– Persze, persze – helyeselt Domokos, aki a méregerős kávé és az izgalom hatására láthatóan alig fért a bőrébe. – Minél előbb, annál jobb. Ó bárcsak… – tette hozzá mélyet sóhajtva, majd fülig vörösödött. – Bárcsak itt lehetne *ő* is. Tudod, ki… – fordult Andor felé szégyenlősen mosolyogva.

A barátját azonban annyira lefoglalták a gondolatai, hogy a homlokát ráncolva értetlenül meredt rá. Domokos ettől még jobban elpirult.

– Ó, hát a gyönyörű húgod. Bárcsak láthatnám! Érte bármit megtennék.

– Ja, Lizi… nos, én bizony örülök, hogy nincs itt. Csak elterelné a figyelmünket.

Iván, aki eddig szótlanul szürcsölte a kávéját, ekkor letette a csészéjét, és az asztalon át Andorhoz hajolt. Olyan közel került egymáshoz az arcuk, hogy a fiatalabb férfi egy pillanatra visszahőkölt. Most meg mit akarhat ez a tuskó?

– Mégis, hogyan fogjuk csinálni – kérdezte Iván, majd gúnyos hangsúllyal hozzátette: –, főnök?

Andor megköszörülte a torkát.

– Ma még semmit sem teszünk. Mindenki elmehet, sétálhat a városban, pihenhet… Ránk fér egy kis kikapcsolódás, azt hiszem, ebben egyetérthetünk. Holnap… holnap aztán megkezdjük a bankók terítését.

Domokos csillogó szemmel hajolt közelebb.

– Hogyan?

– Hát először is… apránként. Ez a legfontosabb. Egy bőröndnyi pénzünk van, de ettől nem szabad vérszemet kapnunk. Óvatosnak kell lennünk. Először egyszerre csak egy bankjegyet próbálunk meg beváltani. Kisebb bankfiókokban. Hárman három különböző helyen, méghozzá egymástól lehetőleg minél távolabb. Én ma körbejárom a várost, és kiszemelek néhány ilyen helyet. Fontos, hogy ne kérdezősködjünk: nem szabad felhívni magunkra a figyelmet, és nem szabad, hogy később túl sokan emlékezzenek ránk. Ügyelnünk kell rá, hogy minél kevesebb tanú legyen. Ha kezdetben sikerrel járunk… nos, akkor majd megint összeülünk, és megbeszéljük, hogyan tovább. Rendben?

Domokos és Iván is bólintott. Andor most először látott Iván szemében valami elismerésfélét. Úgy tűnik, ő is megfelelőnek tartja a tervet.

Nos, az első lépés megvan. Hanem azután… hogy mit kezdenek egy egész bőröndnyi hamis frankkal itt, Dániában, arról Andornak egyelőre fogalma sem volt. Csak remélni merte, hogy a minden hájjal megkent Nagy Ivánnak talán lesz valami épkézláb ötlete.

Most azonban még túl kell esniük a „tűzkeresztségen". Ha sikerrel járnak, majd ráérnek kifundálni, mi legyen a következő lépés. Erre azonban már nem volt szükség.

Másnap korán reggel Andor arra ébredt, hogy valaki dörömböl a szállodai szobája ajtaján. Ijedten ült fel az ágyban, és néhány másodpercig a szemben lévő falat bámulta. Mi ez? És egyáltalán: hol van? Aztán egyszerre csak kitisztult a feje, és azt is látta, hogy még borzasztó korán lehet. Igaz, hogy december második felében jártak, és itt északon még rövidebbek a nappalok, mint odahaza, ám a kinti vaksötétből arra következtetett, hogy hajnalok hajnalán zörgetik őt fel.

Csak nincs valami baj? Micsoda kérdés: biztosan van. Máskülönben miért kopogtatna valaki ilyen kitartóan az ajtaján?

Andor végre összeszedte magát annyira, hogy felcsavarja az olvasólámpáját, kikászálódjon az ágyból, és eltámolyogjon az ajtóig. A már ismerős hotelszolga állt ott, szemmel láthatólag ő is álmosan, egy fehér papírlapot tartva a kezében.

– Telegramm*– mondta kissé szűkszavúan, ám látszott, hogy még ezt az egy szót is nehezen préseli ki magából ásítozás nélkül.

– Gut – bólintott Andor, és mohón nyúlt a papírcetli után. –Danke! – mondta, és a fiú orrára akarta csukni az ajtót, de ekkor eszébe jutott valami. Beletúrt a zsebébe, de rájött, hogy még pizsamában van.

– Ah – motyogta zavartan. –Ein moment.**

Visszament a szobába, és a székre terített kabátjából előkotort némi aprópénzt. A fiú mély meghajlással nyugtázta a jól megérdemelt borravalóját, majd távozott. Végre!

Andor az ágyához sietett, feljebb csavarta az éjjeliszek-

---

* Távirat (német)
** Egy pillanat. (német)

rényen lévő olvasólámpát, és széthajtogatta a táviratot. Csak néhány szóból állt, mégis hosszú pillanatokig bámulta, mint aki nem hisz a szemének.

Jankovicheekat elkaptaak stop menekueljetek stop
Apaad stop

Jankovich Arisztid nyugalmazott katonatiszt volt, az összeesküvés egyik leglelkesebb résztvevője. Andor egy ízben találkozott vele: meglett korú, higgadt, bizalomgerjesztő külsejű, tiszteletre méltó úr. Őt, az édesapjához hasonlóan, Hollandiába, Hágába küldték. A szervezők szerint ez volt az egyik legbiztonságosabb ország. Úristen, ha már Jankovichot is elkapták… És mi lehet az apjával? Hágából Amszterdamba bizonyára gyorsan eljutott a csalás híre, és a hatóságok nyomban intézkedtek. Talán már Szendrey Emil is rendőrkézen van.

– Ó, Apa… – suttogta maga elé, majd felpattant.

Nincs vesztegetni való idő. Azonnal értesítenie kell a többieket. És a bőrönd… te szent ég, attól haladéktalanul meg kell szabadulni. De mit tegyen vele? Tán dobja a csatornába?

Hamarjában magára kapta a ruháját, megragadta a pénzzel teli bőröndöt, és a kihalt folyosón lehetőleg a legkisebb zajt ütve átsietett Domokos szobájához. A barátja még aludt, szokása szerint mélyen, akár egy mormota, ugyanis csak a harmadik, erőteljes kopogtatásra nyitott ajtót.

– Mi van? – pislogott riadtan, mikor meglátta Andort.

– Öltözz fel! – utasította Szendrey. – El kell tűnnünk innen.

– De hát…

– Majd később megmagyarázom. Siess. Én addig szólok Nagy Ivánnak.

Mikor azonban Domokos már felöltözve megjelent az előcsarnokban, csak a sápadtan cigarettázó Andort találta ott. Arckifejezését meglátva a barátja kérdés nélkül is közölte vele a kellemetlen hírt.

– Nagy Iván eltűnt.

– Micsoda?

– Mondom. Felszívódott. A portás azt mondja, még az éjjel lelépett. Ő megkérdezte, üzen-e nekünk valamit, de állítólag erre csak röhögött.

– A nyomorult!

Andor néhány pillanatig hallgatott, és a cigarettáját szívta. Domokos észrevette, hogy a keze reszket, és ettől neki is egyszeriben inába szállt a bátorsága.

– Andor, mi történt? – kérdezte halkan.

– Hollandiában elfogták a terjesztőket. Apám sürgönyözött, hogy meneküljünk. Lehetséges, hogy azóta már ő is... – Andor hangja elcsuklott.

– Akkor hát én azt mondom, ne törődjünk ezzel a gazfickóval. Ha ő mentette az irháját, tegyük mi is azt. Menjünk innen, amíg nem késő – Domokos hevesen gesztikulálva, a dühtől elvörösödve járkált fel alá.

– Nyugalom – csitította Andor. – Látod – intett a fejével a pult mögött tüsténkedő portás felé. – Máris felfigyeltek ránk, holott nem is értik, mit mondunk. Meg kell őriznünk a higgadtságunkat, amennyire csak lehet. És nekünk is el kell tűnnünk innen. Haladéktalanul.

Azt azonban már nem látták, hogy mihelyt kitették a lábukat a szállodából, a portás odalépett az egyik fali telefonkészülékhez, és minden teketória nélkül tárcsázott egy számot.

* * *

Egy fagyos januári hajnalon Suhajdáné, az Erzsébet Királyné Leánygimnázium és Kollégium idős gondnoka gyanús zajokra ébredt. Éjszaka nem tudott aludni – ez egyre gyakrabban előfordult az évek múltával, és csak izzadtan, nyugtalanul forgolódott az ágyában. Mióta azonban az unokájának nyoma veszett, még nehezebben jött álom a szemére. Már pirkadt az ég alja, amikor végre álomba merült, ámde hamarosan felriadt, akárcsak az erdei vad, a szokatlan neszekre. Egy darabig mozdulatlanul ült az ágyban, és csak fülelt. A konyhából jött a zaj, ez már biztos. Valaki bejött a lakásába, és most a konyhában motozott. Tolvaj! – gondolta, és hirtelen vak, sötét düh öntötte el. Na, megálljon csak, nem átall kirabolni egy szegény, védtelen öregasszonyt! Suhajdáné óvatosan kiszállt az ágyból, és egy pillanatig elgondolkodott. Majd lehajolt, benyúlt az ágya alá, előhúzta a fehér zománcos kis éjjeliedényt, és lábujjhegyen elindult a konyha felé. Amikor az ajtóhoz ért, a titokzatos betörő alakja éppen feltűnt a küszöbön. Az öregasszony hangos csatakiáltással az alak nyakába zúdította az edény tartalmát.

– Nyanya! – kiáltott fel a „betörő", majd hozzátette: – Az istenit!

Suhajdáné ijedtében elejtette az edényt, amely hangos csörömpöléssel a konyha kövére zuhant.

– Iván! – sikoltott fel. – Ivánkám!

– Nyanya! Mi az isten ez a bűz? Rám öntötted a bilit?

Suhajdáné ekkorra már az unokája mellett termett, és megpróbálta, amennyire csak lehetett, helyrehozni a tévedését. Felkapott egy konyharuhát, és azzal kezdte törölgetni Iván nyakát, arcát.

– Jesszusom, hát azt hittem, betörő vagy, szentem.

– És azokat így szoktad fogadni? Ej, hagyj már, menj innen. Hadd vegyem le ezt az inget. A kirelejzumát a vaksi fejednek! Megfulladok a bűztől.

– Menten készítek fürdőt!

– Azt ajánlom is.

Mikor Iván a fészernek is használt, fűtetlen mosókonyhában ült a zománcozott kádban, és Nyanya a harmadik fazék forró vizet zúdította rá, már nevetni is tudott a kalandján.

– Nahát, Nyanya, ha igazi betörő lennék, már nem élnél, azt tudod, ugye! Kitekertem volna a nyakad. Jobb lenne, ha máskor nem hősködnél.

Az öregasszony bűntudatos és egyben boldog arccal sürgött-forgott hosszú idő után megkerült unokája körül.

– Ejnye, hát az volt kéznél – motyogta bajuszkája alatt.

– Mégis, mit kellett volna tennem? Várni, míg átvágja a torkomat?

– Nyanya, te hős vagy, mondtam már. Gyere, adj egy csókot. Már nem vagyok olyan büdös, ne félj!

Suhajdáné lehajolt, és egy cuppanós csókot nyomott Iván homlokára. Aztán leült a kád szélére, és mérgesen némi szappanos vizet löttyintett az arcába.

– Hol az öreg ördögbe' voltál? Már azt hittük Irmussal, feldobtad a talpadat. Kőrösi Pálma azt mondta, nem vár rád tovább, tavasszal új kertészt vesz fel. Elveszítetted volna ezt a jó állást, te kötöznivaló bolond!

– Na hiszen! – Iván csak ennyit válaszolt.

– Hol voltál? – faggatódzott tovább az öregasszony. – Ha nem válaszolsz, a következő fazék vizet a fejedre öntöm.

Iván elgondolkodva nézett maga elé egy darabig.

– Holnap elmesélem. Elég hosszú történet. De… az a fontos, hogy itthon vagyok, nem igaz? Különben is: éhes vagyok és fáradt. Most nem lennék jó társaság, Nyanya, az biztos.

– Jól van – az öregasszony sóhajtott egyet, és végigsimította Iván vizes, sűrű fekete haját. – Igaz, a lényeg, hogy itt vagy, aranyom. El sem tudtam képzelni, mi történhetett veled. Ne haragudj… hogy nem ismertelek meg rögtön.

Iván elmosolyodott, majd újra komollyá vált az arca.

– Figyelj, Nyanya… mondd csak, mi újság mostanában? Van valami hír? Nem történt valami botrány, vagy ilyesmi?

– Ó, dehogynem, itt mindig történik valami. Az egyik végzős növendék megszökött valami cirkuszi artistával. Az igazgató asszony meg…

Iván türelmetlenül intette le a meginduló pletykaáradatot.

– Nem ebben a nyomorult iskolában gondoltam. Hanem amúgy… az országban.

– Az országban! – Nyanya szeme meglepetten elkerekedett, majd megrántotta a vállát. – Ugyan, mit törődöm én avval! Felőlem azt csinálnak odafent az urak, amit csak akarnak. A magamfajta öregasszonynak nem lesz attól sem jobb, sem rosszabb.

– Akkor hát… nem hallottál semmiféle botrányról?

– Csak a cirkuszi artistáról…

– Hagyd már a hülye artistádat!

Nyanya engedelmesen elhallgatott, Iván pedig türelmetlenül felsóhajtott. Jól van, úgy látszik, az öregasszony tényleg nem tud semmit. Kénytelen megvárni a másna-

pot, amíg be nem szerez egy-két napilapot. A másnap…
amikor több kínos találkozás is vár rá. Például Teréziával,
aki immár jó egy hónapja nem hallott felőle.

Másnap első dolga volt jelentkezni Kőrösi Pálmánál,
akinek apró, fekete szemében ismeretségük óta most elő-
ször vélt felfedezni némi gyanakvást. Az igazgatónő az
utóbbi időben mintha hirtelen megöregedett, megfáradt
volna – Ivánnak ez csak most tűnt fel igazán, hogy hosz-
szabb ideig nem látta. A Pálmaház névadója, a királynői
termetű és megjelenésű hölgy mintha lassan, de megállít-
hatatlanul kezdett volna megrogyni, összeroskadni. A ha-
ja mára szinte teljesen megőszült, az arca megereszkedett,
ráncos kezét kitüremkedő, lila vénák barázdálták, a háta
meggörbült: mintha egyre púposabb lett volna. Éles, ve-
sébe látó pillantása azonban éppen olyan félelmetes volt,
mint valaha, és Iván, aki életében nem sok embertől ijedt
meg, most megszeppent kisfiúként állt előtte. Végül he-
begve-habogva, lesütött szemmel előadta, hogy a haza ér-
dekében járt „külhoni küldetésben", amiről sajnos nem
mondhat többet Ám kérdezze csak meg a nagyságos igaz-
gató asszony Würth Tibor rendőrnyomozó urat. Ő kezes-
kedik minden szaváról.

Pálma asszony csak a fejét ingatta, majd fáradtan le-
hunyta a szemét.

– Nem értek én már ezekhez a különféle politikai int-
rikákhoz, fiam – mondta végül. – Soha nem érdekeltek,
azon túl, hogy sajnos bizony hatással voltak a saját sor-
somra és az iskolám életére. De mostanra bele is fáradt-
tam, az igazat megvallva.

Iván lehajtotta a fejét. Erre nem tudott válaszolni. Vár-
ta, hogy az igazgatónő mond-e még valamit. Esetleg ki-

rúgja-e. Hogy azután mi lesz, arra egyelőre nem gondolt. Ráér akkor, ha már az utcán lesz.

– Nos, ha gondolja, maradhat – mondta Pálma asszony halkan, mintha csak a férfi fel nem tett kérdésére válaszolt volna. – Magam sem tudom, miért, de még mindig megbízom magában. Az a bolond jó szívem… Mert bizony, az van, jó szívem, hiába mondanak el mindenféle hárpiának.

– A nagyságos asszony a legjobb lelkű teremtés, akit ismerek.

– Ugyan! – Pálma asszony legyintett. – Hagyjuk a hízelgést, fiam. Látja… – tette hozzá elmélázva. – Már másodszor szólítom fiamnak. Nekem sosem volt gyerekem, és maga iránt valamiért kezdetektől olyan érzéseket tápláltam…

Iván kínosan feszengve hallgatta ezeket a szavakat, és már előre tartott tőle, hogy nem tud majd mit válaszolni erre, de szerencsére odakintről kopogás szakította félbe az igazgatónő szokatlanul érzelmes mondandóját.

– Szabad – szólt ki Pálma asszony, és mikor Iván a nyíló ajtó felé fordult, a szíve kis híján kiugrott a helyéről.

Terézia lépett be az ajtón.

A tanárnő egy pillanatra megtorpant, és sápadtan meredt rá, mint aki kísértetet lát. Ám gyorsan összeszedte magát, a fejével aprót biccentett a kertész felé, majd az igazgatónő íróasztalához lépett, és letette az eddig a hóna alatt szorongatott osztálynaplókat.

– Íme, a kért naplók, igazgató asszony – mondta kissé reszkető hangon. – Ide pedig – helyezett egy papírlapot a naplók tetejére – kiírtam, kik állnak bukásra félévkor.

– Köszönöm – bólintott Pálma asszony, aki a szeme elé emelte a papírt. – Á, a Groó Adél. Persze, már megint ő

– a fejét csóválva visszatette a jegyzetet, majd újra Ivánra fordította a tekintetét. – Nagy úr, ha nincsen más, akkor most elmehet. Később még elbeszélgetünk.

Iván meghajolt, és már éppen megkönnyebbülve távozni készült, amikor meghallotta Terézia hangját. A tanárnő szándékosan jóval hangosabban beszélt – hogy még az ajtón kilépő Iván is jól hallja.

– Még valamit közölnöm kell önnel, asszonyom. Hamarosan férjhez fogok menni.

* * *

A hideg mosókonyhában, a durva pokróc alatt Iván az oldalára fordult, és a könyökére támaszkodva közvetlenül a lány arca fölé hajolt.

– Te már megint meg fogsz bukni, mi?

Adél durcásan elhúzta a száját.

– Honnan veszed?

– Ma összefutottam Teréziával az igazgatónőnél. Volt nála egy lista a bukásra álló diákokról, az élen veled.

– Na és aztán! De… te tényleg összefutottál Teréziával? És nem kaparta ki menten a szemed?

– Az igazgatói irodában? Nem ment el az esze. Viszont… utána beszélni akartam vele, de bezárkózott a szobájába. Pedig tudom, hogy ott volt: nem lehetett másutt. Hallottam a motoszkálását. Mindegy, majd megbékél. De ha nem, az sem baj. Örökké úgysem tud elkerülni ebben az átkozott iskolában. Össze vagyunk zárva, mint egy börtönben. Igaz is… hallottál róla valamit, hogy férjhez megy?

Adél meglepetésében felült, és ezúttal ő nézett le Iván arcába.

– Micsoda? Terka néni férjhez megy? Kihez?

– Honnan tudjam? Nem hozzám, az biztos. De ha engem kérdezel, csak blöffölt. Egy szó sem igaz az egészből. Csak féltékennyé akart tenni.

Adél megvonta a vállát.

– Túl sokat képzelsz magadról. Talán amíg távol voltál, és életjelet sem adtál magadról, megismerkedett valakivel. Én örülnék neki. Jobbat érdemel nálad.

Iván felnevetett.

– Na ne mondd. És te? Te is jobbat érdemelsz?

Adél hallgatott. Majd kisvártatva megszólalt halk, szomorú hangon.

– Tudsz róla, hogy Szendrey Andort letartóztatták? Koppenhágában. Belekeveredett ebbe az elpuskázott frankhamisítási ügybe. Ez volt az a híres terv, amiről Aliz beszélt. Az, amellyel Trianont készültek megbosszulni. Te jó ég, hogy lehettek ennyire ostobák!

Ezúttal Ivánon volt a hallgatás sora. Hát jól sejtette: a két ügyefogyott ficsúrt elkapták. Tehát ő még időben lelépett. Ma reggel az újságokból már értesült róla, hogy a botrány főszereplőit, Windischgräetz Lajos herceget és az inasát, valamint Nádasy Imre országos rendőrfőkapitányt már bíróság elé állították. Az ügy többi, jelentéktelenebb szereplőjét, például Jankovich Arisztid nyugalmazott huszár ezredest csak azért emlegették, mert az ő szarvashibája miatt buktak le. Az egyik rosszul sikerült hamis bankót akarta egy hágai pénzváltóban elsózni, de az alkalmazott persze azonnal kiszúrta a hamisítványt. Az a marha ráadásul a szállodában hagyta a többi pénzt, meg egy jegyzetfüzetet, amelyben részletesen leírta az egész tervet, nevekkel, helyszínekkel… micsoda címeres barom! Ezek után persze pillanatok alatt lefülelték az egész díszes társaságot, nemcsak Hágában, de Amszterdamban, Milánóban, Hamburgban és persze Koppenhágában is.

Mennyi esze volt, hogy még időben meglógott! Még az odaúton, amíg az útitársai aludtak, a pénzes bőröndből kivett néhány jobban sikerült bankjegyet, biztos, ami biztos. Még hogy bankokban és pénzváltókban próbálkozni vele! Hiszen azoknak a fickóknak, akik ott dolgoznak, naponta több száz, több ezer bankjegy megy át a kezükön; persze, hogy rögvest szemet szúr nekik mindenféle hamisítvány. Ő ezzel szemben boltokban fizetett vele, pályaudvari kocsmákban, ahol külföldi pénzeket is elfogadtak, és nem sokat teketóriáztak, amikor előhúzta a szép kék ropogós bankókat Egy ízben így is majdnem lebukott: egy pasas a berlini restiben sokáig forgatta, vizsgálgatta az ezerfrankost. Iván már-már arra gondolt, jobb, ha kereket old, és otthagy csapot-papot. Végül a kapzsiság győzött, és a vendéglős zsebre vágta a pénzt. Azóta már biztosan buzgón emlegeti a csaló jó édesanyját, de ebből Ivánnak kutya baja sem lehet.

Abból viszont lehetne baja, ha az egykori összeesküvő társai „köpnének". Iván arról tudott, hogy Würthöt nem tartóztatták le – sokakhoz el sem jutottak, másokkal nem törődtek. Annyira szerteágazó volt az ügy, és olyan magas posztokon lévő emberekig nyúltak a szálai, hogy egy idő után nem feszegették tovább, és beérték az addig elfogott szerencsétlenekkel. Ráadásul úgy tűnt, az ügy annyira kínos a magyar kormány számára, hogy minél gyorsabban és kevesebb veszteséggel túl akartak lenni az egészen.

Ezek szerint Szendrey Andort és a barátját, Máriássy Domokost is a letartóztatták. No persze, hiszen kvázi tetten érték őket. De – eddig legalábbis – nem vallottak ellene. Ám Iván nem érzett hálát vagy tiszteletet. Hiszen nyilvánvalóan nem betyárbecsületből tették (tudták is ezek, mi fán terem az!), hanem mert rangjukon alulinak tartották volna, hogy egy ilyen senkiháziról árulkodjanak, mint Nagy Iván, az állítólagos megtért kommunista.

Valószínűleg Würth Tibor is nekik köszönhette, hogy eddig megúszta.

Iván eddig jutott a gondolatmenetében, amikor Adél újra megszólalt.

– Képzeld el, Szendrey Andor írt nekem a börtönből – mondta, még mindig ugyanazon a szomorkás, álmodozó hangon. – Kérte, hogy levelezzünk. Azt írja, a soraim olvasása erőt adna neki ahhoz, hogy elviselje a tettei elkerülhetetlen következményeit.

Iván gúnyosan elvigyorodott – szerencse, hogy a szemközti falat bámuló lány ezt nem látta.

– Na és írtál neki? – kérdezte végül a férfi.

– Még nem. Igazából nem hiszek neki. Most jó vagyok levelezőtársnak, amikor bajban van? Bezzeg akkor, amikor náluk nyaraltam, és megcsókolt...

– Megcsókolt? – Iván hangja őszinte meglepetést árult el. Nocsak, mik derülnek ki arról a mintafiúról.

– Miért, olyan elképzelhetetlen ez? – Adél megbántódott a férfi hitetlenkedésén.

– Neeem! Dehogyis, drágám, neked van a legcsókolnivalóbb szád a világon, csak hát Szendrey Andor…

– Akkor ne írjak neki, ugye?

Ivánt fárasztotta már ez a téma.

– Írj csak neki. Hadd örüljön szegény ott a kemény priccsen üldögélve, kenyéren és vízen tartva.

Mielőtt Adél válaszolhatott volna, Iván elkapta a nyakát, közelebb húzta magához, és megcsókolta.

– Hmm, ez a Szendrey fiú nem is olyan reménytelen eset – mormolta elégedetten.

* * *

Terézia egyfolytában azon törte a fejét, vajon eléggé megbüntette-e már Ivánt azért a szenvedésért, amit az utóbbi egy hónapban neki okozott. Még december közepén szőrén-szálán eltűnt, anélkül, hogy elbúcsúzott volna tőle, és a férfi előéletét (úgy-ahogy) ismerve, ez a körülmény komoly aggodalomra adott okot. Még karácsonykor sem jelentkezett, és így különösen nyomorultul és magányosan teltek az ünnepek – évek óta először. Utána Terézia a maga módján még nyomozni is próbált – titokban kapcsolatba lépett a rendőrséggel, és érdeklődött a férfi holléte, sorsa felől, ám mindenütt falakba ütközött. Tapintatosan, de félreérthetetlenül közölték vele azt is, hogy jobb, ha nem kutakodik. Így hát nem maradt más, mint az aggodalom és az ezzel együtt járó féltékenység. Mi van, ha egy másik nővel szökött meg? Ivántól ez is kitelik… Szeretkezéseikkor néha előfordult, hogy Helénának szólította. Mikor szemrehányást tett neki ezért, azzal mentegetőzött, hogy ez egy régi, már elfeledett szerelmének a neve. De ha elfeledett, akkor miért emlegeti mégis, éppen a legszebb pillanataikban? Terézia lelkét marcangolta a kétely, mégis mindig arra jutott, hogy nem bánja Iván hűtlenségét, csapodárságát, csak kerüljön haza épségben. Csak még egyszer a karjaiba zárhassa, beletúrhasson a hajába, megcsókolhassa…

Amikor néhány napja meglátta őt Kőrösi Pálma irodájában, kis híján elájult. Részben az örömtől, de részben a megaláztatástól is: micsoda dolog, hogy így, szinte véletlenül kell tudomást szereznie a visszatéréséről. Hogyhogy nem rögtön hozzá szaladt, az ő nyakába ugrott, neki mesélte el, hol járt, és miért nem adott magáról hírt? Ha igazán szeretné… De nem baj, ez sem baj, a lényeg az, hogy visszajött, újra itt van végre! Teréziának nehezére esett, hogy büntetésből egy ideig nem engedte magához közel Ivánt, sőt, nem is állt szóba vele, és a köszönését sem fogadta.

Most viszont már attól tartott, hogy esetleg visszafelé sül el a „megtorló" akciója, és Iván beleun abba, hogy hiába próbál hozzá közeledni. Így is a zsigereiben érezte már a kapcsolatuk kezdetétől fogva, hogy valójában neki nagyobb szüksége van a férfira, mint annak őrá. Mi lesz, ha egyszer csak elege lesz az egészből, és azután már hiába is akarna megbocsátani neki? Ó, pedig milyen édes lenne a kibékülés… Terézia tehát elhatározta, hogy megbocsát Ivánnak, és ezt a lehető leghamarabb a tudomására is hozza.

Este aztán már szívdobogva várta az ismerős kopogást az ajtaján. Biztos volt benne, hogy Iván értett a jelekből, és tudja, hogy többé nem várja zárt ajtó és hallgatás. Ó, nem lehet, hogy ne értse: a mosolyt, a biztató tekintetet, a lopott érintést… Ma még többet is kockáztatott, mint eddig bármikor, hiszen ezek a kamasz lányok, a tanítványai olyan szemfülesek, és annyira a szerelem áll mindegyikük érdeklődésének a középpontjában, hogy talán még előbb feltűnik nekik minden kétértelmű mozdulat, tekintet, mint annak, akinek szól. Ej, sebaj, úgyis régóta tudhatja mindenki, aki nyitva tartja a szemét, hogy már jó ideje zajlik egyfajta, látszólag ártatlan flörtölés közte és a jóképű kertész között. Csak azt nem szabad sejteniük, hogy ennél több is van köztük. Sokkal több.

Hirtelen hallotta meg a kopogást, és hiába számított rá, sőt, várta, most mégis rémülten dobogó szívvel ugrott fel.

Végre itt van!

Az ajtóhoz szaladt, és szokás szerint résnyire nyitotta – éppen csak annyira, hogy a férfi beférjen.

– Iván! – kiáltotta fojtott hangon, nehogy meghallják, és a férfi nyakába ugrott. – Hol voltál, mondd, hol voltál?

Iván gyengéden lefejtette a nyakából a nő karját.

– Megfojtasz – nézett rá mosolyogva, majd lovagiasan, és érzékien mindkét kezét megcsókolta. – Hát ennyire hiányoztam?

– Borzasztóan – Terézia immár nem tudta, és nem is akarta leplezni a valódi érzelmeit. A férfi szemébe nézett, és érezte, hogy könnyek gördülnek végig az arcán. – Néha már attól féltem… hogy sose látlak újra.

Iván ekkor elengedte a nő kezét, és összefont karral, összevont szemöldökkel nézett rá.

– Akkor hát eddig miért viselkedtél ilyen undokul? Miért nem engedtél be?

– Mert… – Terézia a kezébe temette az arcát. – Értsd meg, úgy aggódtam érted. És amikor visszajössz, még csak felém sem nézel? Véletlenül kell beléd botlanom, méghozzá éppen az igazgatói irodában? Mi tagadás: meg akartalak büntetni. De a vége mindig az, hogy én bűnhődöm.

Iván egyszeriben megsajnálta. Lám, szegényke hogy szereti őt. Képes neki mindent megbocsátani. Mindezért megérdemli, hogy legyen egy szép estéje.

Közelebb lépett hozzá, átölelte a derekát, és magához húzta. Majd lehajolt, és egészen közelről a fülébe súgta:

– Nekem is hiányoztál. Borzasztóan. Nem érzed, hogy mennyire?

Még szorosabban magához húzta, egészen a két comb-ja közé, amitől Terézia felszisszent.

– Érzed már? – lehelte a nő fülébe.

Ám Terézia hátraszegte a fejét, és közvetlen közelről Iván szemébe nézett.

– Hol voltál? – kérdezte.

A férfi felsóhajtott.

– Elmondom. Szavamra elmondom… utána. De előbb te is válaszolj egy kérdésemre.

– Éspedig? – a nő felhúzta a szemöldökét.

– Ki a fenéhez mész te férjhez?

Terézia a férfi szájára tapasztotta az ajkát, így válaszolt.

– Hozzád, drágám.

* * *

Iván most az egyszer őszintén örült neki, hogy huszon-négy óra leforgása alatt vagy félméteres hó borította be a budai hegyeket, így a Pálmaház udvarát és kertjét is. Tu-lajdonképpen egész nap lapátolt, először még olyan sűrű hóesésben, hogy a szeme a végén már káprázott a villó-dzó hópelyhektől. Kicsit később a hózápor szállingózássá szelídült, ám addigra olyan vastag hótakaró fedte az ud-vart, hogy az ebédszünetet, no meg néhány egészségügyi pihenőt leszámítva Iván megállás nélkül dolgozott. Nem is bánta: így legalább kedvére gondolkodhatott, és leve-zethette az utóbbi napok feszültségét.

Csak nőkkel ne kezdjen az ember!

De, a fenébe is, nélkülük semmi értelme ennek a nyo-morult életnek

Lehet, hogy csak nincs szerencséje a szerelemben. Nos, igen, a legtöbben megházasodnak, feleségül vesznek egy rendes és szép lányt, majd nyugodtan leélik vele az életüket. Miért nem tette ő is ezt?

Megtehette volna. Ó, igen, még most is megtehetné. Itt van Terézia, aki gyakorlatilag megkérte a kezét. Csakhogy... ha elvenné Teréziát, egyáltalán nem biztos, hogy békés, megállapodott életet élhetne. Sőt...

Hál' istennek, úgy tűnik, a tanárnő azt még nem árulta el az igazgatónőnek, és másnak sem, ki a szerencsés jövendőbelije. Legalább ennyi esze volt. Ivánnak azt mondta, előbb mindenképpen vele szerette volna megbeszélni az ügyet.

Na, még szép! Iván pedig gondolkodási időt kért.

Nem pont fordítva szokott ez lenni? – morfondírozott Iván. Általában nem a nő az, aki ostromolja a kiszemelt párját, megkéri a kezét, majd unszolja, hogy döntsön már: igen, vagy nem? És nem a férfi szokott húzódozni, kéretni magát...

Furcsa egy világ ez a mai – mintha a nők azzal, hogy rövidebbre vágatják a hajukat és megkurtítják a szoknyájukat, a nőiességük nagy részét is elveszítenék. Mindegy, úgy látszik, ilyennek kell elfogadni őket.

Iván idáig jutott a gondolataiban, mire a hólapátolással is végzett. Lassan sötétedni kezdett, és mivel a gyomra is korgott, elhatározta, hogy mára végez, és utánanéz, milyen vacsorát főzött Nyanya. Nagyot nyújtózkodott, megmozgatta sajgó vállát, és egy fatörzshöz ütögetve megtisztította a lapátot a rátapadt hótól.

Amikor belépett a fészerbe, és a bejáratnál a falhoz támasztotta a lapátját, hogy másnap reggel kéznél legyen, hirtelen megtorpant. Valami furcsa nesz ütötte meg a fülét – csak nem öreg kutyája, Cézár osont be valahogyan melegedni? No, nem baj, a vén cimbora ennyit igazán megérdemel… de nem, ez a szipogás és sóhajtozás mégsem jöhet a kutyától.

A mindenségit, csak nem már megint?

– Adél – szólt halkan. – Te vagy az? Mi a fészkes fenét…

Mikor azonban közelebb lépett, és a félhomályban jobban ki tudta venni a sarokban kuporgó lányalakot, kissé visszahőkölt.

– Ó… hát maga az? – kérdezte meglepődve.

– Adél is ide szokott bújni sírdogálni… vagy valami másért? – kérdezte Aliz, fanyar mosollyal, a szemét törölgetve. Majd felállt, és a hátát a falnak támasztotta. – Jó napot kívánok – köszönt illedelmesen. – Elnézést, ha megzavartam. Már itt sem vagyok. Csak… szükségem volt egy rejtekhelyre, ahol kisírhatom magam egy kicsit.

Iván közelebb lépett, és jobban megnézte magának a lányt. Ejha, milyen csinos – gondolta. Még így, kisírt, kivörösödött szemmel is. Eszébe jutott, hogy kisebb korában mindenki úgy emlegette, mint aki nagyon hasonlít az osztályfőnökükre, Teréziára – mintha csak a húga lett volna. Nos, ez ma már nem volt igaz rá. leszámítva, hogy ő is szőke és kékszemű volt, egyéb hasonlóságot Iván már nem látott köztük. Terézia ugyanis lassan, de biztosan hervadt, öregedett – a minap a férfi felfigyelt rá, hogy a szeme körül apró ráncok jelentek meg, és a nyaka, a karja egykor oly finom, selymes bőre is megereszkedett. Mintha az arca is veszített volna hamvasságából. Az egykor rózsás bőr ma már inkább sárgásnak tetszett, ha az ember közelről megnézte. Márpedig a férfinak erre gyakran adódott alkalma.

Viszont ez a lány! Nézze meg az ember, hogy kikupálódott! És ahogyan néz rá… kedvesen, szégyenlősen, félénken, láthatóan pironkodva, amiért így rajtakapta a fészerben bujkálva. Iván önkéntelenül is közelebb lépett hozzá, majd elmosolyodott, nehogy elijessze.

– Ugyan, semmi baj, ide bármikor jöhet, ha… ha éppen szeretné kisírni magát. Sőt! El is mondhatja, mi a baj, szívesen meghallgatom.

Aliz meghökkent. Még hogy ennek a faragatlan alaknak öntse ki a szívét? Amikor azonban Iván arcára nézett, a szíve megdobbant. Ugyanis olyasmit látott rajta, amire az utóbbi napokban mindennél jobban szüksége lett volna, de eddig senkitől sem kapta meg. Együttérzést, gyengédséget, őszinte érdeklődést… De hát hogyan mondhatna el éppen *neki* mindent. Egy vadidegennek…

Várjunk csak… talán éppen ezért lehetne őszinte hozzá. Valóban jólesne, ha végre valaki meghallgatná. Ám mégis megrázta a fejét.

– Köszönöm a kedvességét, de… úgysem tudna segíteni.

– Segíteni talán nem – Iván hangja simogatóan nyájas volt –, de megkönnyebbülne, ha beszélne arról, ami a szívét nyomja. Ha már a sors ide vetette, az én kis rejtekhelyemre.

Miközben beszélt, a férfi lassan egyre közelebb húzódott Alizhoz, míg végül már közvetlenül előtte állt. Óvatosan kinyújtotta a kezét, és megemelte a lány állát, hogy a szemébe nézhessen. Legnagyobb örömére Aliz egyáltalán nem tiltakozott.

– Nos? – kérdezte egészen halkan. – És kérem, ne sírjon. Kár ezeket a szép szemeket könnyekkel elhomályosítani.

Ejha, hogyan lett belőlem egyszeriben ilyen poéta – gondolta Iván, önmagán mulatva. Egyúttal azonban valami más érzés is megmozdult benne: a lány szomorú tekintetét látva valódi gyengédség töltötte el, és hirtelen úgy érezte, hogy bármit megtenne érte, akár még gyilkolna is. Hiszen egyszer már megtette, nem igaz?

– Olyan nagyon egyedül vagyok – suttogta ekkor a lány.

– Egyedül? Nocsak! Egy ilyen szép kisasszony hogyan lehet egyedül?

– A barátnőm… biztosan ismeri őt, Groó Adél – Iván bólintott – mostanában... nem is törődik velem. A bátyám pedig… tudja, belekeveredett ebbe a frankhamisítási botrányba apámmal és a barátjával együtt, és most börtönben vannak. Fogalmam sincs, mi lesz velük, és mikor láthatom őket újra.

Aliz lehajtotta a fejét, és ismét sírva fakadt. Iván nem szólt semmit – érezte, hogy a lány még nem fejezte be, így hát várt, hogy egy kicsit összeszedje magát, és folytassa. Nem is csalódott.

– De a legrosszabb – zihálta Aliz – hogy Adél pont emiatt hanyagol el engem. – Elkezdtek levelezni Andorral, és azóta… Tudomást sem vesz rólam.

Az utolsó szavakat már alig lehetett érteni, a lány annyira zokogott, és Ivánnak hirtelen szörnyű felismerés gyúlt a fejében. Barátnők… no, igen, talán sokkal többek is annál. A mindenit! A férfi visszaemlékezett Adél szavaira, hogy pont ez a szegény kis Aliz gyanúsította meg Teréziát, hogy az egyik növendékével… Hát persze, hiszen ő is…

Mindazonáltal ez a szerencsétlen gyermek csak áldozat. Annak a velejéig romlott kis szajhának, Adélnak a gyanútlan áldozata. Várjunk csak… hiszen Adél azt is akarta, hogy ő, Iván csábítsa el Alizt. Nyilván ez is a ki tudja, miért, de régóta forralt bosszújának a része.

Nos, ő márpedig nem lesz annak a bestiának az eszköze. Sőt, amennyire csak telik tőle, megpróbál segíteni ennek a szép, ártatlan kislánynak. Majd vele megtapasztalja, milyen az igazi szerelem. De nem szabad elsietnie a dolgot. Csak szépen lassan! Nem szabad ráijeszteni, főleg most, amikor élete első szerelmét siratja.

Ismét a lány felé nyújtotta a kezét, és lassan, óvatosan, mintha csak félne attól, hogy összetöri, megsimította a karját.

– No, ne sírjon már. Megszakad a szívem, ha sírni látom. Szavamra... ne nézzen így rám Maga a legcsodálatosabb teremtés, akivel valaha találkoztam. A fél karomat odaadnám, ha valahogyan megvigasztalhatnám.

Ebben a pillanatban Nagy Iván halálosan komolyan is gondolta ezeket a szavakat. Mindenkiről megfeledkezett: Helénáról, Teréziáról és Adélról is, csakis Aliz könnyektől maszatos, kislányos és mégis nőiesen titokzatos arcát látta maga előtt. Két kezébe vette ezt az arcot, és puhán, gyengéden megcsókolta a lányt.

Aliz először meglepődött, erőtlenül tiltakozott is, ám a lelke mélyén valójában számított valami ilyesmire – sőt, vágyott is rá. Ha nagyon akarta volna, ki tudott volna szabadulni a férfi öleléséből, ugyanis Iván egyáltalán nem szorította őt magához, nem erőszakoskodott.

Ó, de ez a csók gyönyörűséges, varázslatos volt; a lelke mélyéig felkavarta a lányt. Közben kintről vagy talán a férfi ruhájából a hó tiszta illatát érezte, valamint Iván verejtékének a szagát, ami azonban a fészer hidegében egyáltalán nem volt kellemetlen. Bárcsak sose hagyná abba – gondolta Aliz szívdobogva. Mi lehetett ez? Visszaemlékezett szegény Máriássy Domokosra, akivel az ígérete szerint találkozott még az elutazásuk előtt. A fiú is megpróbálta megcsókolni. Ő azonban undorodva lökte el magától: nyálasnak, visszataszítónak érezte, ráadásul nagy igyekezetében Domokos a fogukat is összekoccintotta, ami fájdalmat okozott neki. Akkor úgy gondolta: Adél kedves, ismerős csókjának nem lehet párja.

Most azonban… a lányon tetőtől talpig furcsa bizsergés lett úrrá, és egyre szorosabban simult a férfihoz. Mikor végül Iván megszakította a csókot, apró, ijedt kis sikolyt hallatott.

– Mi a baj? – súgta a férfi.

– Nincs… semmi baj – nyögte a lány. – Csak… miért hagyta abba?

Iván elmosolyodott. Egy lépést hátrált, a lány vállára tette a kezét, és a szemébe nézett.

– Most jobb, ha elmegy, Aliz. Örülök neki, hogy már nem sír.

– És… mi lesz most? – a lány hangja olyan halk volt, hogy alig lehetett hallani.

– Már tudja, hogy nincs egyedül – válaszolta Iván komolyan, és megsimította a lány arcát. – Most menjen! De jegyezze meg: rám mindig számíthat.

Aliz bólintott, majd engedelmesen kiment a fészerből. Az ajtóból még visszanézett, csodálkozó arckifejezéssel, mintha el sem hinné mindazt, ami az imént történt. A szeme azonban boldogságtól csillogott.

Iván megilletődötten nézett utána, majd a falhoz lépett, és megsimogatta a helyet, ahova az előbb még a lány támaszkodott. Immár tudta, hogy vissza fogja utasítani Terézia házassági ajánlatát.

5. FEJEZET

1926-27.

A mindenki számára egyre kínosabbá váló frankhamisítási ügyben 1926 májusára nagyrészt megszülettek az ítéletek. A sajtó élénk érdeklődéssel kísérte az eseményeket, és többnyire az ügy tragikomikus voltát kiemelve, öniróniával és akasztófahumorral fűszerezett cikkekben tudósított a tárgyalásokról, valamint a botrányt övező diplomáciai kalamajkákról. Voltak azonban olyan lapok is, amelyek több megértést tanúsítottak az elkövetők iránt – sőt, még egyfajta szomorkás tiszteletet is megadtak nekik, úgy értelmezve az egész akciót, mint valami jó szándékú, de amatőr módon megtervezett és kivitelezett hazafias tettet. Az ország közönsége pedig néhány esztendővel a trianoni traumák után nyitottnak bizonyult erre az interpretációra.

A tárgyalás során valóban előfordultak nevetséges, abszurd, de éppúgy megható, könnyes jelenetek is. A legtöbb résztvevőről, akár még a főszereplőkről is el lehetett mondani, hogy a jó szándék vezérelte őket. Már ha jó szándékúnak lehet nevezni egy másik ország gazdasága elleni előre megfontolt támadást… Az indítékokkal azonban mindenki tisztában volt, és ha magát a cselekedet el is ítélte, az elkövetők iránt a legtöbben rokonszenvet vagy őszinte szánalmat éreztek. Ez utóbbit azért, mert vállal-

kozásuk eleve bukásra volt ítélve, és a magyarok tudvale-
vőleg kedvelik a vesztes ügyek szereplőit.

Az úgynevezett „nagypolitika" berkeiben azonban
már az első perctől nyilvánvaló volt, hogy egyrészt minél
előbb szeretnék lezárni a pereket és kiszabni a büntetése-
ket. Méghozzá minél enyhébbeket. Másrészt minden kö-
vet megmozgattak, hogy a kibontakozó nemzetközi bot-
rányt csillapítsák, elbagatellizálva az ügyet, hiszen Bethlen
miniszterelnök és a kormány éppen ezekben az években
próbálta meg helyreállítani a Trianon miatt megromlott
viszonyt Franciaországgal. Egyébként is mindenféle szem-
pontból már-már konszolidálódni látszott a helyzet: a gaz-
daság fellendült, az ország diplomáciai elszigeteltsége kez-
dett oldódni, mire ez a pár idióta kis híján tönkretett
mindent. Még szerencse, hogy valóban ennyire kontár
módon fogtak hozzá, és ilyen hamar lebuktak. Most az-
tán az ország vezetésének nem volt más választása, mint
hogy példát statuáljon. Azért is fontos volt ez, mert ma-
kacsul tartotta magát a pletyka, hogy a legmagasabb szin-
ten is tudtak a frankhamisításról. Teleki, Bethlen, sőt még
Horthy kormányzó nevét is emlegették... Márpedig ez
tűrhetetlen volt.

Viszont akkor melyik ujjukba harapjanak? A közvéle-
mény ugyan jókat mulatott a „hamisítók" ügyetlenségén,
de a szíve mélyén már régen megbocsátott nekik. Hiszen
valójában mind jó hazafiak, derék, önfeláldozó magyar
emberek. És hát fű alatt még abban is egyetértett a több-
ség, hogy bárcsak sikerült volna nekik. Vagy legalább ne
ilyen hamar fülelték volna le őket! Legalább egy kis bor-
sot törtek volna a franciák orra alá!

Az is kiderült, hogy maguk a franciák sem akarták,
hogy túlságosan nagyra dagadjon a botrány, és esetleg be-

lebukjon a Bethlen-kormány. Mert ugyan kik jöttek volna utána? Hm, jobb volt ebbe nem belegondolni. Az év elején ugyanis újra elkezdtek garázdálkodni az utcákon a hírhedt tiszti különítményesek. Végül aztán a büszke gallok beérték a bocsánatkéréssel és a jelképes, egyfrankos kártérítéssel.

Adél még soha életében nem olvasott ennyi napilapot, mint ezekben a hónapokban, és hogy, hogy nem rá is kapott a dolog ízére. Szenvedélyesen követte a frankhamisítással kapcsolatos híreket. Elolvasta a nyomozás legújabb fejleményeiről, a bírósági procedúráról szóló beszámolókat és a véleménycikkeket is. Az ügy a karikatúra-rajzolókat is megihlette. Az egyik különösen tetszett a lánynak. A Pesti Hírlapban jelent meg, és a bíróság folyosóján lógó orral töprengő férfiakat ábrázolt, akik imígyen morfondíroztak:

„– Nem értem Windischgrätzéket. Ennyi bajjal, fáradsággal már jó frankot is csinálhattak volna.
– Jó frankot? Bajosan. Ezt ma már a franciák sem tudnak csinálni."

Adél többször megpróbált bejutni a tárgyalóterembe is, de ez nehezebbnek bizonyult, mint gondolta. Szerette volna a bírái előtt látni Andort, vagy még inkább, hogy a fiú is lássa őt, és bátorságot, erőt merítsen a jelenlétéből. A börtönben ugyan meglátogatta, amikor csak tehette, de fontosnak tartotta volna, hogy Andor lássa: nagy nyilvánosság előtt is vállalja a szerelmüket, történjék bármi. Még büszke is volt rá, hogy ilyesformán neki is van valami köze a nagy port felvert ügyhöz. A tárgyalás ugyan nyilvános volt, de akkora érdeklődés kísérte, hogy a tömeg még a bíróság folyosóit is elárasztotta, így egy magafajta törékeny fiatal lány nem is remélhette, hogy sikerül átverekednie magát rajta. A tehetetlen dühtől már-már sírva fakadva, elkeseredetten látta, hogy az újságok tudósítói előnyt élveznek, és a törvényszolgák a tömegben utat vágva vitték be a jegyzetfüzetekkel és fényképezőgéppel felfegyverzett, önelégült képet vágó újságírókat és fotográfusokat a terembe. Nyilván előre fenntartott helyük volt. A csudába! Bárcsak ő is köztük lehetne. Hiszen ő is meg tudna írni egy olyan cikket, mint amilyeneket mostanában naponta olvasott – gyerekjáték az egész. Nem is voltak hosszú irományok, Terézia néni házi feladatként sokkal terjedelmesebb fogalmazványokat íratott velük. És milyen izgalmas helyekre juthatnak be, hányféle privilégiumokat élvezhetnek! Ez a tárgyalás nyilván csak egy a sok közül.

Adél ekkor határozta el, hogy érettségi után újságíró lesz.

Jelenleg azonban csak a többiek beszámolóira támaszkodhatott, hogy kielégítse a kíváncsiságát, és nyomon kövesse Szendrey Andor sorsát, ami az utóbbi hetekben mindennél fontosabbá vált a számára.

Aznap (mint ezt a körülötte álló emberek pusmogásából megtudta), az egyik főszereplőt, Gerő László őrnagyot, a Térképészeti Intézet tanácsnokát hallgatták ki. Mindenki izgatottan várta a vallomását, mivel köztudott volt, hogy Gerő jó barátságot ápolt Teleki Pállal, az egykori miniszterelnökkel. Teleki földrajztudósként gyakran megfordult az intézetben. Mi több, kiderült, hogy Windischgrätz herceggel is Teleki ismertette össze Gerőt. Sokan arra számítottak, hogy most majd kiugrasztják azt a bizonyos közmondásbeli nyulat a bokorból – márpedig ha Teleki belekeveredik a botrányba, a többiek sem kerülhetik el a sorsukat. Valóban lehetetlen, hogy egy ilyen nagyszabású akciót központi segítség nélkül végrehajthattak volna! Ám ha most nem derül erre fény, akkor soha. Akkor, ahogyan lenni szokott, a „nagyhalak" megint kicsúsznak a hálóból.

Ezért tolongtak hát annyian a bíróság épületében. Már a folyosók is dugig megteltek, és néhányan kiszorultak az utcára. Mindenki első kézből akart értesülni az egyik koronatanú vallomásáról.

Akik azonban arra számítottak, hogy Gerő majd a felettesei ellen vall, hogy a saját bőrét mentse, azoknak csalódniuk kellett. Nem vették számításba, hogy az őrnagy igazi, régi vágású úriember, amilyen ugyan egyre kevesebb van, de azért még nem halt ki teljesen a fajtájuk. Csakhamar kiderült: inkább eltűrné, hogy elevenen megnyúzzák vagy kitépjék a nyelvét, de egy szóval sem árulná be a társait vagy a feletteseit.

Ám a vallomása mégis a per egyik csúcspontja lett, egészen más okból. Később még az ügyet szkeptikusan vagy ironikusan szemlélők is egyetértettek abban, hogy az egész procedúra alatt ő viselkedett a legrokonszenvesebben. A többiek is mind a hazafias érzelmeiket hozták fel indítékként, de ő volt az, akinél valóban érezni, tudni lehetett, hogy őszintén gondolja. Amikor pedig később, az utolsó szó jogán felszólalt, szem nem maradt szárazon:

„Én csak egy koldus vagyok, de hogyha kell, odaadom legdrágább kincsemet, a becsületemet is azért a nagy Magyarországért, amelynek elrablott földjében szegény szüleim nem találnak megnyugvást."

Május végére mindenesetre kiderült, hogy a „nagyku-tyáknak" nincs mitől tartaniuk. De maguknak a botrány-hősöknek sem kellett túlságosan félniük. Az ítéletek fel-tűnően enyhék voltak. Még a „főbűnösök" is megúszták néhány évvel, a jelentéktelenebb szereplők pedig, mint például az idősebb és az ifjabb Szendrey báró és a barát-juk, Máriássy Domokos, két-két hónapot kaptak.

Adél az ítélet hallatán fellélegzett. Két hónap! Hiszen az semmi! Andor még nyáron, augusztusban szabadlábra fog kerülni, és akkor…

Hogy akkor mi lesz, abba egyelőre még nem mert be-legondolni. Leveleikben ugyan többször is megvallották az egymás iránt érzett szerelmüket, örök hűséget fogadva, de hát a papír oly sok mindent elbír! A valóságban, ami-kor majd ott állnak egymással szemben, nos, akkor egé-szen más lesz minden. Adél még mindig emlékezett arra a néhány évvel ezelőtti nyárra, amikor Alizéknál töltött né-hány hetet. Andor mindvégig flörtölt vele, a végén találká-ra hívta és meg is csókolta, másnap mégis olyan hidegen és elutasítóan viselkedett. Szóval, várjuk csak ki a végét!

Most is… amikor a bíróságra bemenet látta őt, vagy amikor kikísérték, és a közelében volt az édesapja, báró Szendrey Emil is, mintha észre sem vette volna, vagy csak lopva intett neki, vagy titokban rámosolygott. Mintha szégyellné. Még ma is!

Ám ebben a pillanatban a tömeg hullámozni és izga-tottan kiabálni kezdett, és Adél tapasztalatból tudta, hogy ilyenkor hozzák ki a vádlottakat. Vagyis most már az el-ítélteket… Adél maga is felsikoltott, és teljes erejéből igye-kezett utat vágni magának az emberek sűrűjében. Muszáj látnia Andort, hogy odakiálthasson neki, vagy máskép-pen jelezze, hogy itt van, és ebben a nehéz pillanatban is mellette áll. Mikor egy idősebb, puha nyári kalapját a kezében tartó öregurat szeretett volna félretolni, az megfordult, és ingerülten ráförmedt.

– Kisasszony, hová tolakszik, kérem?

Adél ekkor könyörgőre fogta. Összetette a két kezét, és könnyes szemmel nézett az idős férfira.

– Jaj, kérem, engedjenek tovább. A vőlegényem a vádlottak között van, és én szeretnék legalább messziről integetni neki. Kérem, engedjenek át!

Az öregúr arckifejezése erre azonnal megenyhült.

– Ó, hát miért nem ezzel kezdte, kisasszony. A vőlegénye! Milyen kedves… Így már egészen más! Jöjjön, fogja meg a karomat, segítek átvágni a tömegen.

Az idős úrral már sokkal könnyebb volt előrejutni az emberek között, akik a kordon közelében egyre sűrűbben álltak egymás mellett. Néhányan rendreutasították őket, vagy szúrós pillantásokat vetettek rájuk, de az öregúr mindenkivel közölte:

– Ugyan, ez a kislány a vőlegényét szeretné látni. A vőlegénye is az elítéltek között van. Legyen szívük, kérem, engedjenek, hadd lássa a vőlegényét, mielőtt elviszik a férfiút a rendőrök.

Ezekre a szavakra a körülállók egyszeriben mind készségesebbek lettek, sőt, néhányan még biztatóan rá is mosolyogtak a lányra, megsimogatták a karját, vagy sok szerencsét és boldogságot kívántak neki. Hiszen tudvalévő, hogy ezek a derék fickók nem lesznek örökké börtönben, és amikor kiengedik őket, igazán megérdemelnek egy kis boldogságot és nyugalmat. Adél egészen kipirult örömében a sok nyájas arc láttán, és csillogó szemmel, mosolyogva köszönte meg az emberek kedvességét. Végül az öregúr határozottságának köszönhetően egészen a tárgyalóterem ajtajától a kijáratig húzódó kordonig jutottak, és Adél dobogó szívvel konstatálta, hogy így karnyújtásnyira lesz majd Andortól. Ó, talán meg is szólíthatja, vagy megérintheti! Micsoda boldogság lenne!

– Jönnek! – mondta valaki az ajtó közelében, és a hír futótűzként terjedt a tömegben, amely ismét nyugtalanul hullámzani, zajongani kezdett.

– Nyugalom! – intették az embereket a kordonon belül álló rendőrök. – Vissza, kérem, menjenek vissza.

A rend gumibotokkal felfegyverzett őrei megkísérelték visszaszorítani az előbbre nyomulókat, azokat pedig, akik egy óvatlan pillanatban átbújtak a kordon alatt, visszaparancsolták. Végül, amikor az izgalom már kezdett kissé elülni, csapatnyi újabb rendőr jelent meg a kijáratnál, nyomukban a megbilincselt, az ítélethirdetésre ünneplőbe öltözött vádlottakkal. Adél izgatottan megragadta idős pártfogója karját.

– Ó, nézze! Ott vannak.

– Melyik a vőlegénye, kedves, ha szabad kérdeznem? – nyújtogatta az öregúr a nyakát.

– Az a magas, szőke, a szürke öltönyben. Szendrey Andornak hívják.

– Milyen fiatal! – sóhajtott az öreg olyan hangon, mintha kivégzésre vitték volna az elítélteket, és nem csupán pár hónapos börtönbüntetést kaptak volna. – És milyen jó arcú. Szégyen, szégyen, hogy ilyen derék fiatalembereket bebörtönöznek, csak azért, mert tenni igyekeztek…

Nem tudta azonban befejezni, mivel Andorék éppen melléjük értek a kordonon belül, és Adél egy óvatlan pillanatban átsiklott a kordon és az előtte álló rendőr könyöke alatt, és egy éles sikoltással a fiú nyakába vetette magát.

– Andor! Drága szerelmem! Ne félj, várni fogok rád, ameddig csak kell! Szeretlek!

Néhány másodpercre mintha megfagyott volna a levegő körülöttük, senki sem mozdult, senki sem szólt. Majd hirtelen megtört a csend: az idős úr elkezdett tapsolni, amelyhez a körülötte állók is lelkesen csatlakoztak. Végül viharos, szűnni nem akaró taps és éljenzés töltötte be az egész folyosót, és az újságírók fel-alá futkosva szaporán villogtatták a vakuikat a váratlan, megkapóan színpadias jelenet láttán. Ez aztán a szenzáció – a holnapi, vagy akár már a ma esti lapokban lesz miről beszámolni az ítéletek és az odabent lejátszódott, ugyancsak könnyfakasztó jelenetek mellett.

Legutoljára talán maga az „áldozat", Szendrey Andor tért magához.

– Adél? – kérdezte hitetlenkedve. – Te meg hogy kerülsz ide?

– Mi az hogy hogy? Mégis hol lennék ilyenkor?

– Na de...

– Mondd, hogy te is szeretsz, édes!

– Persze, de...

Ekkor egy kemény, határozott kéz markolta meg Adél vállát, és egy mozdulattal elrántotta őt Andortól.

– Hátrébb, hölgyem – hallotta a lány a rendőr hivatalosan erélyes, ám vagy a meghatottságtól, vagy az elfojtott nevetéstől kissé megremegő hangját. – Elég már a cirkuszból.

– Nem oda Buda! – kiáltott fel Adél újdonsült idős barátja, aki egy ugrással a rendőr mellett termett. – El a piszkos mancsával a kisasszonytól, barátocskám!

– Jól van, nem fogom bántani, ne féljen – méltatlankodott a rendőr. – Csak álljon el az útból. Nekünk az a dolgunk, hogy rendet tartsunk itt, értse meg – tette hozzá kicsit halkabban. – Nem engedélyezhetjük a hosszúra nyúlt szerelmi jeleneteket a tárgyalóterem előtt, mi lenne annak a vége!

– Rendben van – bólintott az öreg, megfogva Adél kezét. – Jöjjön, kedvesem, meghívom egy teára vagy kávéra. Ezek után ránk fér egy kis szíverősítő.

Az elítélteket időközben kikísérték az utcán várakozó rabszállító kocsiig. Mikor már odabent ültek, Szendrey Emil odafordult a fiához.

– Mi volt ez, Andor?

A fiú még most is halálsápadt volt, megviselte az iménti jelenet. Szeretett volna a föld alá bújni, hogy senki se lássa, miközben kikísérik őt bilincsbe verve. Micsoda szégyen… Ma már tudta, hogy nincs miért büszkének lenni a tettükre. Talán csak az menti meg a végső szégyentől, hogy a saját bűneit töredelmesen bevallotta, másokat azonban igyekezett nem belerángatni ebbe az egészbe. Ez az ostoba Adél meg képes ilyen jelenetet rendezni! Mindenki őket bámulta! Azok az átkozott újságírók meg persze egyfolytában kattogtatták a fényképezőgépüket! Hiába, nincsen semmi vele született finomság vagy akár elsajátított elegancia abban a lányban. De talán éppen ezért szereti őt, a jobb meggyőződése ellenére is.

– Nos? – unszolta az édesapja. Andor felemelte a fejét, és az idősebb Szendrey szemébe nézett. – Ő már a menyasszonyom, apám. Mihelyt kiszabadultam, hivatalosan is el fogom őt jegyezni, és azután feleségül veszem.

Szendrey Emil erre nem szólt semmit, ám mintha az élet utolsó szikrája is kihunyt volna a tekintetében. De Máriássy Domokos, aki Andor mellett ült a rabszállítóban, tréfásan oldalba bökte a barátját.

– Hallod, öregem, te aztán szerencsés flótás vagy!
Szerencsés, na hiszen! – Andor csak erre tudott gondolni. Meg arra, hogy az imént történtek után nem is tehetné meg, hogy nem veszi feleségül Adélt. Ezzel pedig valószínűleg az apja is tisztában van. Meg az a ravasz fruska is. Andor nem tudta kiverni a fejéből a gyanút, hogy Adél csak ezért rendezte az egész jelenetet. Végül is a saját szempontjából igaza van. Andor felsóhajtott, és fejét hátra hajtva nekidőlt a rabszállító mocskos oldalának.

* * *

Adél az izgalomtól még mindig remegve érkezett a Pálmaház ebédlőjébe, ahol a többiek éppen uzsonnáztak. Az ajtóban lábujjhegyre állva végigpásztázta a termet – a kakaót, kalácsot majszoló, egyenruhás lányok között hamar felfedezte a barátnőjét, Alizt. Már az ajtóból intett neki, majd mikor a másik lány nem reagált az üdvözlésére, két lépéssel mellette termett.

– Szervusztok! – köszönt az asztalnál ülőknek. – Hagytatok nekem is?

Az asztal közepén álló kosárból kivett egy szelet foszlós kalácsot, az üvegkancsóból pedig kitöltött egy bögre langyos kakaót. Eszébe jutott, hogy ma az ebédet is ellógta, és már igencsak korgott a gyomra.

– Láttam Andorékat – fordult Aliz felé, aki erre letette a kakaós bögréjét, és várakozva nézett rá. – Te miért nem jöttél el? – kérdezte Adél szemrehányón.

– Úgysem engedtek volna oda hozzá – vonta meg a vállát Aliz. Majd mintha elszégyellte volna magát, halkabban tette hozzá: – Hogy van? Apámat is láttad?

– Hogyne, őt is. Meg a barátjukat, azt a Domit. Láttam az arcán, hogy ő is várt volna téged…

– Nem válaszoltál rá, hogy jól vannak-e.

– Jól. Már a körülményekhez képest. Andor legalábbis… én igazából csak őt láttam.

A többiek erre sokatmondóan mosolyogtak, Aliz pedig visszatért a kakaójához.

– Észrevette Terézia néni, hogy nem jöttem vissza? – kérdezte Adél teli szájjal Aliztól, ám a lány helyett a velük szemben ülő barátnőjük, Jojó válaszolt.

– Á, dehogyis. Manapság semmit sem vesz észre. Akár mind elbliccelhettük volna az ebédet meg a tanulóórát. Az üres terem sem tűnt volna föl neki.

– Mi lehet vele? – vonogatta Adél a vállát. Erre Aliz jelentőségteljesen nézett rá. Micsoda kérdés! Adélnak aztán egészen pontosan tudnia kell, mi lehet Terézia nénivel.

– Hát, talán valami szívfájdalma van – csóválta a fejét Jojó, mire a két lány ismét egymásra nézett.

Mindketten tudták ugyanis, hogy Nagy Iván hónapokkal ezelőtt kikosarazta a tanárnőt, és azóta vége szakadt a találkáiknak is. Mindkét lány magától a férfitól értesült erről, bár nagyon más körülmények között.

Adéllal Iván azt is közölte, hogy ezentúl vele sem óhajt találkozni. Elege van abból – jelentette ki –, hogy Kőrösi Pálma orra előtt kísértik az Istent azzal, hogy a kertész és egy növendék… Adél persze csak mosolygott ezen. Tisztában volt vele ugyanis, valójában miért szakított vele (és Teréziával is) Iván. Természetesen Aliz miatt… Aki szintén az iskola növendéke! Na, ennyit Iván kifogásairól.

Adél azonban egyáltalán nem bánta, hogy így alakultak a dolgok. Mostantól tudniillik minden erejével arra akart összpontosítani, hogy Szendrey Andort megszerezze magának. Ezúttal nem követhet el hibát! Aliz, egykori „kebelbarátnője" mostanában mintha kicsit elhidegült volna tőle. A többiek ebből mit sem vettek észre, ugyanis a két lány továbbra is fenntartotta a barátságuk látszatát. Persze másoknak fogalmuk sem lehetett róla, hogy mi volt köztük… Nos, ennek örökre vége. Adél legnagyobb megkönnyebbülésére, de úgy vette észre, most már Aliz is másképp áll hozzá a közöttük történtekhez. Mintha kissé szégyellné magát a barátságon messze túllépő kapcsolatuk és a viselkedése, a buta féltékenykedése miatt. Eltávolodott Adéltól. De hisz ez természetes is volt. Majd megbékél egyszer! Kénytelen lesz – gondolta Adél –, ugyanis előbb-utóbb közeli rokonok leszünk.

* * *

A május végi, balzsamos éjszakában a tücskök ciripelésétől volt hangos az Erzsébet királyné iskola nagy parkja. Az egyik gesztenyefás ligetben, a padok és Rudolf trónörökös enyhén idealizált mellszobra mellett egy világos folt derengett. Közelebbről látni lehetett volna, hogy egy szőke hajú, fehér pongyolás lányalak az, aki karját fázósan összefonva Rudolf szobrának dőlve áll. Bizonyára vár valakit – állapíthatta volna meg a külső szemlélő, aki szerencsére nem létezett. Bár Aliznak a szokásosnál is hevesebben dobogott a szíve. Csillagfényes, teliholdas éjszaka volt a mai, és a lány úgy érezte, mintha a kertet fényszórók világítanák be keresztül-kasul. Szent ég, elég, ha csak valaki véletlenül kipillant a kollégium egyik ablakán… De nem, ez ostobaság – a kollégium épülete messze van, és magas, dús lombú fák takarják ezt a helyet. Még nappali világosságban sem látna el idáig senki, nemhogy most!

De azért jöhetne már Iván. Ha nem egyedül lenne, biztosan nem félne ennyire. Különben is, ha Iván mellette van, senkitől és semmitől sem fél!

A súlyos férfikéz hátulról nehezedett a vállára, mire Aliz azonnal megfordult – nem ijedtében, mivel tudta, hogy csakis *ő* lehet az. Nem is csalódott.

– Iván! – lehelte boldogan, és a férfi nyakába borult. – Már úgy vártalak!

– Tudhattad, hogy jövök – súgta Iván a lány fülébe, és szorosan magához ölelte. – Látod, itt sokkal jobb, mint abban a büdös mosókonyhában. Mikor ilyen szép az éjszaka…

– Igen, de kicsit féltem…

– Nem kell félned.

– Tudom.

A lány egész testével hozzásimult, arcát pedig a nyakába temette. Iván érezte a bőrén a leheletét, és ezúttal is valami mérhetetlen, eddig soha nem érzett gyengédség öntötte el. Mint mindig, ez most is megrémítette kicsit. Mi történik vele? Vajon ez lehet a szerelem? Az érzéseire nincs más magyarázat. Még soha nem történt vele ilyesmi: Heléna inkább amolyan trófea lett volna, Terézia is az volt kezdetben, amíg terhes nem lett a szerelme. Aztán ott volt még Adél… akit soha nem szeretett, néha még csak nem is kedvelt, és jól tudta, hogy ez az érzés kölcsönös volt. Mi is vonzotta őket egymáshoz? Ma már nem értette.

Most már tudta, hogy bármi lesz is a vége, Aliz szerelme egy életen át elkíséri, és bárhová kerül, bármi lesz belőle, erőt ad majd neki.

Tudta, hogy a lány is szereti. Méghozzá odaadóan, feltételek és fenntartások nélkül. Csakis saját magáért. Talán nem lesz így örökre, most viszont… addig kell kiélvezni ezt a boldogságot, ameddig részük lehet benne.

– Tudok itt egy jó helyet – suttogta, mire a lány csak bólintott. Iván lehajolt, és a karjába vette a pehelykönynyű Alizt, aki még mindig átkarolta a nyakát, és a gallérjába fúrta az orrát. Nem vitte őt messzire – csak néhány lépésnyire, a Rudolf-szobor mögé, ahol azonban a padok, a százados fák és a szerencsétlen sorsú királyfi szobrának a jótékony takarásában senki sem láthatta meg őket, még ha netán arra tévedt is volna. De máskor sem igen járt erre senki, nemhogy ilyen késői órán. Iván a földre dobta a kabátját, majd puhán letette rá a lányt, óvatosan melléfeküdt, és a könyökére támaszkodva az arcát kémlelte.

– Most mire gondolsz? – kérdezte tőle a szerelmesek megunhatatlan közhelyével.

– Arra, hogy jó lenne örökre itt maradni – válaszolt Aliz egy hasonló banalitással. Iván elmosolyodott, és már ismerős, megszokott mozdulattal hajolt a lány szája fölé. Aliz behunyta a szemét.

– Szeretlek! – suttogta. Iván csak erre várt a csók előtt. Ezt nem tudta elégszer hallani.

– Szeretlek, szeretlek – visszhangozta, és miközben a lányt csókolta, lassan, gyengéden kioldotta a pongyoláját, majd a hálóinge egyik pántját lecsúsztatta a vállán. Lehajolt, és Aliz vállát kezdte csókolni.

– Olyan vagy, mint egy virág – emelte fel a fejét. – Fehér és illatos.

Aliz halkan felnevetett.

– Egy költő veszett el benned, nem igaz?

– Cssss. Ne beszélj.

– Te beszélhetsz?

Iván a lány szájára tette a kezét, és még lejjebb hajolva a

hálóing vékony batisztján át a szájába vette a mellbimbóját. Aliz felsóhajtott, és beletúrt a férfi hajába. Iván elvette a kezét a szájáról, és a másik pántot is lehúzva szabaddá tette a lány mellét. Ekkor újra a könyökére támaszkodott, és elgyönyörködött az elé táruló látványban.

– Olyan szép vagy! – súgta.

– Akkor miért csak nézel?

Iván ismét elmosolyodott. Mit is mondott annak idején Adél? Hogy a Szendrey kisasszony sem az a földre szállt angyal. Nos, szerencsére valóban nem az.

Ismét lehajolt, és rutinos mozdulattal felhajtotta a lány hálóingét. Ekkor már Aliz is jól tudta, mit kell tennie. Ügyesen kikapcsolta a férfi övét, kigombolta a nadrágját, és a kezébe vette azt a meleg, sima valamit, amitől első ízben úgy megijedt. Most azonban már tudta, hogy nem kell félnie, amikor az egyre nagyobb és keményebb lesz – ez azért van, mert Iván kívánatosnak és gyönyörűnek találja, és nem tud ellenállni neki. Nem is kell, hiszen ő is alig várja…

Kicsit mocorgott a férfi alatt, hogy a lábával átfoghassa a derekát, és behunyt szemmel várta azt a csodálatos pillanatot, amikor Iván végre magáévá teszi. Azt is tudta, hogy a férfi szereti kicsit késleltetni a gyönyört, elodázni a pillanatot, hogy aztán szinte váratlanul érje a lányt, és akkor...

Aliz felnyögött, újra szorosan átkarolta a férfi nyakát, és hangosan felkiáltott.

– Iván! Iván!

– Cssss!

A férfi újra befogta a száját, mire a lány a füléhez hajolt, és belesúgta:

– Iván!

Ekkor a férfi megfogta a derekát, és a hátára gördülve az ölébe ültette. Egy darabig így szeretkeztek, aztán Aliz megint meg akart fordulni, hogy a férfi legyen felül, ekkor azonban valami tompa puffanást hallottak. Mindketten megdermedtek, és rémülten füleltek.

– Mi volt ez? – súgta a lány.

– Nem tudom!

Iván felült, és gyengéden kiszabadította magát Aliz alól.

– A csudába! – mondta. Cifrább káromkodást is eleresztett volna, ám a lány jelenlétében mindig visszafogta magát.

Hevességükben valahogy sikerült ledönteniük Rudolf trónörökös szobrát, amely most félig egy virágágyásban, félig a salakos sétaúton hevert.

– Jesszus! – Aliz ijedten a szája elé kapta a kezét. – Ugye nem tört össze?

– Nem, úgy látom… De hogy az ördögbe?

– Állítsuk vissza!

Csakhamar kiderült azonban, hogy ketten sem tudják megemelni a szobrot. Aliz kuncogott.

– Akkor hogyan dönthettük fel?

– Mit tudom én – Iván bosszankodott. – Biztosan meglazult alatta a talaj. A fenébe is!

– Ne mérgelődj! – Aliz közelebb lépett, átölelte a férfit, és a szemébe nézett. – Hagyjuk itt Rudolfot. Te mondtad: meglazult alatta a talaj. Magától is ledőlhetett. Azt úgyse hinné el senki, ami valójában történt.

Aliz újra kuncogni kezdett, és most már Iván is nevetett.

– Csak azt sajnálom – mondta. – Hogy nem tudtuk befejezni.

– Ó, édes! – a lány futólag megcsókolta. – Legközelebb csak annál jobb lesz. De most mennem kell. Pá!

Könnyedén intett, majd megigazította a pongyoláját, és futva elindult a kollégium felé. Iván vágyakozva nézett utána. A mindenségit, bárcsak ne kellene így elengednie. Bárcsak örökre mellette maradhatna, éjjel és nappal, a kertjükben vagy a szobájukban, bárhol és bármikor. Megfordult, és dühösen teljes erejéből belerúgott a semmiről sem tehető Rudolf királyfi földön heverő szobrába.

* * *

Másnap kora reggel, még a tanítás kezdete előtt Adél izgatottan fészkelődött a helyén. A csudába, hogy itt kell rostokolnia az órák végéig, és csak délután, a kimenőidőben szabadulhat el ebből az átkozott kaszárnyából! Furdalta az oldalát, hogy az előző nap a bíróságon lejátszódott érzelmes jelenet – amelyről tudta, hogy sokan lencsevégre kapták –benne lesz-e a mai újságokban, és ha igen, a címoldalon-e. Már biztosan az összes lap megjelent, kiszállították őket az újságosbódékba, és a rikkancsok is kézhez kapták. Hű, még az is lehet, hogy most Andor és az ő nevét kiáltozva járják be a várost. Mi több, biztosan már a tegnap esti lapokban is beszámoltak róla, hiszen manapság minden ezzel a franküggyel van teli. Egek, milyen izgalmas ez! És ő mégis kénytelen itt ülni, és egy mukkanás nélkül végigszenvedni… mennyit is? Jesszus, öt órát! Nem fogja kibírni.

– Mi van veled? – kérdezte a mellette ülő Irma. – Úgy mocorogsz, mint egy zsák bolha. Megcsípett valami?

– Meg hát, a dililégy. Vigyázz, még erre röpköd! – vágott vissza a lánynak, mivel nem volt kedve hosszasabban csevegni vele. Irma megvonta a vállát, és többé nem törődött vele.

Ez volt a jó abban, ha az ember Nagy Irma mellé került az osztályban. Számíthatott rá, hogy a lány békén hagyja, vagy ha mégsem, hát egy-két szóval le lehet szerelni. Mással biztosan nehezebb dolga lett volna. Adél a füzete fölé hajolt, és úgy tett, mintha a tegnap feladott német olvasmány fordításába merült volna bele. Azon vette észre magát, hogy már alig várja, hogy elkezdődjön a németóra: legalább akkor minél hamarabb vége is lesz. Majd kezdődhet a következő, és az utána következő... ó, egy örökkévalóság, mire elszabadulhat innen.

Végül úgy alakult, hogy mégsem kellett délutánig várnia. Az első szünetben egy csapat ötödikes lány állta körül, tátott szájjal, akár valami vásári látványosságot.

– Ő az. Mondtam, hogy ő az – mondogatta az egyikük, mire a többiek helyeslően bólogattak, és ámuldozva, rajongó tekintettel nézték a lányt. Adél észrevette, hogy az ötödikes egy friss Pesti Hírlapot tart a kezében. Azonnal rávetette magát.

– Ezt meg hol szerezted?

– A Molnárné asztaláról loptam. Megláttam ezt a fényképet, és elemeltem a lapot, miközben valakinek a helyesírásfüzetét nézegette. Észre sem vette, amikor felnyalábolta a könyveit, hogy az újság már nincs köztük.

– Ügyes vagy!

Adél kihajtotta az újságot, és rögtön meglátta a fényképet az első oldalon. Andor hátulról látszott rajta, de az ő arca, miközben a fiú nyakába borult, jól felismerhető volt. Azt is egy szempillantás alatt felmérte, hogy a kép melletti cikk jobbára a perről és az ítéletekről szól, de a kép alatti felirat mégis sokatmondó volt:

A menyasszony könnyes búcsúja.

– Ez az! – mondta diadalmasan, és magasba lendítette ökölbe szorított kezét. Éppen ezt akarta! Bár minden kívánsága így teljesülne…

– Nekem adod? – fordult az ötödikeshez. A lány egy darabig habozott, majd bólintott.

– Jól van – mondta. – Egy feltétellel.

– És pedig?

– Hogy mindent elmesélsz nekünk.

Ebben a pillanatban azonban becsöngettek. Adél egy mozdulattal a latinfüzetébe csúsztatta az újságot.

– Rendben – mondta a köréje gyűlt lányoknak. – A következő szünetben gyertek vissza.

A csendben ujjongó ötödikesektől elfordulva hirtelen megtorpant: Aliz sápadt arcát, összeszorított száját pillantotta meg maga előtt.

– Nekem is elmeséled? Te *menyasszony…* – kérdezte a lány halkan.

– Persze – felelte Adél készségesen. – De most menjünk, kezdődik az óra.

* * *

Kőrösi Pálma fáradt mozdulattal dobta az íróasztalára az újságot. Egy pillanatra még a szemét is behunyta, mintha fohászkodott volna – legalábbis a kényelmetlen széken előtte feszengő Adélnak egészen olybá tűnt.

– Elmagyaráznád, Groó, hogy mi az ördög ez? – kérdezte az igazgatónő, miután kinyitotta a szemét, és rámeredt a lányra. –„A menyasszony búcsúja"? Talán csak nem azt akarod mondani, hogy eljegyzett ez a fiatalember? Mégis… nem gondolod, hogy némi közünk nekünk is volna ehhez?

Adél nem gondolta, de persze ezt nem közölte fennhangon. Még mindig tartott Pálma asszonytól. Talán a világon egyedül tőle…

– Nem történt még hivatalos eljegyzés, nagyságos igazgató asszony – mondta halkan, tőle szokatlanul megszeppenten. – De mint tudja… ez a botrány, a tárgyalás…

– Igen, tisztában vagyok a történtekkel – vágott a szavába az igazgatónő. – Fölösleges hosszadalmas elbeszélésbe bocsátkoznod. Igen, a körülmények teljesen világosak számomra. Egyedül arra szeretnék tőled választ kapni, *miért* szerepelsz ebben az újságban – ekkor előrehajolt, és az ujjával megkopogtatta az asztalon heverő lapot – Szendrey Andor menyasszonyaként. Volnál szíves felvilágosítani?

– Hát mert… – Adél nagyon sóhajtott, majd bátran kibökte. – Mert szeretjük egymást, és össze fogunk házasodni.

Kőrösi Pálma hátradőlt a székében, és a kezét összekulcsolta terjedelmes keble alatt.

– No és biztos ez? – kérdezte rövid szünet után. A hangja nem volt rosszindulatú, vagy számon kérő, inkább aggodalmas. Adél kicsit meg is lepődött ezen.

– Tudja kérem, mióta Andor börtönbe került, rendszeresen levelezünk.

Az igazgatónő bólintott.

– Vagyis néhány hónapja.

– De már évek óta ismerjük egymást, és…

– Ezt is jól tudom. Hiszen a lányuk barátnője vagy. De a minap beszéltem Cecília asszonnyal telefonon, és egyetlen szóval sem említette, hogy a fia eljegyzett volna valakit. Vagy azt, hogy egyáltalán szó lenne ilyesmiről. Pláne iskolánk egy növendékével! Egyszóval, kisasszony, nem tetszik nekem ez az egész ügy, egyáltalán nem tetszik.

Adél erre csak hallgatott, makacsul összeszorított ajkakkal. Kőrösi Pálma felsóhajtott, és az asztalra támasztott kezére hajtotta a homlokát.

– Talán már túl öreg vagyok ehhez az egészhez… Lám, még haragudni sem tudok rád igazán, gyermekem. Hanem… még csak hetedikes vagy! Előbb le kellene érettségizned, nem igaz, menyasszonyok gyöngye?

– Lc is fogok! – a lány elszántan felszegte az állát. – Még ha nem is kitűnő eredménnyel, de úgy, hogy Andor büszke lehessen rám. És, hát… nemrégiben eldöntöttem, hogy újságíró szeretnék lenni, miután leérettségiztem. Most nem is állok bukásra semmiből.

– Nos, ha már ez is dicsőség… Amúgy igaz! Ha nem jött volna közbe ez a fényképdolog, akkor is behívattalak volna. Megdicsérni az eredményeid miatt. Valóban sokat javítottál az utóbbi hónapokban. Nem úgy, mint…

Az igazgatónő még időben észbekapott, és visszanyelte a szavait. Nem úgy, mint Szendrey Aliz – akarta folytatni. Hát igen…. éppen ezért is beszélt Cecília bárónéval néhány napja. Az asszony azonban migrénre és idegességre panaszkodott, így sehogyan sem tudott vele zöldágra vergődni a lányával kapcsolatban. Az idegességét viszont meg tudta érteni. Azok után, ami a férjével és a fiával történt! Nyilván a leányra is ezek az események vannak hatással. Ha egy kicsit megnyugszanak a kedélyek, ismét a régi, engedelmes és szorgalmas kis *Alice* lesz.

– Jól van – fordult Pálma asszony a még mindig előtte üldögélő Adélhoz. – Most elmehetsz. De több botrányt már nem akarok. Megértetted?

A lány bólintott, majd látható megkönnyebbüléssel ugrott fel.

– Viszontlátásra, nagyságos igazgató asszony! – Illedelmesen meghajtotta a fejét az igazgatói iroda ajtajában, mielőtt távozott volna. Kőrösi Pálma elgondolkodva nézett utána.

Az nem lehet, hogy ennyire félreismerte volna ezt a lányt. Vagy ha igen, hát valóban ideje lenne már visszavonulnia.

* * *

A kollégiumba való szeptemberi visszaköltözés a végzősöknek majdnem olyan nyomasztó élmény volt, mint az elsősöknek. Mind örültek a vakáció utáni viszontlátásnak, de szinte már az első percekben elhangzott a rettegett szó: érettségi.

– Na hiszen! – a mindig mindent könnyedén vevő, és jól értesült Lenke csak legyintett. – Minden évben több ezer lány és fiú leérettségizik ebben az országban. Nem olyan nagy dolog az. Mi is túlleszünk rajta, és visszatekintve csak nevetünk majd ezen a nagy izgalmon.

– Jaj, Lenke, hallgass már! – torkollta őt le a duci Jojó.
– Igen, jövő ilyenkor már talán nevetni fogok az egészen. Most viszont összeszorul a torkom, valahányszor rágondolok.

Hogy illusztrálja is a mondanivalóját, kezét a torkára tette, és ijedten forgatta a szemét. Olyan vicces látványt nyújtott így, hogy a többiek mind nevetni kezdtek, és egy szempillantás alatt megfeledkeztek a jövő májusban rájuk váró megpróbáltatásról.

Hiszen oly messze volt az még! Még csak szeptember

elején jártak, csodálatos, késő nyári napsütéses idő volt, és előttük állt az egész iskolaév a különféle izgalmaival. Most is hamar a nyári élményekre terelődött a szó, és persze arra, ki milyen pletykákat tud a többiekről, különösen azokról, akik még nem érkeztek vissza a vakációról.

– Hallottam, hogy augusztusban Groó Adélt eljegyezte Szendrey Aliz bátyja – hajolt közelebb a szemüveges Gitta, fontoskodó arccal közölve a nagy hírt.

– Ez aztán az újdonság! – gúnyolódott Jojó. – Már májusban tudtuk, hogy így lesz. Emlékszel a fotóra az újságban?

Gitta leforrázva elhallgatott. Kiderült, hogy Jojó további, izgalmas részletekről is tud, mivel nyáron levelezett Alizzal, így a többi lány csakhamar köréje gyűlt, és izgatottan faggatták vagy éppen tátott szájjal hallgatták.

Megtudták, hogy Andor, az édesapja és a barátjuk, Máriássy Domokos is augusztusban szabadult ki a börtönből. A Szendrey család többi tagja, és persze Adél is, tárt karokkal fogadták őket. A nagy örömbe némi üröm is vegyült: Szendrey Emil súlyosan megbetegedett a börtönben, és az orvosai nem sok jóval biztatják a családot. Természetesen (Jojó szerint), az sem tett jót az idős báró egészségének, hogy a fia kijelentette: feleségül fogja venni a „jöttment" Groó Adélt, akit a lányuk barátnőjeként még csak-csak elfogadtak, ámde az egyetlen fiuk feleségeként... Állítólag a báróné, Cecília asszony is egészen belebetegedett a dologba. Na de, ha már Andort nem tudták megingatni a választásában, legalább arra készültek, hogy kettős eljegyzést tartanak a kisszendrői kastélyban. Szendreyék már régen kiszemelték az idősebb lányuknak a Máriássy fiút, akinek a családja hozzájuk képest egészen tehetős: Szeged környékén vannak földjeik. Domokos boldogan el is jegyezte volna Alizt, ám a lány mindenki legnagyobb döbbenetére kikosarazta a fiút. Egy darabig próbálták jobb belátásra téríteni, de a lány a végén már öngyilkossággal fenyegetőzött abban az esetben, ha kényszeríteni fogják... Így a dolgot – legalábbis a család szerint – egyelőre elhalasztották. Aliz viszont azt írta, hogy ebből soha nem lesz semmi. Ő nem hajlandó hozzámenni Domokoshoz.

Jojó ezzel az elbeszélése végére ért, és elégedett arccal nézett végig lelkes hallgatóságán.

– És miért nem? – kérdezte végül Gitta, aki Máriássy Domokost valamiféle délceg lovagnak képzelte a neve alapján.

Jojó megvonta a vállát.

– Azt nem tudom. Biztosan mást szeret.

– Kit? – kérdezték egyszerre többen is. Jojó a fejét rázta.

– Mondom, hogy fogalmam sincs. Tudjátok mit: ha megérkezik, kérdezzétek meg tőle magától.

Aliz érkezésére nem is kellett sokat várni – a lányok beszélgetése után vagy félórával megjelent egy sofőrrel, és a már jól ismert francia nevelőnővel, aki segített is neki kicsomagolni. Végül aztán úgy alakult, hogy mégsem őt rohamozták meg a kérdéseikkel, ugyanis mihelyt Catherine kitette a lábát, abban a pillanatban belépett Adél, aki maga cipelte egyetlen bőröndjét, és a többiek egy emberként sikítozva és egymás sarkát taposva azonnal köréje gyűltek.

Hiába, mégiscsak ő volt a gyűrűs menyasszony, és ez a tény minden másnál jobban felizgatta ezeknek a kamaszlányoknak a fantáziáját. Jojó nem is teketóriázott sokat – megragadta Adél bal kezét, és akár egy győzelmi trófeát, a magasba emelte. Egy pillanatra mindenki elhallgatott.

– Hol van a gyűrűd? – kérdezte végül csalódottan Lenke.

– Ó, a gyűrűm – mosolyodott el Adél, aki eddig nemigen tudta mire vélni ezt a felhajtást. – Hát, azt egyelőre nem hordhatom. Kőrösi igazgató asszony megtiltotta. Majd ha leérettségiztem.

– A vén csoroszlya! – jelentette ki Jojó dühösen. – A fenébe is, már alig vártam, hogy lássam a jegygyűrűdet. Nem igazság: az igazgatónőnek nincs joga megtiltani, hogy hordjad.

– Mihez nincs joga az igazgató asszonynak? – hallottak egy ismerős hangot a hátuk mögött, mire mind ijedten felé fordultak. Terézia néni állt ott karba font kézzel, és kérdő tekintettel nézett egyikről a másikra.

– Nos? – kérdezte újra.

– Kőrösi igazgató asszony megtiltotta, hogy hordjam a jegygyűrűmet – válaszolta Adél, kihúzva magát, és egyenesen a tanárnő szemébe nézve. – De ehhez természetesen joga volt. Tetszik látni, nem is hordom.

Felemelte a kezét, és közvetlenül Terézia orra elé tartotta, hogy láthassa: nincs rajta gyűrű. A tanárnő visszahőkölt.

– Jól van – motyogta kissé zavartan. – Helyes, ha megtiltotta, ne is hordd. És – ismét körbehordozta a tekintetét a többieken – meg ne halljam, hogy ilyen tiszteletlen hangon emlegetitek az igazgató asszonyt.

Ezzel hátat fordított a lányoknak, és tovább ment a folyosón, némi habozás után benyitva a mellettük lévő hálóba, mintha zavarta volna, hogy a tanítványai őt nézik.

– Na, ezt jól zavarba hoztad – súgta Jojó Adélnak.

– Mert őneki még nem jutott jegygyűrű – fűzte hozzá Gitta, mire mind kuncogni kezdtek. Jojó Adél mellé lépett, és megfogta a kezét.

– Gyere, menjünk ki az udvarra, olyan szép idő van. Ott elmesélheted az egész eljegyzést, meg mindent. Majd' kifúrja az oldalunkat a kíváncsiság!

Vihorászva, fecsegve mind ki is mentek a hálóból, és észre sem vették, hogy Alizt magára hagyták odabent. A lány egy ideig szomorkásan nézett utánuk, majd megvonta a vállát, és tovább hajtogatta a fehérneműjét. Hát, ha ezek az ostoba libák most Adélt rajongják körül ám tegyék! Ha tudnák, hogy őneki micsoda titkai vannak… és hogy nem kevesebbet tett, mint hogy elvette Terézia nénitől a potenciális vőlegényét.

* * *

Az érettségire készülő osztályt a Pálmaházban mindig úgy óvták, akár a hímes tojást, különösen a karácsonyi szünet után, amikor már tényleg kézzelfogható közelségbe kerültek a tavasszal esedékes vizsgák. Januártól a végzősöknek nem kellett segédkezniük sem az ebédlőben, sem a kerti munkákban – minden idejüket és erejüket a tanulásra fordíthatták. No persze csak elméletben. Valójában ezernyi dolog volt, ami sokkal jobban érdekelte ezeket a tizenhét-tizennyolc éves lányokat, mint a közelgő vizsga.

A rangsor élén nyilvánvalóan a szerelem állt. Sokuknak már volt komoly udvarlója, akiknek pedig nem, azok éjjel-nappal arról ábrándoztak, hogy bárcsak lenne. Gyűrűs menyasszony azonban csak egyetlen akadt köztük: Groó Adél, ami komoly rangot adott a lánynak a többiek szemében. Különösen az okozott mindig óriási izgalmat, amikor Andor – a vőlegény! – meglátogatta Adélt és a saját húgát, Alizt. Illedelmes látogatások voltak ezek, cukrászdába, színházba, moziba mentek, ahová Terézia néni is mindig elkísérte őket. És mivel a párocska természetesen folyton egymás mellé ült, valamint az utcán is kézen fogva andalogtak, a tanárnőnek és Aliznak nem volt más választása, mint egymással beszélgetni.

Rendszerint kissé kínos és semmitmondó társalgás volt ez, amelyben mindkét fél kerülte a kényesebb témákat, mint macska a forró kását. Különösen Aliz, aki a szerelmétől, Nagy Ivántól elég sokat hallott Teréziáról. Mivel Iván megfogadta, hogy mindig őszinte lesz a lányhoz, bevallotta, amit Aliz már amúgy is tudott: hogy ő és Terézia évekig szeretők voltak. Azt is tudta, hogy a tanárnő már a házasságot tervezte Ivánnal, amikor a férfi szakított vele. Hál' istennek! Ugyanis most akkor is elvenné tőle, ha a férje lenne. Nem lehetne másképp: Iván élete szerelme, és nem tudna nélküle élni. Pontosan ezért némi szánalommal vegyes ellenszenvet érzett az osztályfőnöknőjük iránt, ám ezt igyekezett minél jobban leplezni. Így aztán többnyire inkább hallgatott.

Terézia viszont nem nagyon értette Aliz húzódozását, mivel régebben a lány olyan kedves, közlékeny, ragaszkodó teremtés volt. Különösen vele, az osztályfőnökével, akivel egykor úgy hasonlítottak egymásra, mintha a nővére lenne… Hol van az már! Terézia keserűen gondolt rá, hogy egy-két év leforgása alatt bizony megöregedett, elhervadt. Talán ezért is viselkednek vele ilyen furcsán ezek a viruló, fiatal fruskák. Úgy érzik, hogy már nincs semmi közös bennük, így nem is lehet mondanivalójuk egymás számára. A tanárnőt elszomorította ez a gondolat, és ilyenkor mindig azon töprengett, mennyire más lenne minden, ha férjhez ment volna.

Hja, mert ugyan igaz, hogy modern időket élünk, amikor egy nő egyedül is megállhatja a helyét, és teljes életet élhet… de azért a vénlány mindig csak vénlány marad, és Terézia nagyon jól tudta, hogy a háta mögött egyre többen tartják őt is annak.

Egy ízben, amikor a délutáni kimenőről sétáltak hazafelé, és szokás szerint szándékosan kicsit lemaradtak, hogy Adél és Andor fültanúk nélkül beszélgethessenek, ugyancsak szokás szerint egy darabig nagyokat hallgatva lépkedtek egymás mellett. Végül Terézia elhatározta, hogy ezúttal megpróbálja feléleszteni a régi bizalmat, és személyesebb témákról beszélget a lánnyal. Mivel nem nagyon tudta, hogyan is fogjon hozzá, úgy döntött, nem teketóriázik, és egyből belevág a közepébe.

– Te, mondd csak, Aliz, neked még nincsen udvarlód? Tudod, csodálkoznék rajta: te sokkal csinosabb vagy, mint sok társnőd. Adélnál is sokkal csinosabb – tette hozzá halkabban. Majd, mivel nem érkezett válasz, folytatta: – Ha még elsős korotokban megkérdeztek volna, hogy vajon szerintem melyik lány fog legelőbb elkelni, hát én téged említettelek volna. Milyen különös fordulatokat tartogat az élet…

Ezt hallva Aliz nagyot nyelt. Erre most mit mondjon? Egyáltalán: mit akar Terézia, miért hozakodott elő ezzel a témával? Csak nem sejtett meg valamit De nem, az teljességgel lehetetlen. Gyorsan összeszedte magát, és a tőle telhető legkönnyedebb hangon válaszolt.

– Tetszik tudni, engem nem vonzanak ezek a buta fiúk, akik udvarolnának nekem, mint például Andor barátai. Egyelőre semmiképpen nem. Szeretnék előbb leérettségizni, aztán majd meglátjuk. Hiszen ráérek még, nem igaz?

Terézia erre megállt, és a lány felé fordult.

– Akkor miért nem tanulsz jobban, te lány? Tavaly óta szinte minden tárgyban rontottál. Volt, amelyikben két jeggyel is! Ha annyira csak az érettségire gondolsz, hogyan lehet ez? Az eszed meglenne hozzá, hogy kitűnő legyen a bizonyítványod, és lám! Azt kell mondanom, hogy manapság még Adél barátnőd is szorgalmasabb nálad. Soha nem hittem volna, hogy egy nap ez is bekövetkezhet.

Aliz lehajtotta a fejét. A tanárnőnek sajnos igaza volt. Pedig tanult ő – jobban mondva órákig görnyedt egy-egy könyv fölött, és az Ivánnal töltött percekről, órákról álmodozott. Az is igaz, hogy Adélnak, vele ellentétben, szárnyakat adott Andor szerelme.

Hm, pedig egyetlen szavába kerülne csak, hogy elválassza őket egymástól. Ha elmondaná Andornak, mi volt közte és a barátnője között hosszú évekig… De Andorka olyan boldognak látszik! És hát nem ő kívánta-e valaha a legjobban, hogy így alakuljanak a dolgok? Nos, ha már itt tartunk: vajon a jó tanárnő mit szólna az ő és Adél „szerelméhez"?

Aliz Teréziára nézett, és elgondolkodva összehúzta a szemét. A tanárnő szinte megijedt a lány furcsa tekintetétől. Megborzongva húzta össze a mellén a kabátját.

– Valami rosszat mondtam, Aliz? – kérdezte.

– Nem, dehogy, a tanárnőnek teljesen igaza van – rázta meg a fejét a lány. – Ígérem, hogy az érettségiig összeszedem magam. Még van pár hónap hátra. Talán majd megkérem Adélt, hogy segítsen – tette hozzá, és elnevette magát.

Terézia néni vele nevetett, de valamiért keserű maradt a szája íze.

Bárcsak ne kellene többé kísérgetnie ezeket a fiatalokat – gondolta. Hiszen valójában semmi köze hozzájuk, és az igazat megvallva még csak nem is kedveli őket. Sebaj, nemsokára tényleg leérettségiznek és elhagyják a Pálmaházat – majd jönnek helyettük kedves, aranyos kis elsősök, akik ismét afféle pótanyaként fognak tekinteni rá.

Kérdés, hogy lesz-e elég türelme velük is végigélni az elkövetkező nyolc évet.

* * *

Február végén hirtelen, egy hét alatt beköszöntött a jó idő. A hó egyik napról a másikra elolvadt, az ereszeken, az esőcsatornákon néha olyan zajosan zubogott le a víz, hogy a tanároknak fel kellett emelniük a hangjukat magyarázat közben. Az iskola parkja valóságos mocsárrá változott a budai helyoldalakról lezúduló hólében – a növendékeket nem is engedték ki, még a sétányokra sem. Nagy Iván naphosszat sárosan, gumicsizmában ásott kisebb-nagyobb árkokat a víz elvezetésére, ezúttal minden segítség nélkül. Terézia egy franciadolgozat közben az osztályterem egyik ablakánál állva, szomorú arccal figyelte a férfi ténykedését. Vajon jól látja, hogy az ő arca is komor, elkeseredett, vagy csak innen messziről tűnik úgy? Különben pedig miért ne lenne az – cudar dolog lehet ebben a sárban dagonyázni. Bár kimehetne neki segíteni… Az előbb mintha felnézett volna ide… Régen, nagyon régen ilyenkor bizonyára elmosolyodott volna, talán lopva integet is. Most azonban még abban sem lehet egészen biztos, hogy felnézett. Talán csak képzelődött.

– Tanárnő kérem…

A közvetlenül mellette megszólaló lányhang halálra rémisztette. Azonnal megfordult, elvörösödve, mintha valami tiltott dolgon kapták volna rajta, és a kezét a szívére szorította.

– Aliz! Istenem, de megijesztettél. Nem is hallottam, hogy felálltál.

– Tanárnő kérem – folytatta a lány. – Kimehetnék egy percre? Nem érzem jól magam.

Valóban halottsápadt volt, és látszott rajta, hogy kis híján összeesik.

– Persze – rebegte Terézia. – Kikísérjen valaki?

– Ne! – Aliz olyan hirtelen vágta ezt rá, hogy a tanárnő szeme elkerekedett. A lány suttogva folytatta. – Tetszik tudni, nem szeretném, ha miattam rontaná el valaki a dolgozatát. Egyedül is boldogulok.

– Jól van – bólintott Terézia. – De ha bármi baj van…

Aliz azonban nem hallgatta végig – sarkon fordult, és szinte futva hagyta el az osztályt. Terézia összeráncolt szemöldökkel nézett utána.

Mi baja lehet ennek a lánynak? Mostanában sokat gyengélkedik, és mindig olyan sápadt, alig eszik… Csak nem az idegei mondták fel a szolgálatot a közelgő érettségi miatt? Máskor is volt már ilyesmire példa.

Beszélnie kellene az igazgató asszonnyal és a lány szüleivel. Nem lesz ennek így jó vége.

* * *

Tanítás után Adél összeszedte a könyveit, és elindult a tanulószoba felé. Úgy döntött, hogy ma nem él a kimenő lehetőségével – Andor úgysem volt a városban, hazautazott pár napra, és nélküle semmi kedve sem volt sétálni a csípős, szeles időben. Inkább tanul. Néha maga is meglepődött rajta, milyen kedvvel nyúlt mostanában a tankönyveihez. Kezdetben azért szedte össze magát, nehogy szégyent hozzon Andorra, de az idő múlásával mintha ráérzett volna a tanulás ízére. Nem, semmiképpen nem lett stréber, az távol állt a személyiségétől, de észrevette, hogy ezzel is tekintélyt tud kivívni az osztálytársai, sőt, a tanárai előtt is. Ezt pedig kimondottan élvezte.

Amióta eljegyezték egymást Andorral, és a tanulmányi eredményei is javultak, Mamával is sokkal jobb lett a kapcsolata. Az anyja mintha újabban büszke lenne rá – egy ízben meghallotta, hogy még Gáborka elé is egyfajta példaképként állította. Ez pedig régebben elképzelhetetlen lett volna. Mama egyébként is sokkal elviselhetőbb lett azóta, hogy régi jó barátja, a rendőrnyomozó Würth Tibor nemrégiben megkérte a kezét. Legalább Gáborkának is lesz végre papája! Adél tehát úgy érezte, kezd elrendeződni az élete. Még túl kell lenni ezen az átkozott érettségin, de azután... agyő, Pálmaház, szervusz, Élet! Kezdődhet a mulatság.

A kihalt folyosón sétálva olyan jókedve kerekedett, hogy legszívesebben dudorászott, vagy fütyörészett volna. De hisz nem is tudok fütyülni – gondolta vidáman. Bezzeg, ha fiú lenne... Andor vajon tud fütyülni? Ám nem töprenghetett tovább ezen a fontos kérdésen, mert hátulról valaki hirtelen megfogta a karját. Ijedten fordult meg, és a legnagyobb csodálkozására Aliz sápadt arcát pillantotta meg maga előtt.

– Beszélnem kell veled – mondta a barátnője. – Van egy perced?

– Hogyne lenne! – Adél megállt, és készséges arccal nézett a másik lányra.

– De nem itt – rázta meg a fejét Aliz. – Menjünk be valahová, ahol nem zavarhatnak.

Nocsak! Adél erre már kíváncsi lett, mert Aliz az utóbbi időben nemigen öntötte ki neki a szívét. Nem is csoda… Andor, Iván, a kettejük kapcsolata. Meg aztán Aliz mostanában senkihez sem volt bizalmas – kivéve Ivánt. Adél persze jól tudta, csakis annak köszönheti, hogy Aliz nem tálalt ki Andornak, hogy ő meg tudott az Ivánnal való viszonyáról, és tartotta a száját.

– Rendben van – sóhajtotta. – Talán menjünk be a hálóba. Ott most senki sincsen. A többiek még ebédelnek, vagy már kimenőn vannak.

– Menjünk – bólintott Aliz, és már el is indult, nyomában az egyre kíváncsibb Adéllal.

A hálóban aztán Adél leült az ajtóhoz legközelebb lévő ágyra, és maga mellé tette a könyveit. Aliz még gyorsan körülnézett, nem bujkál-e valaki valamelyik ágy alatt, vagy szekrényben, majd ő is mellé ült. Megragadta a karját, és egészen közel hajolt hozzá. Mintha meg akarná csókolni – futott át Adél agyán, ám csak egy pillanatra. Á, azoknak az időknek végük. Örökre, ha rajta múlik.

– Terhes vagyok – jelentette ki Aliz minden teketória nélkül. Adélnak néhány pillanatig el sem jutott a tudatáig a szavak jelentése. Majd egyszeriben elsápadt – arca csaknem olyan halovány lett, mint a másik lányé.

– Úristen.… Iván? – mihelyt kimondta a nevet, rá is jött, milyen butaságot kérdezett. Ki más lehetne?

Aliz komoran bólintott.

– És… ez biztos? Úgy értem… nem lehet, hogy valami más...

Aliz lehajtotta a fejét, és a kezébe temette az arcát. Alig lehetett érteni, amit mondott.

– Én is ebben reménykedtem egy darabig. Hogy valami más… De most már biztos, *egészen* biztos! Ó, Adél, mit tegyek? Mi lesz így velem? Velünk…

Adél hallgatott. Hát, ez fogas kérdés. Az az ostoba Iván – gondolta dühösen. Mennyit hencegett neki is, hogy ő tudja, hogyan kell elkerülni minden ilyesféle *komplikációt.* És vele sikerült is elkerülnie, hála legyen a magasságosnak! Akkor Alizzal mi történhetett?

– Iván tudja már? – kérdezte rekedten, majd megköszörülte a torkát. Aliz a fejét rázta. Te atyaúristen!

– Na, akkor először is neki kell elmondanod. Hátha lesz valami épkézláb ötlete. Végtére is, az ő hibája az egész…

Aliz felemelte a fejét, és könnyes szemmel nézett a barátnőjére.

– Nem merem neki elmondani! Mi lesz, ha… ha emiatt meggyűlöl?

– Ugyan már! – Adél türelmetlenül legyintett. De Aliz újra megragadta a karját.

– Emlékszel, mi történt Terézia nénivel! Ővele is szakított, amikor rá akart akaszkodni. Mi lesz, ha azt hiszi, én is csak azért…

Aliz ekkor már zokogott, és Adél a fejét a vállára húzva vigasztalóan simogatta.

– Jól van, ne sírj már! Minden rendben lesz. Vagyis hogy… A mindenit, dehogyis lesz rendben! – megfogta a lány fejét, felemelte, és a szemébe nézett.

– Hányadik hónapban vagy?

– Nem is tudom… a harmadikban lehetek.

– Szentséges Szűzanyám, akkor nemsokára látszódni fog!

Aliz újra eltakarta az arcát, és még keservesebben zokogott. Erre már ő is gondolt. Egy darabig talán sikerül elrejtenie az állapotát, de ahol ilyen sokan laknak együtt, előbb-utóbb lelepleződik. Akkor pedig... mindennek vége!

– Mindenképpen beszélned kell Ivánnal – jelentette ki Adél. – Csak ő segíthet.

– Én azt hittem... – szipogta Aliz, kézfejével az orrát törölgetve –, hogy neked is lesz valami épkézláb ötleted.

– Nos, nekem nincsen. Csak az, hogy beszélj Ivánnal.

Aliz mintha egy kicsit lecsillapodott volna. Elővett a köténye zsebéből egy zsebkendőt, és megtörölgette a szemét, az orrát. Majd bólogatni kezdett.

– Azt hiszem, igazad van. Ebből nincs kiút. És ha emiatt eltaszít...

Aliz nem fejezte be. A másik lány bátorítóan a vállára tette a kezét, és egy kicsit megrázta.

– Á, ne félj már, nem fog. Te más vagy, mint Terézia, téged *szeret*. És bármekkora gazember is, ilyen aljasságra talán még ő sem vetemedik.

Aliz felemelte a fejét, és ránézett.

– Ne beszélj így róla, kérlek – mondta metsző, éles hangon.

Adél megvonta a vállát.

– Kérlek, ahogy gondolod.

Ezzel felállt, felnyalábolta a könyveit, és elindult kifelé. Az ajtóból még visszanézett, és vidáman megjegyezte:

– Azért ha belegondolsz, ez a gyerek... Szendrey Emil unokája, és egyben Suhajdáné dédunokája!

Elismerően füttyentett egyet, és befordult a tanulószobához vezető folyosóra. Jé, mégiscsak tudok fütyülni! –

jutott eszébe, és hangosan felnevetett. Az ablakokon betűző kora tavaszi napsütésben szinte futólépésben tette meg azt a néhány métert a tanulószobáig.

* * *

A délutáni pihenőben a lányok az ágyukon heverészve olvastak, vagy az ölükbe tett könyveken levelet írtak, esetleg elmélázva bámultak maguk elé, aminek ebben az őrült érettségi előtti áprilisban megvolt a maga haszna. Jojó valami sálféleséget kötött, a meghitt csendben idegesítően csattogtatva a kötőtűit. Adél, aki egy új, orgonalila kalapot próbálgatott, előre-hátra forgatva a fején, egy idő után rá is förmedt:

– Jojó, hagyd már abba ezt a csattogást! Az őrületbe kergetsz vele. Különben is, *ilyenkor* minek kötsz sálat? Vége van a télnek, ha nem vetted volna észre.

– Igen, de ezt még decemberben kezdtem el – vágott vissza Jojó. – Karácsonyi ajándéknak szántam, de nem sikerült befejeznem.

Ezekre a szavakra innen-onnan kuncogás hallatszott. Ez a Jojó! Már soha nem fog megváltozni.

– Ne csüggedj, talán idén karácsonyra készen lesz – vigasztalta valaki, amire többekből kirobbant a nevetés.

– Jaj, én már egyáltalán nem tudok az olvasásra koncentrálni – sóhajtott fel Lenke, és az ágya melletti éjjeliszekrényre hajította a kezében tartott regényt. – Ekkora a gyomrom, ni – az ökölbe szorított kezét mutatta. – Hiába mondta Terézia néni, hogy most egy óra hosszáig valami mással foglalkozzunk, ne a tanulással meg a tételekkel. Már huszonöt perce ugyanazt az oldalt bámulom, és semmire sem emlékszem belőle. Pedig imádom Jókait!

– Inkább beszélgessünk – kapott a lehetőségen a pletykafészek Jojó. – Igaz, hogy ez *csendes* pihenő, de beszélgetni lehet csendben is.

Megint nevetés hangzott fel innen-onnan, de a lányok valóban mind letették, amivel eddig foglalkoztak, és Jojó ágya köré gyűltek. Ő elégedetten nézett végig rajtuk, akár egy kotlós a kiscsibéin.

– Na, édeseim – kezdte. – Már nem sokáig élvezhetjük egymás társaságát. Bő két hónap múlva: huss! Volt Pálmaház, nincs Pálmaház!

A többiek elgondolkodva hallgattak. Való igaz, ez nekik is többször eszükbe jutott. Furcsa lesz, mindenesetre. Talán egy kicsikét pityeregnek is majd. Mégis, micsoda boldogság lesz kikerülni innen. Micsoda lehetőségek nyílnak majd meg előttük, belegondolni is borzongató. Ez persze kellemes borzongás.

– Adél, te nem jössz ide? – kérdezte Jojó a még mindig a tükör előtt illegő-billegő lányt. – Hagyd már azt a kalapot, nagyon csinos, ha tudni akarod. Csak nem az Andorkád ajándéka?

Adél megfordult, és Jojóra nézett. Látta, hogy nem csak ő, de a többiek is kíváncsian bámulják, válaszra várva.

– Nem – kezdte óvatosan. – Ezt én vettem magamnak, a Párisi utcai kalaposnál. Andor most... odahaza van, Kisszendrőn.

– Aliz miatt? – kérdezte Lenke halkan.

Úgy tudták, Aliz súlyos beteg, és már egy hónapja otthon ápolják. A betegsége mibenlétéről azonban fogalmuk sem volt. Emlékeztek rá, hogy a karácsonyi szünet után a lány sokat gyengélkedett. Majd egyszer csak eljöttek érte és hazavitték. Azóta semmi hírt nem kaptak róla, és bár sejtették, hogy Adél jóval tájékozottabb, mint ők, eleddig semmit sem tudtak kiszedni a belőle. Adél végre ellépett a tükörtől, és az egyik ágy szélére ült.

– Igen, miatta – mondta szomorúan. – Tudjátok… ezekben a napokban nagy szüksége van rá a családjának.

– De miért, mégis, mi a csuda van Szendreyvel? – kérdezte Jojó kissé türelmetlenül. – Csak nem haldoklik?

A többiek már megszokták, hogy duci osztálytársnőjüknek ami a szívén, az a száján, most mégis felszisszentek.

– Dehogy haldoklik! – fortyant fel Adél. – Hogy mondhatsz ilyet!

Jojó megvonta a vállát.

– Hát, csak azért gondoltam, mert mindenki titkolózik vele kapcsolatban, meg gyászos képet vág, valahányszor szóba kerül. Igazán nem akartam semmi rosszat. És… hogyan fog így leérettségizni?

– Magánúton – válaszolta Adél, mire mindenki felkapta a fejét.

– Akkor hát már nem is fogjuk viszontlátni? – kérdezte Gitta szomorúan. Neki nagyon hiányzott a mindig kedves, szelíd Aliz, még akkor is, ha az utóbbi időben mintha tényleg nem lett volna vele rendben valami. Olyan furcsán viselkedett néha, ám biztosan a betegsége miatt.

Adél megrázta a fejét.

– Úgy tudom, nem fog többé visszatérni a Pálmaházba. De ne faggassatok, igazán nem mondhatok többet. Különben is vége a pihenőnek, uzsgyi vissza tanulni!

A többiek erre felálltak és nagyokat sóhajtozva, nyújtózkodva összeszedelőzködtek, majd elindultak a tanulószoba felé. Adél elgondolkodva nézte egy darabig a kezében lévő kalapot, majd az ágyára dobta, és ő is a többiek után ment.

* * *

Vacsora után a lányok már mind lefekvéshez készülődtek, amikor Adél legnagyobb meglepetésére egyszer csak Irma jelent meg a szekrénye mellett, ahol a ruháit rakosgatta.

– Még ne vetkőzz le – mondta neki a lány, mire Adél meglepetten bámult rá. Mit akarhat tőle Irma?

– Mondd azt, hogy egy kis levegőzésre van szükséged. Terézia meg fogja engedni, hogy sétálj egyet a parkban. Mondd, hogy én is veled megyek, akkor gyanakodni sem fog.

– De minek mennék én a parkba?

Irma közelebb hajolt, és dühösen súgta.

– Iván akar veled beszélni, te liba! Mit gondolsz, én szeretnék veled andalogni a holdfényben?

Adél visszaakasztotta a fogasra a kezében tartott pongyolát, és Irma után indult. Nahát, Iván! Már jó ideje nem beszéltek egymással. Gyanította, hogy most sem az ő két szép szeméért akar vele találkozni.

Irmával a park egyik távolabbi részébe, Rudolf trónörökös szobrához mentek, amely tavaly egy ízben titokzatos körülmények között ledőlt. Szerencsére nem tört össze így gyorsan visszaállították a helyére, de felhívták a lányok figyelmét, hogy inkább ne menjenek a szobor közelébe, mert balesetveszélyes. Most Irma mégis itt állt meg, és Adél felé fordult.

– Iván mindjárt itt lesz. Szólok neki.

– Várj, Irma – szólt utána Adél. – Ha nem együtt megyünk vissza, Terézia gyanút fog.

Irma gúnyosan elmosolyodott.

– Ne félj, megvárlak, nélküled nem megyek be.

Amúgy… régebben nem igazán zavart, mit gondol rólad Terézia, vagy éppen bárki más.

Ezzel hátat fordított neki, és elindult a nagyanyja kulipintyója felé. Adél óvatosan egy kicsit odébb lépett Rudolftól, és leült a legközelebbi pad sarkára. Iván feltűnően gyorsan, néhány pillanat múlva megérkezett. Valószínűleg nem is odabent, a kulipintyóban várta Irmát. Adél felállt, és egy darabig döbbenten bámulta a férfit. Úristen, mi történhetett vele?

Még az esti félhomályban is nyilvánvaló volt, hogy Iván nagyon rossz bőrben van – lefogyott, az arca megvékonyodott, a szeme beesett volt, és mintha még a válla is meggörnyedt volna. Egyenesen ijesztő látványt nyújtott. A lány egy lépést hátrált is, mire Iván szinte leroskadt a padra. Adél óvatosan leült a pad másik szélére, és Iván felé fordult.

– Hát itt vagyok – rebegte. – Irma azt mondta, beszélni akarsz velem.

Iván felkapta a fejét. Fekete szeme szinte parázslott a lenyugvó nap fényében.

– Már egy hónapja beszélni akarok veled – mondta keserűen. – De mostanában egészen megközelíthetetlen lettél. A leendő báróné, Szendrey Andor jegyese! Értem én, hogy már rá se nézel a magunkfajtára.

– Hagyd már ezt – szakította félbe Adél. – Biztosan nem emiatt hívtál ide.

– Nem – bólintott Iván, majd egy hirtelen mozdulattal közelebb húzódott a lányhoz, és vasmarokkal megragadta a karját. – Hol van? – kérdezte rekedten. – Hová vitték?

– Alizt?

– Ki mást? Az isten szerelmére, beszélj! – Iván kétségbeesetten megrázta Adél karját.

– Jól van, eressz el! Te tényleg nem tudod?

Iván erre elengedte a lányt, és a kezével eltakarta az arcát.

– El sem búcsúzott tőlem – panaszolta, akár egy kisfiú, akit igazságtalanul megbüntettek. – Egy szót sem hallottam felőle. Egyszerűen nem tudom, kihez fordulhatnék. Téged kereslek már hetek óta, de nem tudtam a közeledbe férkőzni. Kérlek, mondj róla valamit, bármit!

Adélnak erre megesett a szíve a férfin. Úristen, hát valóban ennyire szereti Alizt? Sokkal jobban – hasított a szívébe a felismerés –, mint ahogyan Andor őt valaha is szerette, vagy szeretni fogja.

– Jól van – mondta végül. – Ha tényleg nem tudod… Bár én megmondtam neki, hogy beszéljen veled. Jogod van tudni.

– Mit, az istenit neki! – Iván szinte kiabált.

– Ne káromkodj és ne ordíts! – Adél nyugtalanul nézett körbe. – Még meghallják – kicsit még közelebb húzódott a férfihoz. – Aliz gyermeket vár.

– Micsoda?

– Szóval tényleg nem tudtad! – Adél őszintén meglepődött. – Mégsem mondta el neked. Tudod – suttogta –, félt, hogy elhagynád. Ahogyan Teréziát is.

– Micsoda? Miről beszélsz?

– Nekem legalábbis ezt mondta. De várjuk csak… te sírsz?

Felemelte a kezét, és megérintette Iván arcát. Valóban könnyes volt.

– Szegény Iván! – mondta gyengéden. – Te tényleg nagyon szereted őt, igaz? Ha ez vigasztal, ő is szeret téged. Tudod mit?

Iván reménykedve felemelte a fejét. Adél hangja egészen vidáman csengett. Talán kifundált valami megoldást ez a kis bestia, a csavaros eszével. Kérdőn nézett rá, szívdobogva várva, mit fog mondani. Adél hátradőlt a padon, és könnyed, csevegő hangon folytatta.

– Mi lenne, ha elmennél Kisszendrőre? Mielőtt még valami visszavonhatatlan történne. Andor leveleiből tudom, hogy egy „végleges megoldáson" gondolkodnak, hogy megússzák a botrányt. Egyelőre azért nem történt meg, mert Aliz nem akarja, ragaszkodik a gyerekhez, és az édesanyja is tiltakozik. Aggódik a lánya egészségéért. Emil báró is súlyos beteg, így most Andor a családfő, de neki meg sejtelme sincs, mi lenne a legjobb. És nemsokára kifutnak az időből.

– És mi lesz, ha odamegyek? – kérdezte Iván tanácstalanul.

– Engem kérdezel? Hát találj ki valamit, drágám. Állj eléjük, jelentsd be, hogy te vagy az apa, és kérd meg Aliz kezét. Vagy szöktesd meg.

– Te megőrültél!

– Ha tudsz jobbat…

Iván egy darabig hallgatott, majd alig hallhatóan megszólalt.

– Nem tudok jobbat.

Másnap Nagy Iván szőrén-szálán eltűnt a Pálmaházból. Ugyanazon a napon kapták a hírt, hogy az igazgatónő, Kőrösi Pálma váratlanul rosszul lett az irodájában, és mire a legközelebbi kórházba értek vele, meghalt. Mikor előkeresték a végrendeletét, mindenki döbbenten vette tudomásul, hogy az egyedülálló, tehetős hölgy minden ingó és ingatlan vagyonát Nagy Ivánra, az iskola kertészére hagyta.

6. FEJEZET

1929-30.

Aliz kíváncsian lapozgatta az asztalon heverő újságokat, amelyek mind az amerikai eseményekkel voltak teli. A lapok a hagyományaiknak megfelelően hol tárgyilagosabb, hol drámaibb hangnemben számoltak be a történetekről. Ám mindegyik igyekezett minél több képpel illusztrálni a leírtakat. Aliz inkább ezeket nézegette, és csak a rövidebb cikkeket olvasta végig, amelyek a drámai napok egy-egy személyes vonatkozását emelték ki, vagy éppen összefoglalták a tőzsdekrach előzményeit és várható következményeit. A hosszabbakat, amelyekben a bonyolult pénzügyi és banki tranzakciókat, valamint a részvénypiac látványos összeomlását taglalták, csak átfutotta. Úgysem ért ő az ilyen dolgokhoz! Ámbár valóban jó lenne megérteni, igazából mi is történt, és főleg miért. Úgy tűnt, az egész világ döbbenten és értetlenül figyelte a New York-i Wall Streetről kiinduló dráma egyre hihetetlenebb eseményeit.

Leginkább a fotókon lehetett érzékelni, micsoda emberi tragédiák húzódtak meg a száraz tények és számok mögött. Aliz hosszasan mustrálgatta a fényképeket, megpróbálva kivenni a rajtuk látható emberek arcát. Ez néha nem is volt egyszerű, hiszen a riporterek sokszor az utcán, a tőzsde épülete előtt hömpölygő tömeget fényképezték. Az arcokat itt persze nem lehetett tisztán látni, a róluk áradó rémület és pánik mégis szinte tapintható volt a fotókon. Egy másik (talán félig-meddig beállított) felvételen egy utcán heverő holttestet lehetett látni, egy jól öltözött, jólfésült, pomádés hajú fiatalemberét, aki a képaláírás szerint kivetette magát a Wall Street egyik sok emeletes házának az ablakából. Egy harmadikon ugyancsak divatos öltönyt viselő fiatal férfi látszott, aki a tőzsde bejáratánál térdre roskadva, arcát a kezébe temetve vette tudomásul, hogy az egész addigi élete összeomlott alig néhány óra leforgása alatt.

– Istenem, de szörnyű – rebegte Aliz, és a *Tolnai Világlapjá*t az asztalra hajítva lehajtotta a fejét, és megsimogatta már enyhén domborodó hasát. – Remélem, mihozzánk nem ér el ez az egész. Vagy legalábbis nem így. Mi amúgy is annyit szenvedtünk már – suttogta, majd elmosolyodott. – Persze, neked mondhatom, igaz? Te még nem törődsz ilyesmikkel, és tudod mit? Igazad is van!

Mostanában szokott rá, hogy hosszú beszélgetéseket folytasson a benne fejlődő magzattal. Érdekes, amikor az előző kettővel volt terhes, nem érezte úgy, hogy meg kell osztania velük minden újságot, élményt, vagy gondolatot. Talán azért, mert ők fiúk voltak. Akkor hát ő végre lány lesz? Aki felnőve akár a barátnője, bizalmasa is lehet. Vagy még előbb. Lám, már most is milyen jól eldiskurálnak.

Aliz elmosolyodott, és álmodozva bámult maga elé, miközben szórakozottan továbbra is a hasát simogatta. Észre sem vette, hogy Irma belépett az ebédlőbe, és egy ideje már az ajtóban állva figyeli őt.

– Készen vagy? – kérdezte végül, mire Aliz összerezzent. A csudába, ez a lány egyszer halálra fogja ijeszteni! A frászt hozza az emberre, ahogy hirtelen előbukkan a semmiből. Hiába, Irma nem kedvelte őt, és ezen Aliz már nem is próbált változtatni. Csak azon igyekezett, hogy kialakítsanak valami civilizált egymás mellett élést – szerencsére ez a tágas Pálma-lakban nem is volt olyan nehéz.

Több mint két éve, huszonhét nyarán költöztek be ide, némi viharos közjáték után, ami Kisszendrőn, a Szendrey család ősi birtokán játszódott le. Aliz akkor már hónapok óta mindentől és mindenkitől elzárva élt a kastélyban, hogy a „szégyenteljes" állapotát valahogyan eltitkolják a világ elől. Szóba került, hogy orvosi beavatkozással próbálnak megszabadulni a nem kívánt gyermektől, ám bárkihez fordultak is, mindenki azt közölte, hogy ilyen előrehaladott terhesség mellett már nem vállalja a műtétet. Túl kockázatos lenne – csóválták a fejüket az orvosok, hacsak el nem hajtották őket abban a minutumban, mihelyt meghallották, miről van szó. A családi kupaktanács ekkor az örökbeadás mellett döntött, de erről Aliz hallani sem akart. Mivel édesapja – aki azóta meg is halt – akkoriban már nagyon beteg volt, és ami még fontosabb, minden életkedvét, erejét is elveszítette, átadta az irányítást a fiának, és Aliz akkor tudta, hogy nyert ügye van. Andorka túlságosan szerette őt ahhoz, hogy fájdalmat okozzon neki. Meg aztán valahogyan soha nem is volt olyan határozott jellem, mint Szendrey Emil báró, aki még a család fokozatos lecsúszása ellenére is mindvégig megőrizte a tekintélyét és a befolyását.

Andornak fogalma sem volt, hogy mit tegyen, és a család többi tagja egyáltalán nem könnyítette meg a dolgát. Emil báró bezárkózott a szobájába, és az ágyában fekve, szivarozva régi könyveket olvasott – azt mondogatta, hogy ő már úgyis a halálán van, tehát nem avatkozik bele, bárhogyan dönt is a fia. Cecília asszony folyton migrénre és egyéb rejtélyes betegségekre hivatkozott, valahányszor szóba került Aliz ügye, Ágóka pedig, a legfiatalabb testvér hisztérikus jeleneteket rendezett, amiért Aliz mindörökre tönkretette az esélyét annak, hogy ő tisztességesen férjhez menjen.

Andornak tehát nem volt könnyű dolga, és az igazat megvallva egészen megkönnyebbült, amikor egy este váratlanul beállított régi ismerőse, Nagy Iván, és kijelentette, hogy ő a gyerek apja, valamint hogy most azonnal magával viszi Alizt. Felszabadultságát fokozta, hogy amikor a lány is előkerült, se szó se beszéd, a gazfickó karjaiba vetette magát. Andor legnagyobb döbbenetére kiderült, hogy már régóta szeretik egymást, titkos viszonyt folytattak, és Aliz hajlandó vele elmenni bárhová, akár egy szál ruhában is.

A lány még ma is elmosolyodott, amikor felidézte a bátyja arcát, ahogyan az egymást átölelő párt nézte. Látszott, hogy nemigen hisz a szemének, de aztán csak megvonta a vállát.

– Menjetek hát – mondta. – Isten hírével! Maga, barátocskám, a jég hátán is megél, és ha Lizinek ez megfelel, ám legyen. Csak egy kikötésem van: a továbbiakban nem akarok tudni magukról. Megértették? Enélkül is van elég baj a családban, ami mind az én vállamat nyomja. Tehát boldoguljanak, ahogyan tudnak. Én leveszem a kezem magukról.

Iván erre mintha csak megvetően felhorkant volna. Nohát, majd éppen Andorhoz jönnének kuncsorogni! Majd csak lesz valahogy. Mikor Aliz gyorsan összekapkodta a holmiját, és mindenkitől elbúcsúzott, Andor csak annyit mondott Ivánnak:

– Vigyázzon rá!

Majd csak lesz valahogy. Ezt már a Budapest felé tartó vonaton mondogatták, egymás kezét fogva, izgatottan, boldogan az előttük megnyíló új élettől, holott akkor még nem is tudták…

Aliz újra elmosolyodott. A sors ugyanis akkor közbeszólt, és Kőrösi Pálma vagyonát megörökölve már egyáltalán nem kellett aggódniuk a jövő miatt. Nemsokára be is költöztek a hársfaillatú utcában álló Pálma-lakba – persze Nyanyával és Irmával együtt, akiket Iván természetesen nem hagyott magára.

– Na tessék, Pálmaházból Pálma-lakba – jegyezte meg Irma fitymáló hangon, ami meglehetősen igazságtalan volt, ugyanis a tágas, öt hálószobás villát egyáltalán nem lehetett az egykori kollégiumukhoz hasonlítani. Aliz indítványozta, hogy esetleg kereszteljék át a házat, ám erről Iván hallani sem akart. Állítólag Kőrösi Pálma is kikötötte ezt a végrendeletében.

Az idős Suhajdáné nem sokkal a beköltözésük után meghalt, Irma viszont velük maradt, és Aliz belátta, hogy minden bizonnyal még hosszú évekig velük fog élni, hacsak nem örökre. Nem tartotta valószínűnek, hogy a csúnyácska, tüskés modorú lány egyhamar férjet találjon magának, és úgy tűnt, hogy Irma nem is nagyon keres. Igyekezett hát kedvesen, barátságosan viselkedni egykori osztálytársával, mostani sógornőjével.

– Akkor menj már – noszogatta őt Irma karba tett kézzel, szigorú ábrázattal. – Még elkésel, és azt Iván nem szereti.

– Jól van – sóhajtott Aliz. – Máris felveszem a kabátomat. Meg elbúcsúzom a fiúktól. Csak egy perc.

Felállt, és elindult a gyerekszobába, ahol a dajkával játszott a két kisfiuk, a kis Iván és a kis Emil. Irma szúrós szemmel nézett utána, majd a faliórára tévedt a tekintete, és megcsóválta a fejét. Micsoda felelőtlen egy perszóna! Miért pont ebbe habarodott bele Iván? Ott volt az a másik, az Adél, akivel a bátyja sokáig összeszűrte a levet. Ennél még az is jobb lett volna, bár... az talán már régen kitette volna a szűrét. Kitelt volna tőle! Legalább Aliztól e tekintetben nem kell tartania.

Iván viszont biztosan dühös lesz, ha a neje elkésik a vacsoráról. És persze őt fogja hibáztatni, nem a tökéletes, felülmúlhatatlan Alizt. Ej, amióta feleségül vette, és gyors egymásutánban immár harmadszor ejtette teherbe, mintha teljesen meggárgyult volna. Alizon és a gyerekeken kívül szinte semmi sem létezik számára. Irma érezte, hogy őt is jobbára könyörületből fogadták be, és tartják el. Mihez is kezdene nélkülük! Igaz viszont, hogy pontosan ezért napról napra jobban gyűlölte őket – vagyis Alizt, hiszen Ivánt még mindig bálványozta, bár már nem anynyira fenntartások nélkül, mint kislány korában.

Aliz ekkor megjelent, és Irma irigykedve látta, hogy már megint sikerült néhány röpke pillanat alatt, és minden észrevehető erőfeszítés nélkül kifogástalanul elegánsan felöltöznie, és kifestenie magát.

– Készen is vagyok, Irmus – szólította meg a lányt kedvesen. – Látod, kár volt izgulni. Ha késék pár percet, semmi baj. Iván nem tud rám haragudni, a polgármester pedig várhat kicsit. Mikorra hívtad a taxit?

Irma erre csak felszegte az állát, de nem válaszolt. Aliz valóban nem veszi észre, hogy néha úgy beszél vele, akár egy cseléddel?

– Már itt van a taxi – mondta végül mogorván. – És igenis udvariatlanság megvárakoztatni a polgármestert, vagy akár Ivánt, ha tudni akarod.

Irma tisztában volt vele, hogy a mai találkozó menynyire fontos Iván karrierje szempontjából. A férfi már két éve dolgozott a városházán, kezdetben egyszerű alkalmazottként, és mint eddigi életében mindig, most is hatott személyes varázsa, és lassan sikerült Ripka Ferenc főpolgármester bizalmába férkőznie. Hamarosan talán kinevezik a Székesfővárosi Kertészeti Vállalat vezetőjévé, és ez a ma esti vacsora a főpolgármesterrel és a feleségével fontos lépés lehet a zsíros állás elnyeréséhez vezető úton. Irma a maga részéről hatalmas megtiszteltetésnek érezte volna, ha őt meghívják egy ilyen eseményre, és bosszantotta, hogy Aliz – talán szándékosan – ilyen könnyedén veszi a dolgot.

Lehetséges, hogy nem tudja, Ivánnak milyen fontos a mai este? Vagy neki éppenséggel mindez olyan természetes, akár a levegővétel? Irma sokáig bámult az Alizzal elszáguldó taxi után, majd megfordult, és visszament a nappaliba, ahol az asztalhoz leülve kezébe vette az Aliz által imént forgatott újságokat. Ekkor azonban éktelen visítás törte meg a villa csendjét, mire a lány az égnek emelte a tekintetét. Ez is jellemző: a két kisördög csak akkor kezdi el gyilkolni egymást, amikor az anyjuk már kitette a lábát az ajtón. Mérgesen lecsapta az újságot, és elindult a gyerekszobába: tapasztalatból tudta, hogy Sári, a fiatal, kissé mulya vidéki lány, a fiúk dajkája ilyenkor egyedül képtelen rendet teremteni.

* * *

Andor gondterhelten lapozgatta és silabizálta az előtte heverő szerződéseket, számlákat és váltókat. Az apja, Emil báró csak néhány hete halt meg – mindenki meglepetésére Cecília asszony férje előtt távozott az élők sorából –, és fiuk még mindig nem látta át teljesen a birtok kusza pénzügyeit. Azt mostanra felmérte, hogy rettenetesen el vannak adósodva. Utólag neheztelt is kissé az édesapjára (bár halottakról vagy jót, vagy semmit!), amiért még akkor is dúsgazdag mágnásként próbált élni, és a birtokát igazgatni, amikor már mindenki számára egyértelmű volt, hogy vége van azoknak az időknek. Úgy viselkedett, akár XV. Lajos francia király, aki a birodalma egyre szaporodó gondjait azzal a híres-hírhedt mondással hárította, hogy: „utánam az özönvíz". Szendrey Emil ezt nem mondta ki nyíltan, mostanra azonban Andor látta, hogy így gondolkodott. Hadd törje csak a fia a fejét, hogyan másszon ki a slamasztikából, mit kezdjen a rászakadó csődtömeggel. Ráadásul a tavalyi év, a huszonnyolcas, borzalmasnak bizonyult a mezőgazdaság szempontjából. A termés is rossz volt, és az értékesítési feltételek is romlottak az előző esztendőkhöz képest. Catherine-t, a francia nevelőnőt is ekkor küldték haza – Andor számára ez jelentette a vég kezdetét.

A férfinak halvány fogalma sem volt róla, hogyan oldja meg a helyzetüket. Csakis egy kiutat látott: eladják a kisszendrői kastélyt és a birtokot. Mindent. Akkor talán vissza tudják fizetni a nyomasztó adósságot, és… és semmijük sem marad. Ám valamit valamiért. Andor végigsimította nyirkos homlokát. Igen ám, de hogyan mondja el ezt Adélnak? Eladni a kastélyt! Adél büszkeségét, szeme fényét, amihez – Andor néha ezt gyanította – még a férjénél is jobban ragaszkodott. Mióta tervezgette már, hogy felújítják, ha egy kicsit „összeszedték magukat" és akkor a régi fényében tündökölhet majd az épület. Még Ágotával, a húgával is könnyebb lesz elfogadtatnia a megváltoztathatatlant, pedig ő itt született. Adél csak két éve élt e helyütt – lehetséges, hogy éppen ezért ragaszkodott ennyire a kastélyhoz. Itt végre úgy érezhette, hogy az élet kárpótolta őt, és egy hozzá, valamint újdonsült bárónéi címéhez méltó helyen lakhat.

Efeletti örömét fokozhatta, hogy tudta, régi barátnője, Aliz, aki szintén ebben a kastélyban nőtt fel, most egy puccos budai villában él a férjével és a gyerekeivel. El sem tudta volna képzelni, hogy ő ennél kevesebbel beérje. Hogyne, amikor annyi év várakozás, és annyi fondorlat után végül megszerezte magának a pompás Szendrey Andort, és a hőn áhított bárónéi címet! Ami azonban a kastély és a birtok nélkül nem sokat ért.

Andor összeszedte a szanaszét heverő papírokat, beletette egy szigorú külsejű fekete bőrmappába, behunyt szemmel fohászkodott egyet, majd felállt, és elindult az emeleti úgynevezett zöld szalonba, amely egykor édesanyja kedvenc szobája volt, és a felesége is ott tartózkodott a legszívesebben. Tudta, hogy Adélt ilyenkor ott találja.

Nem is csalódott. Adél az ablak mellett ült, a kisasztalon álló hatalmas világvevő rádió mellett (ez még Emil báróé volt, de a halála után Adél ide hozatta), és a homlokát ráncolva a behemót szerkezet gombjait csavargatta. Andor az ajtóban állva diszkréten megköszörülte a torkát, hogy felhívja magára a figyelmet, Adél azonban egy kézmozdulattal leintette.

– Csitt! – súgta. – Azt hiszem, megvan.

Közelebb hajolt a rádióhoz, és állított egy keveset a hangerő szabályozó gombján. Az eddigi halk recsegés ettől felerősödött, ez azonban minden más hangot elnyomott. Adél még egy kicsit arrébb tekerte az állomáskeresőt, és ekkor már viszonylag tisztán ki lehetett venni a beszédet is. Az asszony elégedetten egyenesedett fel, és az arcán feszült figyelemmel hallgatta az adást.

– *Halló, halló* – mondta be egy kellemes, tiszta női hang. – *Itt a rádió Budapest 1, és a közvetítőállomások...*

Adél Andorra nézett.

– Ez ő – mondta. Az arca furcsán sápadt volt, a szeme csillogott. Andor bosszúsan az égnek emelte a tekintetét.

Furcsa volt Aliz hangját így, a rádió torzító recsegésén keresztül hallani az ősi családi lakban. Mikor először hallotta, Andor szíve összefacsarodott. Ma már néha bánta, hogy annak idején olyan csúful kitette a szűrét a húgának és a szeretőjének. Talán nem kellett volna azt mondania, hogy többé nem akar hallani róluk. Bizony komolyan vették, és azóta feléjük sem néztek.

Pedig felvitte az Isten a dolgukat. Iván nemcsak hogy rengeteg pénzt és egy házat is örökölt attól a vénkisasszony igazgatónőtől, most még valami fővárosi tótumfaktum is lett. A *Pesti Naplóban* írtak a kinevezéséről. Aliz pedig a néhány éve működő rádiónál kapott állást – úgynevezett „szpíker*'" lett belőle, és napról napra ezrek hallhatták a hangját az éteren keresztül. Már ő is szerepelt különböző képeslapokban, és komoly rajongótábora volt a rádióhallgatók között – holott nem tett sok mindent azon kívül, hogy kedves, megnyerő hangon felolvasta azt, amit időről-időre eléje raktak.

Andor úgy tudta, hogy Weygand Tibor, az egykori báráénekes szerezte a húgának ezt az állást, akivel valamikor réges-régen az Abbázia kávéházban ismerkedtek meg. Hogy hogyan találkoztak újra, azt nem sikerült kiderítenie, de igazából mindegy is volt. Ezt az apró részletet már úgysem merte elmondani Adélnak, aki amúgy is sárgult az ⸱

---

* Bemondó

irigységtől Aliz és a férje sikerei miatt. Azóta mindennap megszállottan hallgatta a rádiót, várva, hogy mikor csendül fel Aliz hangja. Mintha csak saját magát akarná ezzel kínozni. Lám, most is...

– Hagyd már! – szólt rá Andor. – Kapcsold ki ezt az átkozott masinát, kérlek. Beszélni szeretnék veled.

– Te persze büszke vagy rá, igaz?

– Miről beszélsz?

– Hát Alizról. Látom az arcodon, hogy titokban hízik a májad. Nem gondoltad volna, hogy ez lesz belőle, mi, amikor egy szál ingben kidobtad őket?

– Hagyd már, mondom! Különben sem egy szál ingben dobtam ki... De most nem erről akarok beszélni.

Andor közelebb lépett, és a fekete mappát letette a szalon közepén álló asztalra.

– Megtennéd, hogy idejössz te is? – kérdezte a feleségét, aki rosszat sejtve állt fel, és lépett az asztalhoz.

– Mi ez? – kérdezte, a gyászos külsejű paksamétára mutatva.

– Ülj le, és elmondok mindent.

Adél szót fogadott. Most még sápadtabb volt, mint az előbb, amikor a rádióban Aliz hangját hallgatta. Már napok óta sejtette, hogy Andor valami súlyos dolgot titkol előle, de eddig nem mert tőle semmit sem kérdezni. Ösztönösen érezte, hogy jobb, ha nem tudja. Ám az is nyilvánvaló volt, hogy előbb-utóbb neki is szembesülnie kell a megváltoztathatatlannal.

– Tönkrementünk, igaz? – kérdezte, a lényegre térve. Legalább megkíméli Andort a felesleges szócsépléstől. A férje arcán látta is, hogy ezekre a szavakra mintha megkönnyebbült volna.

– Úgy van, ahogy mondod, drágám – válaszolta komoran bólintva. – És most jól figyelj. Igyekszem olyan rövidre fogni, amilyenre csak lehet. Ám azt előre bocsátom, hogy semmi más kiutat nem látok…

– Mint azt, hogy eladjuk a birtokot – fejezte be helyette Adél, aki ekkor az asztalra hajtotta a fejét, és halkan zokogni kezdett. Andor egy darabig megrendülten nézte, majd felállt, a felesége mellé húzta a székét, és átölelte az asszonyt.

– Jól van, kicsim. Ne sírj! Minden rendben lesz, meglátod. Ha nem adunk el mindent, előbb-utóbb elárverezik. De sebaj, hiszen mi ketten még mindig itt vagyunk egymásnak, nem?

Adél erre nem válaszolt. Hát igen. Csakhogy Andor, a drága Andorka a kastélyával, a birtokával, a kocsijaival és a Bécsben, Párizsban varratott öltönyeivel *együtt* volt az ő egyetlene, élete szerelme. Ha csak ketten maradnak egymásnak… szép, szép, csakhogy ez neki – ebben a pillanatban úgy érezte – vajmi kevés.

Ráadásul kétségtelenül jóképű és elegáns férje az ágyban sem volt olyan jó, mint egykori szeretője, Nagy Iván.

* * *

Ezen a héten már harmadszor hívták Ivánt és Alizt vacsorázni – ezúttal újdonsült barátaik a rádióból: fiatal színészpalánták, énekesek, szpíkerek, riporterek, akik ugyan elsősorban Aliz ismerősei voltak, és Iván kicsit feszélyezve érezte magát közöttük, de azért mindig elkísérte a feleségét. Több okból is. Először is: őt ugyancsak hívták, és udvariatlanság lett volna visszautasítani az invitálást. Másodszor: Aliz szerint az ő karrierje és társadalmi elfogadottsága szempontjából is kívánatos volt, hogy jó kapcsolatokat ápoljon a társasági és művészet élet legújabb „csillagaival", akik lassacskán nagyobb befolyással (és vagyonnal) rendelkeztek, mint a régi, arisztokrata családok sarjai. Harmadszor: egyáltalán nem tetszett neki, ahogyan a jóképű, behízelgő modorú Weygand Tibor a szeme láttára gátlástalanul flörtölt a feleségével. Ha az orra előtt ezt műveli, vajon hogyan viselkedne, ha csak Aliz lenne jelen?

Ma ismét a Royalban gyűltek össze, ennek a fiatal, zajos társaságnak a törzshelyén, ahol tavaly még magát Josephine Bakert is alkalmuk volt megcsodálni. Gyakran hívtak ide külföldi vendégszereplőket; most éppen egy Funny nevű amerikai táncoskomikus lépett fel. A műsora közben szinte egy pisszenést sem lehetett hallani a teremben, ám amint véget ért a vendégfellépés, és az állandó zenekar lépett a színpadra, mindent betöltött a szokásos zsibongás, egymás után pukkantak a pezsgősdugók, és az ő asztaluknál is egyre nagyobb lett a jókedv.

Hamarosan táncra perdülnek – gondolta Iván, de ezt most egyáltalán nem bánta. Eleinte félt attól, hogy felsül e díszes társaság előtt, hiszen tánctudományát nagyrészt Teréziának köszönhette. Szerencsére azonban most is kiderült, hogy természetes tehetsége van a tánchoz. És különben ezek a modern, ugrándozós-szökdécselős táncok sokkal könnyebbek voltak, mint a keringő és a tangó, amelyekre Terézia annak idején megtanította. Szinte csak a ritmusra kellett odafigyelnie, ennyi volt az egész. Mikor megbizonyosodott róla, hogy nem is olyan ügyetlen (ezt Aliz is megerősítette), már fel mert kérni másokat is, nem csak a feleségét.

És azt is észrevette, hogy ezek az elkényeztetett, divatmániás fruskák is éppen olyan vágyakozó szemeket meresztenek rá, mint az összes nő, akivel dolga volt. Kivéve persze Helénát, akit máig sem tudott teljesen kiverni a fejéből.

Mindent egybevéve mégsem szeretett nyilvános helyen táncolni (odahaza, a gramofon mellett, Alizt átölelve persze egészen más volt). Ezúttal azért örült neki mégis, mivel a vacsoraasztalnál taglalt téma igazán nem volt ínyére való.

Mint mostanában az égvilágon mindenhol, itt is a New York-i tőzsdekrachról folyt a szó, és Iván ehhez még annyira sem tudott hozzászólni, mint amikor a beszélgetés a divat, a filmszínészek és a legújabb slágerek körül forgott.

– Hallottátok, hogy még mindig *tömegesen* lesznek öngyilkosok? – kérdezte egy fekete bubifrizurás lány, akinek vékonyra kiszedett szemöldöke és a szeme is koromfeketére volt festve, a fején körbefutó pántba pedig hátul egy hatalmas, vérvörös tollat tűzött. Bizonyára a „végzet asszonyát" szerette volna alakítani, ami talán sikerült volna, ha nem olyan fiatal. Talán még húszéves sem volt.

– Tömegesen, bah! – felelte egy frakkos, brillantinos hajú fiú, valami Ottó nevű, aki közvetlenül Ivánnal szemben ült, és egész este szándékosan az arcába fújta a cigarettafüstöt. – Ne beszélj ostobaságokat, Lujzi. Az ember már azt hinné, hogy egymás után ugrálnak az óceánba, mint a lemmingek.

– Lemmingek? – kérdezett vissza Lujzi, és elszántan ő is megszívta hosszú szipkás cigarettáját, holott ma este már vagy kétszer alaposan megköhögtette a füst. – Azok meg micsodák, pubikám?

– Á, hagyjuk! – a fiú unottan legyintett, és sokatmondó pillantást vetett Ivánra. – Amúgy… nekem igazán mindegy, hányan ugrálnak ott ki a felhőkarcolókból. Csak idáig ne érjen el a válság.

– Már el is ért – vette át a szót egy nagydarab, szőke hajú fickó, aki Iván mellett ült, és a maga harminc évével a társaság doyenje* volt. – Baljós megjegyzésére a szemben ülő fiú idegesen megrántotta a vállát.

– Hát, ha így van is… csak minket el ne érjen.

Szavaira mind elhallgattak, és elgondolkodva szívták tovább a cigarettájukat, vagy szürcsölték a méregdrága konyakot, whiskyt.

„Önző dögök" – gondolta Iván megvetően, de nem szólt semmit. Ugyan minek is mondana bármit?

– Hopp – szólalt meg ismét a fekete hajú Lujzi, kissé erőltetett kuncogással. – Egy angyal repült át a szobán!

Erre az Ottó nevezetű fiú kétségbeesést mímelve színpadiasan az asztalra borult, a többiek pedig hangosan kacagtak. Lujzi sértődötten forgatta a fejét. Iván ekkor felpattant, és odalépett a lány széke mögé.

– Szabad lesz, kisasszony? – hajolt meg előtte.

– Ó, hogyne, pubikám – nyújtotta a lány a kezét, csábosan Ivánra mosolyogva.

Mikor a táncparkettre értek, ott már annyian forogtak szorosan egymásba kapaszkodva, hogy alig tudtak közéjük furakodni. Nem is baj – gondolta Iván. Legalább nem kell annyira a charleston bonyolult lépéseire figyelnie – elég, ha csak átöleli Lujzi karcsú derekát, és a zene pattogó ritmusára rázni kezdi a lányt. Tánc közben körülnézett a teremben, Alizt keresve. Nemrég őt is felkérték, de mostanra a tömegben szem elől veszítette. Hiába forgatta a fejét, az egyre sűrűbb füstben és kavarodásban nem látta őt sehol.

Micsoda cirkusz! – gondolta megvetően. Ezek tényleg

---

* Rangidős

a vesztüket érzik. Talán ezzel az átkozott tőzsdekrachhal most valóban eljön az ő világuk vége. Nos, ő a maga részéről egyáltalán nem fogja bánni – döntötte el. De nem ám! Még akkor sem, ha most már bizony neki is jócskán van veszítenivalója.

Hajnalban indultak haza Alizzal, aki – a pezsgőtől kicsit becsípve – a legutoljára hallott slágert dúdolgatta a taxiban.

– Nem kellett volna ennyit innod és táncolnod – dorgálta Iván halkan. – A te állapotodban…

Aliz erre csuklott egyet, majd elnevette magát.

– Ugyan, drágám, a pici remekül érezte magát. Hidd el! Ma annyit ficánkolt, mint még soha. És különben is láttam, hogy te is pompásan mulattál. Azzal a… hogy is hívják? Pubikával!

Aliz újra kacagni kezdett, mire Iván is elmosolyodott. Az asszony közelebb furakodott, és a fejét a férje vállára hajtotta.

– Tudod, hogyan neveznek a hátad mögött? – duruzsolta. – *Rettenetes* Ivánnak.

Iván ezen őszintén megdöbbent.

– Ugyan miért? – kérdezte kicsit sértődötten.

– Hát mert mindig olyan vagy, mint egy harapós véreb. Már azt is javasolták, hogy adjak rád szájkosarat, amikor az utcára megyek veled.

Micsoda hülyeség! Iván ezt már válaszra sem méltatta. Aliz még szorosabban átölelte, és a fülébe súgta:

– Én Rettenetes Ivánom!

Mikor hazaértek, és Iván kifizette a taxit, majd felvitte a félig már alvó Alizt a lépcsőn, meglepetten látta, hogy az előszobában a teljesen felöltözött Irma várja őket.

– Hát te meg miért nem alszol? – kérdezte a lányt.

– Vártalak – mondta Irma egyszerűen. – Valami történt... – tette hozzá sokat sejtetően.

– Mi, az istenért?

– Levelet kaptatok.

Irma felemelt kezében egy fehér, címeres boríték látszott. Iván elvette tőle, és megnézte a feladót. Szendrey Andor volt az.

* * *

Annak ellenére, hogy Andor döntése volt, a kastély és a birtok eladása, és annak idején alig merte elmondani a feleségének a tervét, most, hogy már túlvoltak rajta, szemmel láthatólag mégis őt viselte meg jobban a dolog. Adél a kezdeti elkeseredése után hamar összeszedte magát, és amikor látta, hogy a férje mennyire elhagyja magát (akárcsak az apósa az utolsó időkben – úgy látszik, ez családi adottság), saját kezébe vette az irányítást. Az nem volt kérdés, hogy Kisszendrőről el kell költözniük, és a legjózanabb választásnak Budapest tűnt – itt volt a legtöbb esélyük rá, hogy munkát találjanak. Miután kifizették az adósságaikat, egy vasuk sem maradt, így nagy kérdés volt, hogy hol húzzák meg magukat. Egy pesti lakás bérét egyelőre nem tudták volna kifizetni, ezért Adél úgy döntött, hogy az édesanyjáékhoz mennek az amúgy is szűkös kiskörúti lakásba, Ágókát pedig bentlakásos iskolába adták, méghozzá Szegeden. Szóba került a Pálmaház is, de arról sem Ágota, sem Adél nem akart hallani – különösen, hogy Pálma asszony halála után Terézia lett az igazgató, és Adélnak semmi kedve nem volt magyarázkodni neki. Amúgy is célszerű volt, hogy az egyre hisztérikusabb és szeszélyesebb fruska lehetőleg minél messzebb kerüljön tőlük.

Mikor Ágó megtudta az intézeti elhelyezése tervét, rémes jelenetet rendezett, mire Adél először nyakon öntötte egy pohár vízzel, majd hűvös hangon közölte vele, hogy nincsen más választásuk, és különben is: egykor a nővére és ő is kibírták a kollégiumot. Csak ne kényeskedjen! Még így is sokkal jobb dolga lesz, mint neki és Andornak.

A kiskörúti lakásban mindössze két szoba volt: egy zsúfolt nappali, és egy belső udvarra néző sötét hálószoba. Adél és Andor ide költöztek be, míg Mama, a férje, Tibor és Gáborka a nappaliba húzódtak. Senki sem panaszkodott hangosan, hiszen mind tudták: nehéz időket élnek, és örülniük kell, hogy egyáltalán fedél van a fejük fölött. Mégis: öt embernek borzasztó szűk volt a hely, és mindegyikük megsínylette, hogy folyton egymást kellett kerülgetniük, főleg a konyhában és az apró fürdőszobában.

A legjobban persze Andor szenvedett mindettől.

Adél biztatni próbálta, szinte naponta elmondta neki, hogy ez csupán átmeneti állapot; mihelyt bármelyikük munkát kap, és össze tudnak szedni egy kis pénzt, azonnal bérlakás után néznek. Ámde a válságba egyre jobban belesodródó Budapesten 1930 januárjában nem volt egyszerű munkát találni. Sőt, majdhogynem lehetetlen volt.

Egyik este, mikor Adél éppen egy (sikertelen) álláskereső körútról ért haza, a férjét egyedül találta a szobájukban. Magába roskadva üldögélt az ágy szélén a sötétben. Adél felkapcsolta a lámpát, mire Andor felkapta a fejét.

– Á, megjöttél? – kérdezte tompán.

– Meg. Szerencsére… legalább nem gubbasztasz itt tovább a sötétben, mint egy szárnyaszegett sas madár.

Adél közelebb lépett, és leült mellé az ágyra. Andor kérdőn nézett rá, ám ő csak megrázta a fejét.

– Semmi – mondta, és elkezdte a lábáról lerángatni a csizmáját. – Még gyerekfelügyelő, vagy titkárnő sem kell senkinek, nemhogy újságíró!

Andor szomorúan elmosolyodott.

– Újságíró! Milyen szép is lenne! Hanem… tudod, mi jutott eszembe?

– Micsoda?

– Még szerencse, hogy nincs gyerekünk.

Adél összerezzent – mindig is nagy bánatuk volt, hogy eddig nem született kisbabájuk. Szíven ütötték Andor szavai, ám be kellett látnia, hogy a férjének igaza van. Megvonta a vállát.

– Még szerencse! Képzelj el ide még egy ordibáló csecsemőt. Szerintem akkor Mamáék be sem fogadtak volna. Vagy kitették volna a szűrünket néhány napon belül. De figyelj csak! Én is gondolkodtam valamin.

– Min? – Andor szeme felcsillant. Hátha Adélnak támadt valami jó ötlete. És talán van valami remény.

– Mi lenne, ha lenyelnénk a büszkeségünket, és Alizékhoz fordulnánk segítségért? Ő még mindig a rádiónál van – fejével az asztalon álló világvevő felé intett, az egyetlen értékes holmira, amit megmentettek és magukkal hoztak a kastélyból. – Találhatna nekem munkát, és talán neked is. Úgy hírlik, Iván is valami magas posztot tölt be. Na, most meg mi ütött beléd?

Andor furcsán felnevetett, és a fejét ingatta.

– Ne butáskodj – bosszankodott Adél. – Most nem adhatjuk itt a sértődöttet. Nem engedhetjük meg magunknak, érted?

– Nem erről van szó – Andor abbahagyta a nevetést, és a feleségére nézett. – Én már írtam nekik.

– Micsoda?

– Még tavaly ősszel. Nem sokkal azután, hogy meghirdettük a birtokot.

– És?

– Láthatod – Andor széttárta a karját. – Most itt vagyunk. Válaszra sem méltattak – tette hozzá halkabban. – Én soha többé…

– Én azért mégis megpróbálom – Adél hangja eltökélt volt. – Mondom: nem engedhetjük meg magunknak a büszkeséget, Andor. Pedig… tudhatod, legszívesebben megfojtanám őket egy pohár vízben. De most szükségünk van rájuk.

– És ha visszautasítanak?

– Azt megkeserülik – Adél felszegte az állát, a szemét pedig összehúzta. – De egy próbát megér. Azt hiszem, holnap fel is keresem Alizt. A híres rádiójában. Ott talán nem mer majd úgy kidobni, hogy meg sem hallgat. Akkor pedig… hiszen valamikor jó barátnők voltunk.

Ezt már suttogva, szinte csak saját magának mondta. Valójában sokkal többek és kevesebbek is voltak egymás számára, mint barátnők. Ebből pedig az is következik, hogy nem lehetett kiszámítani, hogyan fog viselkedni vele Aliz. De talán mégsem fogja azonnal kihajítani. Megtehetné, de mégsem fogja. Adél a szíve mélyén érezte ezt.

* * *

Már másnap felöltözött a legszebb ruhájába, a hóna alá csapta a *Szegedi Napló* néhány példányát, amelyben alkalmanként megjelentek a cikkei, búcsúzóul megcsókolta Andort, Mamát, intett a még a reggelizőasztalnál ülő Tibornak és Gáborkának, és elindult a Rádió épületébe.

Andoron kívül a családban senki sem tudta, hová megy.

Előző este megbeszélték, hogy így lesz a legjobb. Már hetek óta minden reggel a nyakába vette a várost, munkát keresve, először szerkesztőségekben, majd magánházaknál kopogtatott, végül már sarki vendéglőkben és söntésekben is érdeklődött, ám mindhiába. A családban senki sem furcsállotta hát, hogy megint felkerekedik, legfeljebb a fejüket csóválták, látva a makacs kitartását. Mikor kilépett az ajtón, Mama és Tibor lopva össze is néztek – ugyan minek csípte ki magát így ez a lány? Úgysem fog sikerülni...

Andor azonban nem szólt egy szót sem. Felvette a tűzhelyen álló „kotyogóst", töltött magának egy csésze feketét, és egy hajtásra megitta. A többiek észre sem vették, hogy enyhén reszket a keze.

Adél szaporán lépkedett a hideg, kihalt utcákon. Nem ült villamosra – egyrészt sajnálta a pénzt jegyre, másrészt jól is esett neki a hosszú séta. Legalább volt ideje még egyszer végiggondolni, mit is mondjon, mivel kezdje el a beszélgetést ennyi év után. No meg arra is, hogy újra összeszedje a bátorságát. Nem mintha félt volna Aliztól. A saját nyomorúságától félt, a kudarcoktól, és azok kényszerű beismerésétől. A koldulástól félt, a megalázkodástól és a megaláztatástól. Mert bárhogy csűrte-csavarta is a dolgot, bármilyen magabiztosnak igyekezett is látszani, tisztában volt vele, hogy erről van szó. És tudta, hogy Aliz is tisztában lesz ezzel.

Nincs más választásunk – mondogatta magának, és a fejét felszegve mélyet lélegzett a jéghideg levegőből. Csak bátorság! Most le kell nyelni a békát, de lesz ez még másképp is. Fordulhat a kocka... és fordulni is fog.

Hirtelen megtorpant. Az előtte lévő házból ebben a pillanatban kilépett egy férfi – olyan váratlanul toppant elé, hogy a gondolataiba merült Adél kis híján nekiment.

Divatos kalapot és prémes gallérú kabátot viselő, megnyerő külsejű fiatalember volt, finom arcvonásokkal, élénk fekete szemmel, frissen vágott hajjal és ápolt bajusszal. Akár még moziszínésznek is nézhette volna az ember, ám emiatt Adél nem torpant volna meg. Ami megállásra késztette, az a férfi nyakában viselt hirdetőtábla volt. Adél elég gyakran látott ilyet: általában csavargó külsejű, kétes alakok járkáltak fel-alá az utcán ilyen élő plakátként, zálogházakat, ócska lebujokat hirdetve. Ez a férfi azonban *saját magát* hirdette. Mivel közvetlenül Adél előtt sétált, ő könnyen el tudta olvasni a feliratot:

Állásnélküli, nős, családos magántisztviselő, perfekt mérlegképes könyvelő, magyar, német levelező, közel 20 esztendős nemzetközi kereskedelmi gyakorlattal, állást, munkát kér.

Adél szíve hangosan dobogott. Úristen, hová nem alacsonyodik az ember, ha arról van szó, hogy enni adjon a gyerekeinek. Ehhez képest ők…

Egyszeriben megjelent lelki szemei előtt Andor, aki ugyanilyen szép kabátban, kifényesített lakkcipőben, világos kalapban önmagát hirdetve sétál végig az utcákon. Nem, nem – ez soha nem következhet be. Az élete árán is megakadályozza.

A látvány ugyan velejéig megrázta, de erőt is adott neki. Ha térden csúszva kell is könyörögnie Aliznak, megteszi, csak hogy elkerüljék ezt a sorsot.

Közben oda is ért a Nemzeti Múzeum mögé, a Sándor utcai épülethez, ahonnan – még tegnap megtudakolta –

a Budapest 1 adóját sugározzák. Nagy levegőt vett, és belépett a kapun.

Aliz éppen az öltözőjében volt, és a száját rúzsozta – noha a rádióban senki sem láthatta, hogy néz ki, viszont ő biztos volt benne, hogy a hallgatók igenis *érzik,* menynyire csinos aznap, friss-e, vagy éppen fáradt. A külsőségek pedig hatással vannak a kedélyállapotára, ami a hangja minőségét befolyásolhatja. Egy ízben döbbenten szembesült azzal, milyen színtelenül, tompán csengett a hangja az egyik bejelentkezésekor. A kisebbik fia, Emilke éppen beteg volt, és ő az egész éjszakát végigvirrasztotta a gyerek ágya mellett. Késve érkezett a rádióba, már megfésülködni sem volt ideje, és ez igenis *hallatszott.* Azóta tehát nagy gondot fordított a külsejére minden felvétel előtt, még akkor is, ha csak a rendező és a technikusok láthatták, hogyan néz ki (az ő elismerő pillantásaik azonban szintén sokat jelentettek a számára).

Miután a rúzsát összecsukta, kinyitotta a púderdobozát, és belemártotta a pamacsot, hogy a szeme alatt azokat a fránya (ám csak számára látható) sötét karikákat elfedje. Ebben a pillanatban kopogtak.

– Szabad! – kiáltotta, de nem fordult meg. A tükörből látta, hogy az egyik asszisztensnő nyitott be, majd megállt az ajtóban.

– Jó napot, Böbe! – mosolygott rá kedvesen. – Valami baj van? Még nem kezdünk, úgy tudom.

– Valaki keresi a *művésznőt* – jelentette be Böbe, mire Aliz alig észrevehetően elpirult. Még mindig nem szokta meg, hogy művésznőnek nevezték.

– Kicsoda? – kérdezte.

– Bizonyos Szendrey báróné…

Aliz összeráncolta a homlokát, és néhány pillanatig elgondolkodva nézett Böbére. Kis híján elküldte őt azzal, hogy ne beszéljen ostobaságot: Szendrey báróné, vagyis az édesanyja már halott. Andor csak a temetés után értesítette őket, így azon nem tudtak részt venni Ivánnal, de később ellátogattak az asszony sírjához. Néhány hónap múlva pedig az apjáéhoz...

Aztán eszébe jutott, hogy már létezik egy másik Szendrey báróné is.

– Adél! – súgta, maga elé bámulva. Mit kereshet itt?

– Művésznő? – kérdezte Böbe, némi aggodalommal a hangjában. Aliz észbe kapott. Valószínűleg meglátszott az arcán, mennyire meghökkent, és ez nem jó jel. Adél nem vehet észre rajta semmit.

– Ő régi barátnőm – mosolygott újra Böbére. – Nincs sok időm a felvétel kezdetéig... de tudja, mit? Őt mindig szívesen látom. Mondja neki, hogy jöjjön be.

Adél szinte azonnal be is lépett (csak nem odakint hallgatózott?), és Aliznak alig volt ideje, hogy összeszedje magát. Egyáltalán, hogyan üdvözöljék egymást? Abban reménykedett, legalább néhány másodperce lesz, hogy felkészüljön erre.

Adél azonban magabiztosan viselkedett. Odalépett a fésülködőasztalhoz, és a közeledtére felálló Alizt két oldalról arcon csókolta. Majd közelebb húzott egy széket, és invitálás nélkül leült.

– Szervusz – mondta.

– Szervusz – válaszolta Aliz halkan, és ezután néhány pillanatig szótlanul nézték egymást.

Nem igazság – gondolta Adél, annyi év után most újra. Nincs igazság a Földön! Bárhogy fordul is a kocka, *mindig* ő jár jobban. Lám, újra várandós. Hányadik gyerekkel is? Talán a harmadikkal... Míg ők most is a rövidebbet húzták. De miért, miért? Az arcára azonban igyekezett barátságos kifejezést erőltetni.

– Odalent, a portán azt mondták, hogy szerencsém van. Nem szoktál mindennap bejönni, és közvetlenül a felvétel előtt nem engedtek volna be. De szerintük most van egy kis időd. Mondtam, hogy nem tartalak fel sokáig. És hogy a régi iskolatársad, barátnőd vagyok.

No meg a „báróné" címnek még mindig varázslatos volt a hatása, ajtók nyíltak meg a hallatán. Hiába viselt viszonylag egyszerű ruhát, és fakó kalapot.

– Mit akarsz tőlem, Adél? – kérdezte Aliz, ha nem is túláradóan kedvesen, de nem is barátságtalanul. Adél ezt jó jelnek vélte. Elmosolyodott, és körülnézett az öltözőben.

– No lám, te valóra váltottad az álmodat, bár nem hollywoodi színésznő lett belőled, mint a példaképedből, Bánky Vilmából.

Aliz megrázta ondolált, szőke fürtjeit.

– Bánky Vilma… ugyan! Most, hogy már a hangosfilm dívik odaát, Amerikában, ő a süllyesztőbe került. Képtelen volt rendesen megtanulni angolul.

Adél kuncogott, kezét a szája elé téve. Jól van – a beszélgetésük egyelőre úgy alakul, mintha csak tegnap találkoztak volna utoljára. Talán ezek után a kényesebb témákra is rátérhet…

– Te viszont híres lettél! Kétségkívül. A moziban nem láthatunk, a hangodat azonban naponta hallhatjuk. És a képes divatlapokban is folyton szerepelsz. Mindenki a kifinomult stílusodat dicséri.

Aliz fürkésző tekintettel nézett a barátnőjére.

– Nem ezért jöttél, igaz?

Adél felsóhajtott.

– Nem. Valóban nem. Nézd, nem köntörfalazok. Segítségre van szükségünk. Nektek vannak kapcsolataitok… Elveszítettük a birtokot, és Andorral most itt élünk, Pesten. Anyámékkal. Nincs munkánk, egyikünknek sem. Én érettségi után újságíró lettem, amolyan szabadúszó, egykét szegedi lapban már jelentek meg írásaim. Nézd, el is hoztam őket! Itt azonban hiába kilincselek, szóba sem állnak velem.

Aliz fésülködőasztalára tette az újságokat. Ő elgondolkodva nézte a lapokat, de nem nyúlt hozzájuk. Felemelte a fejét, és Adél felé fordult.

– Elveszítettétek a birtokot? – kérdezte, és a szemébe könnyek gyűltek. – Ezt hogy érted?

– Az adósságok miatt… el kellett adnunk mindent, még tavaly ősszel. De várjunk csak, hiszen Andor ezt megírta nektek.

– Andor?

– Levelet írt, még tavaly októberben vagy novemberben. Amikor kiderült, hogy nincs más választásunk. Azt mondja, nem kapott rá választ.

– Levelet?

Adélt bosszantani kezdte, ahogyan Aliz minden szavát visszhangozza, akár egy ondolált papagáj. Minek tesz úgy, mintha semmiről sem tudna? Vagy várjunk csak… talán mégsem tud.

– Te tényleg nem láttad azt a levelet? – kérdezte.

Aliz megrázta a fejét. A szeméből kicsordult egy könnycsepp, és végiggördült az arcán, elmaszatolva a gondosan felvitt púdert. Adél látta, hogy igazat beszél – valóban csak most tudta meg, hogy a kisszendrői birtok és a kastély, ahol felnőtt, nincs többé.

– Iván! – mondta halkan, mintha ez az egy szó mindent

megmagyarázna. Aliz nem válaszolt. Kisvártatva megszólalt, de mintha az iménti megjegyzést meg sem hallotta volna.

– Hol van most Andor? – kérdezte.

– Otthon… vagyis anyáméknál. Most ott lakunk, de ezt már mondtam. Ha lenne munkánk, azonnal elköltöznénk, de manapság iszonyú nehéz bármiféle állást találni, ezt te is tudod, és…

Adél szóáradatát az ajtó nyílása szakította félbe.

– *Alice* művésznő – szólt be az asszisztensnő. – A stúdióban már várják.

– Megyek! – mondta Aliz, és az asztalon heverő púderpamaccsal hamarjában felitatta a könnyeit. – Most mennem kell – mondta Adélnak, majd felállt, és az ajtó felé indult.

– Várj! – Adél felugrott, és megragadta a karját. – Ugye, segítesz?

– Majd meglátom – mondta Aliz, és hátat fordított egykori barátnőjének.

* * *

Andor idegesen fészkelődve, az ujjaival dobolva ült az asztalnál, és már ki tudja, hányadik cigarettáját szívta. Az üveglapos asztalon előtte fekvő porcelán hamutartóban egyre gyűltek az elnyomott csikkek. Azt is észrevette, hogy a pincér néhányszor szúrós tekintetet vetett rá, bár gyanította, hogy nem a cigarettafüst miatt, hanem inkább azért, amiért még nem rendelt semmit. De végre nyílt az ajtó, és megszólalt a felette kifüggesztett csengettyű.

– Lizi! – állt fel az asztaltól, és fürgén a húga mellé ugrott. – Hadd segítsek – buzgólkodott, és már vette is le az asszony gyönyörű, széles hermelingalléros kabátját, amit egy közeli fogasra akasztott.

– Szervusz – mondta bátortalanul, mikor visszament hozzá, és hirtelenében nem tudta, hogyan üdvözölje rég nem látott húgát. Végül Aliz segítette ki a zavarából.

– Szervusz – köszönt ő is, majd arcon csókolta Andort.

– Lefogytál – jegyezte meg tárgyilagosan, majd körülnézett. – Melyik asztalnál ülsz?

– Amott – mutatott a bátyja az egyik sarokba. – A „régi" asztalunknál.

Aliz elmosolyodott. Andor ötlete volt, hogy ide jöjjenek, ebbe a hűvösvölgyi cukrászdába, ahol évekkel ezelőtt már találkoztak egyszer. Akkor azt hitték róluk, hogy egy veszekedő szerelmespár ül ott a sarokasztalnál. Ó, de régen is volt – mintha csak egy előző életben történt volna.

Helyet foglaltak, és a pincér nyomban megjelent az asztaluk mellett az étlappal. Aliz kecsesen intett a kezével.

– Köszönöm szépen, nem kérem. Már tudom, mit rendelek: egy franciakrémest és egy pohár ásványvizet.

– Én pedig egy rigójancsit kérek – mondta Andor, és jelentőségteljesen a húgára nézett. Vajon visszatérhetnek a régi szép idők, visszaállhat a régi bizalom közöttük? Nos, ez nem valószínű, de már az is jó jel, hogy Aliz kereste meg őt, a húga szeretett volna találkozni vele.

– No és hogy vagy? – kérdezte a férfi szégyenlősen, miközben a tekintete Aliz domborodó hasára tévedt. – Nemsokára eljön az időd, igaz?

Aliz a várandós nők ősi mozdulatával simította végig a pocakját.

– Még egy hónap. Remélem, ezúttal lány lesz.

– Két fiatok van, ugye?

– Igen. A kisebbik neve Emilke.

– És a nagyobbiké?

– Iván…

Néhány pillanatig mindketten hallgattak. Végül Andor törte meg a csendet.

– És ha ő kislány lesz?

– Még nem tudjuk… Én szeretném, ha Cecília lenne. Cilike. Anyánk után, persze.

– Az kedves név!

Egy ideig megint kínos csend állt be.

– Miért nem válaszoltál a levelemre? – kérdezte végül Andor.

– Én nem is láttam azt a levelet – válaszolta Aliz, és a bátyja szemébe nézett. – De különben is, ha olvasatlanul a kandallóba dobom, akkor sem lehetne egy szavad sem.

Andor lehajtotta a fejét.

– Bocsánatot kértem benne. Tudom, az ilyesmit nehéz megbocsátani, és főleg, amikor amúgy segítségért esedeztem…

– Nos, ezt jól látod. Bezzeg olyankor eszedbe jutottam. De még a szüleink temetésére sem hívtál el.

– A falu miatt, tudod, a rossz nyelvek… – válaszolta Andor kapkodva. Érződött rajta, hogy jó előre kigondolta ezt a választ. Ám most, hogy kimondta a szavakat, azok üresen, hamisan csengtek. A férfi még mélyebbre hajtotta a fejét.

– Mindegy. Nem láttam a levelet, mondom – folytatta Aliz, a kesztyűjével idegesen babrálva. – Fogalmam sem volt, hogy írtál, és hogy a birtok…

– Segítettél volna?

– Persze! Vagyis…

– A férjed nem hagyta volna, igaz?

Most Aliz hallgatott el.

Adél látogatása után kérdőre vonta Ivánt, és kiderült, hogy a levél valóban létezett. Iván nem mutatta meg neki, és habár ő elolvasta, utána azonnal megsemmisítette. Azt állította, csupán a szerelem vezérelte – meg akarta kímélni Alizt a Kisszendrőről érkező rossz hírektől, és persze úgy gondolta, a legkevesebb, amit Andor megérdemel, az, hogy tudomást sem vesznek róla. Egyébként is, ő akarta így.

Igen, ez mind igaz volt, Aliz azonban nagyon is a szívére vette, amit a férje tett. Különösen azt, hogy kiderült: Irma tudott arról az átkozott levélről! Az egésznek az lett a vége, hogy csúnyán összevesztek (olyan hangosan kiabáltak, hogy a kisfiúk Irma szobájába menekültek, holott ezt a legvégső esetben tették csak meg), majd egész éjszaka hevesen szeretkeztek. Másnap reggel pedig Aliz, ha akart sem tudott volna a férjére haragudni. Szörnyű, hogy Iván még ma is ilyen ördöngös hatással van rá. Ha valamiért dühös volt rá, csak még jobban kívánta… Amikor pedig gyermeket várt, még annál is jobban. És a kettő együtt! Egészen belepirult, amikor eszébe jutott.

Mégis, valahogyan szerette volna jóvátenni a dolgot. Ezért határozott úgy, hogy találkozik Andorral, és aztán majd meglátja! Ha úgy alakul, segít neki munkát találni. Kizárólag Andornak, Adélról szó sem lehet! Annak ellenére sem, hogy Iván a minap bevallotta: annak idején Adél tanácsolta neki, hogy szöktesse meg Kisszendrőről. Csakhogy… Aliz azt gyanította, egykori barátnője kizárólag azért tette ezt, hogy végre megszabaduljon tőle, és ő lehessen a kastély egyetlen úrnője. Hát most ide jutott, megsütheti a nagy úrinőséget!

Andor viszont mégiscsak a testvére. Iván sem tehet neki szemrehányást, amiért segíteni akar rajta, habár arról még fogalma sem volt, hogyan.

– Mondd csak, Andorka – fordult a bátyja felé, önkéntelenül a régi becenevén szólítva. – Mégis milyen munkát szeretnél?

– Nem is tudom… – Andor meglepettnek tűnt az egyenesen nekiszegezett kérdés miatt. – Végül is a mezőgazdasághoz értek.

– A mezőgazdasághoz?

– Igen.

– De most Budapesten vagyunk, drágaságom. Itt a mezőgazdasági tevékenység… hogyan is fogalmazzak? Meglehetősen elenyésző.

Andor nagyot nyelt.

– Tudom, de a férjed… Ő valami kertészeti vállalat igazgatója, nem igaz?

Aliz felkapta a fejét. Á, tehát erről van szó!

– Jól van – mondta végül, kissé bosszús hangon. – Akkor hát beszélek Ivánnal. Bár jobb szerettem volna őt ebből kihagyni. Nem túlzottan rajong érted. Ugye tudod?

– Az érzés kölcsönös – tört ki a sértett büszkeség Andorból, ám rögtön észbe kapott. Adélnak igaza van: nem engedhetik meg maguknak, hogy megsértődjenek. – De nem számít – tette hozzá meghunyászkodva. – Ha kell, tőle is bocsánatot kérek.

– Arra nem lesz szükség – legyintett Aliz. – No jó… azt hiszem, végeztünk.

– A krémesed… nem eszed meg?

Aliz újra elmosolyodott.

– Ha jól emlékszem, múltkor is te etted meg. Na, pá, Andorka. Nemsokára jelentkezem.

Aliz elment, és a bátyja ezúttal nem ugrott, hogy felsegítse a kabátját. Magára maradt az érintetlen süteményekkel és italokkal. Ám ahelyett, hogy evéshez látott volna, a zsebéből elővette a cigarettatárcáját, és újfent rágyújtott. Amikor a pincér ismét az asztala közelében járt, intett neki, hogy elviheti a tányérokat, és hogy kéri a számlát.

* * *

A kiskörúti lakásban négyen ültek a megterített asztal körül. Általában mindenki akkor evett, amikor ráért; megmelegítette a maradékokat a kis konyhai lábosokban, vagy még azt sem. Gáborka például, aki folyton éhes volt, váltig állította, hogy sokkal jobban szereti a paprikás krumplit hidegen.

Most azonban vasárnap volt, és a kis család még viszonylagos nyomorúságában is ragaszkodott hozzá, hogy ilyenkor fehér abrosz kerüljön az ütött-kopott konyhaasztalra, hogy elővegyék a réges-régi ezüst evőeszköz-készletet (amelyből egy-két darab már hiányzott), és legalább két fogásos ebédet tálaljanak fel. Mama és Adél már kora reggel óta főzőcskéztek, és a konyhában kellemes meleg volt, a párás ablakokon pedig nem láttak ki az udvarra, így nem szúrta a szemüket, hogy a szemben lakó özvegyasszony még ilyenkor, télvíz idején is az ablakba terítette ki a csipkés bugyogóit.

Egyszóval jól érezték magukat, és meglehetős vidáman csevegtek az asztal közepén, a porcelántálban gőzölgő húsleves illatát beszippantva. Egyelőre még senki nem szedett belőle. Vártak valakire.

– Jöhetne már Andor – jegyezte meg végül Tibor, aki kimondva, kimondatlanul az öttagúra duzzadt család feje volt. – Egyáltalán, hová ment?

– Nem árulta el – vonta meg a vállát Adél, de rögtön utána cinkosan elmosolyodott. – Nagyon titkolózott, úgyhogy azt hiszem, állásügyben jár el.

– Vasárnap?

Adél megint a vállát vonogatta, mire Mama a régi, gépies mozdulatával lefogta. Adél már azt várta, hogy rászóljon: „Úrilánynak nem illik", de a dorgálás ezúttal elmaradt. Mama ehelyett felsóhajtott.

– Kihűl a leves.

Gáborka mintha csak erre várt volna.

– Nagyon éhes vagyok – panaszkodott éles, nyafogó hangon.

– Én azt mondom, lássunk hozzá – szólalt meg végül Tibor, mire Adél metsző pillantást vetett rá. A férfi azonban állta a tekintetét, így nem szólt semmit. Mama a szedőkanálért nyúlt, és kimerte a levest, elsőként a férjének, majd a fiának. Adél csak ezután került volna sorra, ám ő felemelte a kezét, és megrázta a fejét.

– Én nem kérek. Megvárom Andort.

– Ahogy gondolod – mondta Mama egykedvűen, és magának is szedett. – Jó étvágyat mindenkinek.

Felhangzott az ismerős, meghitt csörömpölés és szürcsölés – a vasárnapi húsleves kanalázásának elmaradhatatlan velejárója. Adél a hangokat hallva csak még éhesebb lett (a gyomra is megkordult, ám ezt a többiek szerencsére nem hallották), és duzzogó arccal ült az üres tányérja felett.

Tényleg, hol a csudában lehet Andor? Nagyon jól tudja, hogy vasárnap pontosan délben asztalhoz szoktak ülni. Amúgy Mamával eléggé rendszertelenül vezették a háztartást, de ezt az ünnepnapi szokást soha, senki és semmi kedvéért nem változtatták meg.

Remélhetőleg valami nyomós oka van a késésre. Ha állás nélkül jön haza, megtépem – gondolta Adél dühösen. Ha már koplalni kénytelen miatta, legalább jó hírt hozzon. És akkor majd másképp néznek rájuk: Mama, Tibor, még Gáborka is.

Habár utána már nem sokáig kell nézegetniük egymást. Milyen szép is lenne!

Ekkor odakintről, a lépcsőházból kulcscsörgést hallottak.

– Andor! – kiáltott fel Adél, és felugrott, hogy az ajtóban fogadja a férfit. Végre, végre hazajött!

Valóban ő volt az, és szemmel láthatólag sikerrel járt, bármi volt is a célja. Kék szeme lelkesen csillogott, és még azonmód kabátban magához szorította, és megcsókolta Adélt.

– Megjöttem – jelentette ki egy győztes hadvezér büszkeségével.

– Azt látom – szabadította ki magát Adél, megjátszott bosszúsággal. – Hol a csudában voltál?

Ám Andor erre nem felelt. A konyhából jövő zajokat hallva kissé megnyúlt arccal kérdezte:

– Elkezdtétek nélkülem?

– Na hallod! Honnan tudtuk volna, mikor méltóztatsz visszajönni – pörölt vele Adél, majd megenyhülten tette hozzá: – Én megvártalak!

– Jól van – Andor arca kissé még sértődött volt, de kihúzta magát, és megigazította az öltönyét. – Jobb is, hogy mind együtt vagyunk. Beszédem van veletek. Az egész családdal.

Nocsak, ez izgalmasan hangzik! Adél arca felderült.

– Hát akkor gyere – fogta meg a férje kezét. – Nagyon várjuk a bejelentésedet.

Odabent a többiek már befejezték a levest, és most mind várakozó arccal néztek a belépőkre. Andor nagyvonalúan nem vett tudomást róla, hogy nem várták meg az ebéddel, és leült a szokásos helyére, Adél mellé, Mamával szemben.

– Képzeljétek, – kezdte széles mosollyal –, megszületett az unokahúgom.

– Ó! – mondta Adél, majd egy darabig senki sem szólalt meg.

– Cilikének hívják… – tette hozzá Andor, kicsit zavartan a hír hűvös fogadtatásától.

– Nagyszerű – mondta Mama. – Jó egészséget kívánunk nekik.

– Egyéb újságod nincsen? – kérdezte Adél reménykedve. Andor nyilván Aliztól, vagy Ivántól hallott a kislány születéséről, márpedig velük csakis egy ügyben találkozhatott.

– Dehogynem – válaszolta Andor, magától értetődő hangsúllyal. – Csak a nagyobb, örömtelibb hírrel kezdtem.

– Hallhatjuk a *kevésbé* örömtelit is? – faggatta Adél.

– Persze – Andor fészkelődött egy kicsit a kényelmetlen hokedlin. – Holnaptól dolgozni fogok.

Az asztalnál ülők egy emberként sóhajtottak fel. Végrevalahára. Andor arcán azonban furcsa kifejezés látszott. Mintha szégyellte volna magát.

– Khm – köszörülte a torkát zavartan. – A sógorom, Nagy Iván vállalatánál kaptam munkát. Irodait. Nem túl jól fizetettet, de hát nem válogathatunk, nem igaz?

Ó, hát erről van szó. Adél nagyot nyelt. Andor mostantól Nagy Iván beosztottja lesz, és ez nincs ínyére. Hát, neki sincsen. De mit tehetnének? Egyelőre le kell nyelni a békát, de a szerencse forgandó – mondogatta magában, mint már annyiszor. Az ő életük a legjobb példa erre.

Miközben Adél ezen gondolkodott, Mama kimerte a már kihűlt levest a vejének, ám Andor nem kezdett hozzá. Még a kanalat sem vette kézbe.

– Van még valami? – kérdezte Adél gyanakodva.

– Igen – Andor ideges mozdulattal az abrosz sarkát babrálta, és senkire sem nézett. – Meghívtam őket valamelyik vasárnapra.

– Micsoda? – Mama és Adél egyszerre kiáltottak fel. Tibor nem szólt semmit, az arca azonban mindent elárult, Gáborka pedig csillogó szemmel figyelte a kibontakozó ingyencirkuszt.

– Hirtelen ötlet volt – Andor a vállát vonogatta, akár egy durcás kisgyerek. – Úgy megörültem a kicsi születésének, annak, hogy Aliz jól van, meg az állásnak is… Csak utána gondoltam bele, hogy *hová* is hívtam meg őket. Akkor már nem lehetett visszaszívni.

– Ez egy tisztességes, rendes ház és lakás – szólalt meg Tibor első ízben. – Senkinek nem kell szégyenkeznie, aki ide vendégeket hív. Ha rosszul érzik magukat, hát szégyelljék magukat ők.

– És mikor jönnek? – kérdezte Adél idegesen.

– Azt nem beszéltük meg. Aliz még… kicsit gyengélkedik. De elfogadták a meghívást.

– Nem is tehettek másként!

Adél bosszankodott. Ahhoz képest, hogy a férje annak idején hallani sem akart a húgáról, Nagy Ivánról meg még úgy sem. Most pedig… Az ostoba nagyvonalúsága! Igazi dzsentri mentalitás. Megfeledkezett róla, milyen körülmények között élnek most, amikor pedig eszébe jutott, már késő volt. Nem vonhatta vissza a szavát. Ivánék persze nyilván eljönnek. Ha meglátják ezt a nyomorúságos odút, fenékig kiélvezhetik a győzelmüket.

A szokatlanul csendesen elköltött ebéd után a konyhában csak Mama és Adél maradtak. Cseléd híján rájuk várt a feladat, hogy leszedjék az asztalt, és elmosogassanak. Mama már fel is tette a mosogatóvizet egy fazékban melegedni, Adél pedig összehajtotta az abroszt, hogy a konyha ablakában kirázhassa. Mikor becsukta az ablakot, és megfordult, látta, hogy Mama mozdulatlanul áll a tűzhely mellett, és furcsa, égő tekintettel néz rá.

– Brrr, de hideg van – mondta a karját dörzsölve, majd háttal a falnak dőlt, mint mindig, amikor az anyjával kínos beszélgetésre került sor. Mintha így keresne védelmet, támaszt. – Mi az, Mama? – kérdezte halkan, mivel az asszony még mindig nem szólalt meg.

– Az az ember nem jöhet ide – mondta Mama halk, fojtott hangon.

– Kicsoda? Ja – Adél fásultan legyintett –, Nagy Iván. Hát, hidd el, én sem vagyok boldog, hogy ideeszi a fene. De mit csináljak, ha ez a… szerencsétlen flótás meghívta.

– Nem engedem, hogy betegye ide a lábát. Hallod? *Nem engedem!*

– De Mama…

Ekkor az asszony közelebb lépett, egészen közel hajolt a lánya arcához, és úgy suttogta.

– Te ezt nem értheted. Nem értesz semmit. Egyszer már mondtam neked: az az ember veszélyes. Míg iskolába jártál, végig azért rettegtem, nehogy valami dolgod legyen vele – Adél erre szaporán pislogott egy párat, de nem szólt semmit. – Amikor összevesztetek a barátnőddel, az meg elszökött vele, boldog voltam. Azt hittem, többé hallanom sem kell róla.

Mama arcáról olyan vad gyűlölet sugárzott, hogy Adél egészen megrettent.

– De Mama, hisz én sem kedvelem, elhiheted, de azért... Te nem is ismered őt, az isten szerelmére!

Mama erre hátrébb lépett, és furcsán, keserűen elmosolyodott.

– Hát persze. Nem ismerem. Jól van, hagyjuk ezt most. Inkább segíts!

Mosogatás közben mindketten a gondolataikba merülve hallgattak. Adél azon törte a fejét, valójában milyen keveset is tud Mamáról – az anyja soha nem engedte közel magához. Most is, ez a váratlan kitörése... De hála istennek, úgy tűnik, túl vannak rajta. Mama arca most mintha ismét sokkal nyugodtabb lenne.

Az asszony valóban sokkal nyugodtabb volt. Ugyanis tudta már, mit kell tennie.

* * *

Iván nagy lapátkezében ügyetlenül fogta a tálcát, amelyen a vacsorát hozta be a feleségének. Aliz meghatottan, magában elnézően mosolyogva figyelte, ahogyan a férfi óvatosan egyensúlyozott, vigyázva, nehogy megcsörrenjen a pohár, a tányér vagy az evőeszköz.

– Drágám, ébren vagyok – mondta gyengéden. – Nem fogsz felverni, ha csörömpölsz egy kicsit. Cilit meg ágyúval sem lehetne felébreszteni, miután szopott és elaludt.

Iván ekkorra már oda is ért az ágyhoz, és egy utolsó, balett táncosokat megszégyenítő mutatvánnyal letette Aliz elé a tálcát a takaróra.

– Na! – mondta elégedetten. – Jó étvágyat, kismama!

Aliz nagy étvággyal látott hozzá a sült csirkecombhoz,

a krumplipüréhez és savanyú uborkához, amit ma estére rendelt. Mióta megszületett a kis Cili (aki éppen az igazak álmát aludta az ágya melletti fehér bölcsőben), mindenki az ő kívánságait leste. Iván, Sári, a dajka, és az új kis cselédjük, Sári unokatestvére, Manyi. Sőt, kénytelen-kelletlen Irma is, arcán enyhe undorral, mint mindig, amikor a kisfiúkra, Alizra vagy újabban Cilikére nézett.

Iván az ágy szélén ülve, arcán üdvözült mosollyal figyelte, ahogyan a felesége falatozik. Időről időre felegyenesedett, és belenézett az ágy másik végében álló bölcsőbe. Ilyenkor még szélesebb lett a mosolya.

– Gyönyörű szép! – suttogta. – Mint az édesanyja…

– Ugyan – felelte Aliz, miután lenyelte a falatot. – Egyelőre még olyan, mint egy kis vörös fejű kukac.

– Kukac!

– Igen, kukac.

Mindketten elnevették magukat, majd észbe kaptak, és a kezüket egyszerre a szájuk elé kapták. Ettől azonban még nagyobb nevethetnékjük támadt. Hangtalanul vonaglottak az ágyon, a szemükből pedig potyogtak a könnyek.

– Jaj, istenem – sóhajtott Aliz a szemét törölgetve, miután magához tért –, lyen jót már rég nevettem!

Erre megint kis híján kirobbant belőlük a nevetés, amikor valaki bekopogott az ajtón. Iván felugrott, és kinyitotta. Irma volt az.

– Mit keresel itt – ripakodott rá a bátyja –, te vészmadár! Felébreszted a picit!

Irma sértetten felszegte az állát, ám erre nem mondott semmit.

– Valaki keres – sziszegte aztán visszafojtott hangon.

– Kicsoda?

– Nem tudom, még soha nem láttam. Egy férfi.

– Ilyenkor? Na, mindegy! – Aliz felé fordult, aki a félbehagyott vacsorája fölött figyelte őket. – Lerázom a fickót, és jövök. Addig edd meg szépen – felemelt ujjával tréfásan megfenyegette –, vagy nem leszünk jóban.

A hívatlan vendég az előszobában várakozott, ahová nyilván Irma engedte be. Iván bosszús volt – miért a húga nyitogatja az ajtót, amikor már két cselédet is tartanak? Ez nem mehet így tovább. Irma nem a szolgálójuk. Elhatározta, hogy alkalomadtán beszélni fog erről Alizzal.

A látogató arcát nemigen lehetett kivenni a félhomályban, az azonban jól látszott, hogy alacsony, vékonydongájú fickó. A nadrág és a kabát lötyögött rajta, mintha egy nagyobb, idősebb testvér holmiját húzta volna magára. Iván szíve hirtelen összeszorult: valamiért ismerősnek tetszett neki a jövevény, a nem rá szabott férfiruha, a mozdulatai, a testtartása. Megborzongott, mintha kísértetet látott volna.

– Jó estét! – köszönt a jövevénynek. – Mi járatban van?

– Jó estét! – köszönt a vendég is (a hangja is milyen furcsa!). – Bemehetek?

– Hogyne, fáradjon beljebb.

Beléptek a szalonba. Iván ekkor valami furcsát érzett a hátában – mint amikor gyerekkorában hógolyót csúsztattak az ingébe. A látogatója tekintete… vagy valami más? Hirtelen megfordult, és egy pisztoly csövével nézett farkasszemet. Lassan felemelte a tekintetét, hogy végre megnézhesse a vendége arcát is. Amit látott, attól egy lépést hátrált, mint akit mellbe vágtak.

– Heléna! – kiáltotta.

A nő a szabad kezével levette a sapkáját.

– Hát megismersz? Reméltem, hogy így lesz.

Ebben a pillanatban a lépcső tetejéről is hallottak egy kiáltást. Aliz a kíváncsiságtól vezérelve felkelt az ágyából, és most pongyolában, hajhálóval állt a lépcső tetején, a korlátba kapaszkodva, tágra nyílt szemmel.

– Ilonka néni! – sikoltotta.

Iván és a nő is feléje fordultak. Aliz megindult lefelé a lépcsőn.

– Úristen, Ilonka néni, mit tetszik itt csinálni?

– Ki ez? – kérdezte Iván Alizt.

– Hát az Adél mamája. Te nem ismered?

– Micsoda?

Iván döbbenten meredt a nő arcába. Hát persze! Hogyan is lehetett ilyen ostoba és vak? A hasonlóság... Nem csak külsőleg, de a jellemükben is.

Aliz felbukkanása, úgy tűnt, megzavarta Helénát, és Iván, kihasználva a kínálkozó alkalmat, rávetette magát, és megpróbálta a pisztolyt kicsavarni a kezéből. A fegyver elsült, de a golyó a mennyezetbe fúródott, senkit sem sebesített meg. Aliz felsikoltott. Ivánnak ekkor sikerült akkorát rántania Heléna karján, hogy az elejtette a pisztolyt, a férfi pedig egy gyors mozdulattal a szoba távoli sarkába rúgta.

– Te átkozott bestia – csikorgatta a fogát, miközben a nővel küzdött. – Hát sohasem szabadulok meg tőled?

– Gyilkos gazember! – sziszegte Heléna, izzó gyűlölettel a szemében. Minden erejét összeszedte, és az egyik karját kiszabadította a férfi szorításából. Ekkor valami villanást láttak.

– Kés van nála! – sikoltotta Aliz.

A kés! Ivánnak eszébe villant a régi, bécsi éjszaka, amikor Heléna ugyanígy, a semmiből rántotta elő a kést, amivel megvédte magát.

Most viszont nem védekezett, hanem támadott.

Iván egy ütést érzett a válla alatt, a szívétől nem messze, és egy pillanat múlva valami nedves forróság öntötte el az ingét, csorgott le a mellkasán.

A mindenségit, meg fogja ölni!

Aliz látva, hogy a férje megsérült, ismét felsikoltott, és hátulról ráugrott Helénára, karjával a nyakát szorítva. Iván egyelőre nem érzett semmi fájdalmat, de még ketten együtt sem tudták leteperni a nőt, akit mintha démonok szálltak volna meg.

Hirtelen újabb pisztolylövés dörrent, és egy pillanatra mind megdermedtek, nem értve, mi történhetett. Aliz és Iván egymásra néztek a köztük álló Heléna válla felett. Egyszer csak érezték, hogy a nő teste elernyed, és lassan lecsúszik közöttük a padlóra. Még mindig értetlen, csodálkozó arccal bámulták, és egyikük sem mozdult meg. Észre sem vették, hogy valaki melléjük lépett.

– Na. Még szerencse, hogy őt találtam el – mondta Irma.

Iván felkapta a fejét. Irma a virágmintás pongyolájában, kibontott hajjal állt mellettük. Nyilván a szobájában fésülködött, amikor meghallotta a kiabálást meg a dulakodás zaját, és visszajött a szalonba. A kezében tartotta Heléna pisztolyát.

– Atyaúristen, Irma! – Iván csak ennyit mondott.

Aliz leült a földre, Adél édesanyjának a holtteste mellé, kezébe temette az arcát, és zokogni kezdett.

*　*　*

Adél feldúltan járkált fel s alá a konyhában, ami meglehetősen nehéz volt a szűkös helyen, és mivel egyáltalán nem figyelt rá, mi van körülötte, minduntalan nekiment valaminek. Tibor az asztalnál ülve figyelte, Andor pedig egy hokedlin kuporogva, amelyet a sarokba húzott, hogy még véletlenül sem legyen útban. Adél néha megszólalt, de mivel vagy magában, vagy Tiborhoz beszélt, elképzelhető, hogy fel sem tűnt neki, hogy a férje is a kicsiny helyiségben van.

– Iván – ismételgette Adél rögeszmésen. – Nagy Iván.

Hirtelen megfordult a tengelye körül, és farkasszemet nézett Tiborral.

– De miért akarta megölni? Miért? Tudtam, hogy utálja, nem csinált belőle titkot, de hogy meg akarja ölni! Álruhában, pisztollyal, késsel felfegyverkezve! Jézusom, tényleg semmit, de semmit nem tudtam róla…

– Gyűlölte a kommunistákat – mondta Tibor senkire sem nézve, monoton, fáradt hangon. – Így ismerkedtünk meg annak idején. Bejött a kapitányságra, és felajánlotta a szolgálatait. Részben az ő segítségével kaptuk el Rákosit…

– De Nagy Ivánt nem!

– Őt nem – Tibor lehajtotta a fejét. – Ez az én hibám. Úgy láttam, hogy a fickó a hasznunkra lehet. És a hasznunkra is volt. Amúgy meg… nem tartozott a „nagykutyák" közé. Úgy véltem, futni hagyhatjuk.

– Persze, hogy utálta a kommunistákat – dohogott Adél. – Hiszen ők ölték meg az apámat, tizenkilencben… – hirtelen megtorpant. – Várjunk csak! Tibor bácsi, nem lehet, hogy Nagy Iván... Dehogyisnem! – a homlokára csapott. – Csakis erről lehet szó. Nagy Iván is azok között volt, akik Papát elhurcolták azon az augusztusi éjszakán. A Lenin-fiúk… Hát persze, csakis ez lehet a magyarázat.

Megállt Tibor előtt, és az asztalra támaszkodva közelebb hajolt hozzá.

– Tibor bácsi! Hallja, mit mondok? Mindig is veszélyes alaknak nevezte. Talán még gyilkosnak is, bár erre nem emlékszem. Jól sejtem, hogy ő lehetett az?

Tibor bólintott, de csak egy kis idő után szólalt meg.

– Mindegy, Adél, kedves. Valószínűleg igaza van, de ezt már úgysem tudjuk bizonyítani.

– De miért nem?

– Gondoljon bele, mennyi idő eltelt azóta? Tanúk már nincsenek. Már az édesanyja sem tanúskodhat, de feltételezem, magát a gyilkosságot ő sem látta, csak azt, hogy kik hurcolták el szegény Gábort.

Adél elgondolkodott. Igen, Tibornak igaza van. A fenébe is!

– Akkor meg fogja úszni az egészet? – kérdezte halk, remegő hangon. – Megölte az apámat, és most az anyámat is. Jogos önvédelem! Ezzel védekezik, naná.

– Sajnos minden alapja megvan hozzá – mondta Tibor. – Édesanyád megtámadta őket, miközben már lefekvéshez készülődtek, három kisgyerekkel a házban, köztük egy újszülött csecsemővel. Fel volt fegyverkezve, és nyilvánvalóan az életükre tört. Súlyosan meg is sebesítette Nagy Ivánt, aki erre lelőtte – a tőle elvett fegyverrel – megcsóválta a fejét. – Minden bizonnyal fel fogják menteni.

Erre már halkan, bátortalanul Andor is megszólalt.

– Mi lenne, ha feljelenteném őt a frankhamisítás-ügyben? Ő is velünk volt Koppenhágában, Domi is tanúskodhatna…

– Ugyan! – torkollta le egyszerre Tibor és Adél is. Micsoda ötlet! Csak nevetségessé tennék magukat.

Hosszú, mély csend állt be, csak azt lehetett hallani,

ahogy Adél zihálva szedi a levegőt. Ekkor ismét Andor szólalt meg.

– Drágám… – kezdte. – Ugye nem akarsz *te is* elkövetni valami ostobaságot?

Adél ránézett, kimeredt szemmel, mintha most látná őt életében először. Majd váratlanul sarkon fordult, és kirohant a konyhából. A két férfi hamarosan a fürdőszoba felől hallott félreérthetetlen zajokat. Andor felpattant a hokedliről, ám Tibor odaugrott hozzá, és megragadta a karját.

– Hagyja őt békén! – ripakodott rá.

– Mostanában olyan gyakran van rosszul – panaszolta Andor, kissé ijedt hangon. – És most még ez is… Aggódom érte.

– Azt jól is teszi – helyeselt Tibor. – Mivel a nők általában egy *bizonyos* dolog miatt szoktak ennyire rosszul lenni.

Andor értetlenül bámult rá. Tibor az ég felé emelte a tekintetét, majd újra Andorra nézett.

– Gyermeket vár, barátocskám. És ne mondjon semmit, mert nekem is éppen ez a véleményem: a legjobbkor!

Andor nem válaszolt, de kirántotta a karját a másik férfi szorításából, és se szó se beszéd, berontott a fürdőszobába. Adél, aki még mindig a kád szélén ült, sápadtan, és a két karját a gyomrára szorítva, döbbent arccal nézett rá.

Andor ugyanis szélesen mosolygott.

– Hát beléd meg mi ütött? – kérdezte alig hallhatóan.

Andor mellé lépett, letérdelt a kád elé, nem törődve a kis helyiséget betöltő savanykás hányásszaggal, és átölelte a felesége derekát.

– Édesem – suttogta. – Hát miért nem mondtad el? Miért?

Adél nem válaszolt. Andor felemelte a fejét, és az arcába nézett: kedves, durcás, sápadt arcába. Felemelte a kezét, és kisimított az asszony homlokából egy csatakos hajfürtöt.

– Most már minden rendben lesz – suttogta. – Nyugodj meg. Majd én vigyázok rátok. Keresek munkát… nem *ott*, persze, de biztosan találok valamit. Kiveszünk egy lakást, már holnap. Akár adósság árán, de elköltözünk innen. Meglátod, minden rendben lesz.

Adél egy darabig csak bámulta a férjét, majd egyszeriben sírva fakadt. Nem zokogott, nem hisztériázott: halkan, sokáig sírt, bőséges könnyekkel, Andor fejére hajtva a fejét, a nyakát átölelve. Megnyugtató, minden keserűséget és kétségbeesést feloldó sírás volt ez.

Egyikük sem tudta, mennyi ideig maradtak így, ebben a meglehetősen kényelmetlen testhelyzetben. Mikor Adél sírása kicsit csillapodott, felemelte a fejét, két kezébe vette Andor arcát, és maga felé fordította.

– Állj már fel, te buta – mondta szeretettel. – Különben úgy elzsibbadsz, hogy soha többé nem fogsz tudni felkelni innen.

Andor elmosolyodott, és Adél csak most látta, hogy az ő arca is könnyektől nedves.

– Szeretlek – mondta a férjének, és érezte, hogy életében először jött a szívéből ez a szó.

Igen, valóban szereti Andort, immár önmagáért, úgy, ahogy van – maga is meglepődött ezen – és igenis, van miért élnie. A férjének igaza van: minden rendben lesz. Még ha nem is ők a győztesei ennek a felfordult kornak, de itt vannak egymásnak. Ez a szíve alatt keletkezett új kis élet pedig még reményt is adhat nekik.

Jöjjön, aminek jönnie kell!

EPILÓGUS

1956. november 20.

Aliz didcrcgvc állt a bécsi Westbanhof huzatos peronján. Mellén összehúzta a gyapjúkabátját, ami elég meleg lett volna, de csak egy blúzt vett fel alája. Egy mellény még rám fért volna – gondolta megborzongva, amint egy újabb széllökés halk zizegéssel néhány száraz falevelet fújt a lába elé. Megigazította selyemsálját, hogy még jobban takarja a nyakát, és végigsimította még ma is szép, aranyszőke, hátratűzött haját, amit a szél minduntalan összekócolt. No, éppenséggel egy kalapot, vagy kendőt is feltehetett volna. De olyan hanyatt-homlok rohant ki az állomásra, hogy nem volt rá ideje. Csak reggel kapta meg a sürgönyt, hogy a húga, Ágota a ma délelőtti vonattal érkezik Budapestről. Az újra lerombolt, legyőzött Budapestről, ahonnan hetek óta tömegesen érkeztek a menekültek vonattal, autóval, szekérrel vagy gyalog. Aliz mindennap kijött ide, és szomorú döbbenettel figyelte a véget nem érő emberáradatot.

Vajon ki marad az országban? – morfondírozott. – És mi lesz ezekkel az emberekkel? *Ennyi* emberrel...

Napok óta tudták, hogy Ágotáék is úgy döntöttek, elhagyják az országot, de hogy pontosan mikor érkeznek, az csak aznap derült ki. Aliz a fiatalabb fiával, Emillel utazott ide Bécsbe, hogy fogadja őket. Ma reggel olyan hirtelen kellett eljönnie a szállodából, hogy nem is tudta értesíteni Emilt, aki előző este a barátait látogatta meg. Mindegy, hagyott neki egy üzenetet a recepción, mihelyt viszszatér, meg fogja kapni.

A fia nem jött ki vele naponta a pályaudvarra. Azt mondta, felesleges. Ágotáék megígérték, hogy megsürgönyözik, pontosan mikor érkeznek. Aliz azonban tartott az otthoni helyzettől – mi van, ha nincs alkalmuk sürgönyözni? Ha csapot-papot hátrahagyva kell menekülniük?

No meg titokban abban reménykedett, hátha más ismerősökkel is találkozik. Vagy ha nem, akkor is jólesett magyar beszédet hallani maga körül. Olyan régen eljöttek már otthonról…

Végre bepöfögött a pályaudvarra a budapesti vonat, amelyen, mint az utóbbi napokban mindig tele volt az ablak kukucskáló emberfejekkel, mások meg a nyitott ajtókon hajoltak ki. Azok, akik tudták, hogy várják őket, a rokonaikat, barátaikat keresték a szemükkel, akiket pedig nem, azok az új életük legelső állomását szerették volna minél előbb meglátni.

Aliz kinyújtotta a nyakát, és a szemét meresztgette. Hiába, már a látása sem a régi, noha egyelőre csak olvasáshoz kell szemüveget viselnie. A csudába, jó lenne, ha megérkezne Emil! Habár ő csak fényképekről ismerte Ágotát. Mikor még otthon laktak, egyszer sem találkoztak, és csak pár éve, 51-től kezdtek el levelezni. Ágota mindenáron ki szeretett volna jönni hozzájuk, de ez akkoriban még lehetetlen volt. Olyan volt az ország, akár egy óriási börtön. Most azonban a börtönajtók egy időre kinyíltak…

– Aliz…

A háta mögül jött a hang, enyhe kérdő hangsúllyal, bizonytalanul. Nem, nem Ágota hangja volt, de mégis ismerős. Aliz megfordult.

– Adél!

Valóban ő volt az, habár az utcán valószínűleg elment volna mellette. Divatjamúlt ballonkabátot viselt, és a hajából csak egy vékony, ősz csík látszott ki az öregasszonyos kendő alól. Az arca elgyötört, fáradt volt – nem csoda, azok után, amiken valószínűleg keresztülment.

De mi történhetett? Aliz tudta, hogy Adélból végül mégis újságíró lett, méghozzá bűnügyi tudósító. A sors fintora... Az ő tollából olvashatták többek között a tiszazugi méregkeverő asszonyok vagy Matuska Szilveszter történetét. Nyilván az új rendszerben már ő sem találta a helyét.

– Vársz valakit? – kérdezte Adél.

Micsoda kérdés! Különben miért lenne itt?

– Igen, várok. Ágotát, a húgomat meg Máriássy Domokost, a férjét. Végül hozzáment, ó, de ezt persze tudod.

Adél bólintott. A fejével a válla mögé intett, ahol néhány lépéssel távolabb egy fiatal lány állt megszeppent arccal, mellette pedig egy nála úgy tíz évvel idősebb férfi.

– A lányom, Ilonka – mondta Adél. – És Gábor, az öcsém. Őt talán még ismerted...

Most Aliz bólintott. Egy darabig hallgattak, és egymást bámulták. Mindketten arra vártak, hogy a másik tegye fel *azt a bizonyos* kérdést. Végül Aliz megköszörülte a torkát.

– Hol van Andor? – kérdezte. Adél lehajtotta a fejét, ám rögtön azután fel is emelte. A vonásai furcsán kemények voltak.

– Hiába beszéltem neki – kezdte –, hogy már túl öreg,

hogy nem tud a fegyverrel bánni... Tudod, milyen volt! Kijelentette, hogy a hazáért fog harcolni, az utolsó csepp véréig...

Tudod, milyen volt. Aliz tudatáig csak most jutottak el ezek a szavak.

– Hát... meghalt? – kérdezte.

Adél bólintott.

– Azt sem tudjuk, hol van eltemetve. Mikor megtaláltuk a testét, magunkkal akartuk vinni, de a harcok újra fellángoltak, és így kénytelenek voltunk ott hagyni. Mire visszamentünk, már sehol sem volt.

– Hol történt?

– A Széna téren.

Aliz nagyot nyelt, hogy eltüntesse a torkában támadt gombócot. Andorka, drága Andorka... Ezek szerint még a sírjához sem látogathat el. A tekintete a fiatal lányra, Ilonkára tévedt. Az *ő* lánya. Neki pedig unokahúga. Viszont Adélra és – sajnos – az ő édesanyjára hasonlít. Talán jobb is, hogy eddig nem találkoztak vele.

– Hová akartok menni? – kérdezte Adélt. Egykori barátnője megvonta a vállát.

– Nekem aztán mindegy. De Gábor és Ilonka Amerikába vágynak. Végül is... minél messzebb, annál jobb.

– Mi is éltünk ott egy darabig Ivánnal és a gyerekekkel... New Yorkban. Később költöztünk Münchenbe. A Szabad Európa Rádiónál dolgozom.

Adél szeme dühösen villant.

– Na hiszen, a Szabad Európa! Ti aztán jól megcsináltátok! Az a sok sületlenség, amit összehordtatok!

Aliz visszahőkölt a váratlan támadástól. Micsoda? Hiszen ők csak jót akartak, tartották a lelket a forradalmárokban, az utolsó pillanatig bátorították őket... most ez a hála? De nem próbált védekezni. Úgy tűnt, két malomban őrölnek.

– Nézd, Adél – kezdte, de a torkára forrt a szó. Mit is mondjon, hogyan is mondja el? Hogyan mondja el, hogy Iván csak azért vállalta magára Irma helyett a gyilkosságot, mert börtönbe akart kerülni? Bűnhődni akart egy réges-régi gyilkosságért. Végül nem így alakult... Ő pedig örült neki. Ám bűnhődés nélkül nincs bocsánat. Most pedig már késő. Talán már soha nem fogják ezt elmondani egymásnak. Ez lett volna az utolsó alkalom, de már vége, elmúlt. Ideje elbúcsúzni. Egyvalamit azonban még tudni akart.

– Miért jöttél ide hozzám? – kérdezte egykori barátnőjét. Adél meglepetten nézett rá. Nem számított erre a kérdésre. Majd ismét megvonta a vállát, a régi, ismerős mozdulattal.

– Nem is tudom. Megláttalak, és... nem is gondolkodtam, csak idejöttem, és kész. Nem is voltam benne biztos, hogy te vagy. Csak hátulról láttalak.

Aliz bólintott. Igen, valószínűleg ő is így tett volna. Odament volna Adélhoz, ha fordítva alakul a helyzet. Valami összekötötte őket, valami ősi és megváltoztathatatlan vonzalom, mindannak ellenére, ami az életben később elválasztotta őket egymástól.

Igen, Adélnak igaza van. Minél messzebb mennek, annál jobb.

– Hát... nekem még meg kell keresnem Ágotáékat. Sok szerencsét Amerikában – mondta, és kinyújtotta a kezét. Adél egy pillanatra megérintette, majd elkapta a sajátját, mintha megégette volna. Aliz a két fiatal felé nézett, és búcsúzóul feléjük bólintott. Azok udvariasan, közömbös arccal viszonozták a gesztusát.

Mikor a kockás gyapjúkabát már eltűnt a pályaudvar forgatagában, Adél Gáborhoz és Ilonkához fordult.

– Na, ne lopjuk az időt, drága gyerekeim. Még azt sem tudjuk, hol alszunk ma, nem igaz? Nem állhatunk itt, várva a sült galambot.

Lehajoltak, felemelték két öreg, vedlett vitorlavászon bőröndjüket, és elindultak a Westbahnhof kijárata felé.

A SZERZŐTŐL MEGJELENT

EMMA SZERELME

(Részlet)

ELSŐ FEJEZET

1907 nyara

Emma elgondolkodva hajolt a kényelmetlen asztalka fölé a félhomályban. Az arca gondterhelt volt, és az irónja végét rágcsálta. A vonat zakatolása sem segített; nemcsak kényelmetlen volt így írni, de az ütemes kattogás a gondolatait is folyton elterelte. Végül felsóhajtott, és írni kezdett.

1907. július 7. hajnal
A naplóm első bejegyzése rendkívül fontos. Ezért elhatároztam, hogy valami nagy jelentőségű eseménynek kell bekövetkeznie, hogy tollat ragadjak. 1907. július 7-e van, ami önmagában is egy varázslatos dátum (három hetes egymás mellett – mágikus szám!). Ráadásul Budapest felé robogunk az Orient expresszen Papával – vagyis Apával (jobban szereti, ha így –à la hongroise* – nevezem őt). Drága öreg Apa! Tőle kaptam ezt a naplót, még januárban, a születésnapomra – csaknem fél éve. Aggódom érte. Olyan fáradtnak és szomorúnak tűnik, pedig azt hittem, örül, hogy hazautazunk. Persze,

---

* magyarosan

hét évvel ezelőtt azért mentünk el innen, mert szörnyű dolgok történtek...

Na tessék! Emma összecsapta a vékony, bőrfedeles könyvecskét. Elsőre valami vidámat, nagyszerűt akart beleírni a szép, bőrkötésű naplóba, amit idén születésnapjára kapott az édesapjától. Nem sokkal azelőtt kijelentette, hogy író akar lenni, mint Jane Austen, Louisa May Alcott vagy éppen George Sand (magyar írónő hirtelen nem jutott eszébe). Papa ekkor kinevette, de végül a születésnapjára meglepte őt ezzel a gyönyörű kis könyvvel. Vallay Emma, a tizennégy éves írójelölt, ujjongva vette a kecses kis holmit a kezébe. Illatos, bordó bőrfedele volt, óarany mintázattal, krémszínű, tükörsima lapokkal. Olyan szép és tökéletes volt, hogy egyszerűen nem lehetett hétköznapi történéseket megörökíteni benne. Ezért azóta nem is írt bele semmit, pedig ez már csaknem fél éve történt. Valami olyasmire várt, ami méltó rá, hogy a csodálatos, puha tapintású könyvbe belekerüljön. Eredetileg akkor akarta elkezdeni, mikor már Budapesten vannak, de olyan izgatott volt, hogy nem tudott elaludni, a vonat ringatása és ütemes zakatolása ellenére sem. Az ablakon kinézve nem látta a tájat, csak a saját tükörképét, mivel odakint koromsötét volt. Majd rájött, hogy éjfél után már július hetedikét írnak, ezért úgy döntött, hogy a számok csodás egybeesése és a luxusvonaton való utazás izgalma együtt talán megfelelő alkalom arra, hogy elkezdje a nagy becsben tartott naplót – ezenkívül érezte, hogy az élete is hamarosan nagy fordulatot fog venni, és a várakozás szinte a torkában lüktetett. De miért van az, hogy a régi borzalmakat emlegeti, rögtön az első bejegyzésben, pedig azokat örökre ki akarta törölni az emlékezetéből?

Papa (vagyis Apa! – ejnye, nem szabad elfelejtenie) márciusban rukkolt elő azzal váratlanul, hogy haza szeretne jönni. Méghozzá végleg. Emma meglepődött és először lelkesedett az ötletért, mivel nagyon szeretett utazni. Majd később jobban belegondolt: végleg? Így örökre el fogja veszíteni a kanadai barátait. Hét éve éltek az északamerikai országban, Montreal város mellett egy kis francia nyelvű faluban, Montcolline-ban. Emma ott járt iskolába, és a kezdeti nehézségek után nagyon megszerette a kis, faszerkezetű, zöldre festett ormú épületet, a társait, a tanítónőjét, Mademoiselle Claire-t és a házukat is, ahol a hosszú kanadai télben Papa a kandalló előtt magyar könyvekből olvasott neki. Sok ezer mérföldnyire a hazájától Emma Jókain, Petőfin, Aranyon, Jósikán és a többi híres magyar írón nőtt fel. Kezdetben hiányoztak neki az otthoniak, különösen a kedves Éva néni, Papa réges-régi barátnője, aki *Maman** halála után vigyázott rá egy nyáron keresztül, ám mivel alapjában véve könnyed, barátkozó természetű volt (no meg a remek francia nyelvtudásának köszönhetően) hamar beilleszkedett. Most megint nehéz volt a búcsú, de mikor már a hajón, majd a vonaton voltak, a bánat helyét átvette az örömteli izgalom – Emma az apjával gyakran utazgatott, ám a szülőföldjén már nagyon régen, hétéves korában járt utoljára.

A kislány az azóta eltelt hét év alatt gyönyörű bakfissá cseperedett, és gyakran észrevette, hogy Papa könnyes szemmel néz rá. Mikor visszanézett rá, a férfi mindig sietve elkapta a tekintetét, és a lány tudta, hogy ilyenkor *Maman*-t, az édesanyját látja benne. A világszép, fiatal feleségét, akit abban a végzetes évben, a huszadik század el-

---

* Anya

ső esztendejében veszített el. Emma tudta, hogy nagyon hasonlít a szép Bellára. Nem emlékezett tisztán az arcára – hiszen még csak hét éves múlt, amikor az asszony meghalt – csak egy-egy benyomásra: a haja színére, illatára, a ruhája suhogására, a kacagására. A fényképeken azonban megfigyelhette Bella alakját és arcvonásait. Sokszor álldogált a tükör előtt, és figyelmesen, szinte tudományos aprólékossággal tanulmányozta az édesanyja és a saját külsejét. Látta, hogy első látásra megdöbbentő a hasonlóság. De csak első látásra. Ha valaki jobban szemügyre vette őket, láthatta, hogy Emma arcvonásai kifinomultabbak, klasszikusabbak. Apjától örökölte ezt, akit fiatal korában „Rómainak" hívtak.

Tudta, hogy a haja és a szeme színe, amit sajnos a fekete-fehér fényképek nem örökítettek meg, ugyanolyan volt, mint az édesanyjáé. A gesztenyebarna, vörösben játszó, hullámos haj és a hatalmas, sötétkék szempár. Orruk és szájuk is szinte ugyanolyan formájú volt: kedves, fitos orr és kissé nagy, de szép formájú, érzéki ajkak. Mégis, Emma vonásai valahogy visszafogottabbak, zárkózottabbak voltak. Talán magasabb homloka és kicsivel nagyobb, tiszta tükrű szeme miatt. Emma örült a hasonlóságnak, és tudta magáról, hogy nagyon szép, de ennek ellenére nem volt hiú. Szerencsés természete folytán a szépsége inkább szerénységgel párosult, ami azonban nem jelentette azt, hogy szégyenlős is lett volna. Tudta, hogy ha megjelenik valahol, azonnal jelentős figyelem irányul rá. Élvezte ezt, de nem élt vissza vele.

A lánynak sejtelme sem volt, Papa miért döntött hirtelen úgy, hogy hazaköltöznek. Az utóbbi időben a férfi fáradtnak, nyugtalannak tűnt, de Emma hiába faggatta, Vallay Zoltán mindig csak annyit válaszolt:

– Semmi bajom, kiscicám.

Pedig nagy volt a baj. Zoltán nem volt már túl fiatal, ötvennégy éves múlt. Emma késői gyermek volt, akit negyvenéves korában kapott ajándékul a Gondviselőtől. Utolsó évei egyetlen öröme: gyönyörű, kedves, okos… De vajon mi lesz vele? Zoltán halálos beteg volt. Rejtélyes rosszullétei régóta kísértették, ám sokáig tartott, míg végül kivizsgáltatta magát. Az orvosai közölték vele, hogy az agyában egy daganat burjánzik, ami műthetetlen és gyógyíthatatlan. Kíméletesen, de egyértelműen tudatták vele azt is, hogy jobban teszi, ha a hátralévő idejében – ami már csak talán néhány hónap – elrendezi a dolgait. Vagyis gondoskodik a szerettei jövőjéről, amíg még nem késő. Zoltán ekkor döntött úgy, hogy visszaviszi kislányát rég elhagyott hazájába, pedig azt hitte, hogy soha többé nem fogja viszontlátni a magyar hont. Nem volt könynyű döntés, hiszen annak idején megfogadta, hogy soha többé nem teszi be a lábát az országba, de Emma érdekében képes bármit elviselni. Itt nincs senkijük, és Emmának szüksége lesz valakire, aki szereti és gondoskodik róla, amíg fel nem nő, és a maga lábára nem áll. Zoltánnak Magyarországon sem voltak már rokonai, de azonnal eszébe jutott egykori szerelme, Éva. Az asszony kicsi korában nagyon szerette Emmát, alig akarta elengedni, mikor elutaztak… Azóta sok idő eltelt, de talán hajlandó befogadni a lányt. A régen történtek ellenére, vagy talán éppen azért.

Zoltán jól érezte magát Kanadában, és sajnálta, hogy el kell hagynia azt az országot, ahol hét esztendeje otthonra talált. Itt elég messze volt Magyarországtól, a rossz emlékektől, és minden: a táj, az emberek, a házak is teljesen mások voltak. Pénz, az örökségének és a svájci bankszámláinak köszönhetően, elegendő állt rendelkezésére, de ő inkább szerényen élt. Régi szenvedélyének áldozva festőiskolát alapított Montcolline-ban, és művészeti újságokba írogatott. Emmától nem tagadott meg semmit, de szerencsére a lánynak nem voltak különleges igényei. Születésnapjára és karácsonyra is mindig csupán könyveket kért. Zoltán örült ennek, de kissé furcsállotta, hogy Emmát láthatólag nem érdekelték a ruhák, cipők, szalagok és egyéb hasonló csecsebecsék, amelyek minden más vele egykorú lányt lázba hoztak. Persze örült annak, ha apja meglepte valami ilyesmivel, de Zoltán érezte, hogy az egyetlen ajándék, amit értékelni tudott, a könyv volt.

Furcsa egy teremtés – még szerencse, hogy ilyen szép –, töprengett az apa. Kár, hogy nem éri meg, hogy meglássa, mi lesz belőle. Vajon tényleg írónő? Mikor lánya ezzel állt elő, kinevette, de azóta sokat gondolkodott ezen, és valóban lehetségesnek tartotta. Emma érzékeny, gazdag képzelőerővel megáldott leány. Már kisebb korában is folyton érdekes történeteket talált ki. Mennyit mulattak rajta! No, de majd meglátjuk. Vagyis meglátják mások, sajnos.

– Papa, mindjárt megérkezünk!

– Mondtam, hogy szólíts Apának. Itt, Magyarországon a nagyapákat nevezik Papának.

– Jaj, bocsánat! – Emma tréfásan a szája elé kapta a kezét. – De te akár a nagyapám is lehetnél – tette hozzá kuncogva.

Zoltán összerezzent. Milyen kegyetlenek tudnak lenni a gyerekek! Végül is igaza van, csak hát kicsit rosszulesik ez tőle. A férfi még mindig jóképűnek számított, a pusztító betegség alig látszott meg rajta. Haja régóta hófehér volt, de pont fordítva őszült, mint mások, így a halánté-

ka még szinte teljesen fekete maradt. Néhány éve szak-
állt növesztett, ami méltóságteljes külsőt kölcsönzött neki.
Arca alig ráncosodott, és vonásai még mindig ugyanolyan
büszkék, szabályosak, klasszikus szépségűek voltak, mint
egykor, amikor „Rómainak" nevezték. Sötétbarna szeme
azonban már nem csillogott olyan élénken, mint fiata-
labb korában, inkább valami fémes fáradtság és lemon-
dás látszott benne. Emma elsősorban emiatt aggodalmas-
kodott. Látta az apja arcán, hogy valami nincs rendjén.
Ám egy idő után nem faggatózott tovább. Tudta, hogy
Papa (vagyis Apa!) úgyis elmond neki mindent, amikor
eljön az ideje.

– Képzeld, Apa, éjszaka elkezdtem a naplómat.

– Nocsak. Éjszaka? Miért nem aludtál?

– Nem tudtam. De már megbántam, hogy elkezdtem…

Emma elhallgatott, és ijedten nézett a férfira. Igazán
nem mondhatta el Apának, hogy szinte akarata ellené-
re az 1900-as esztendő eseményei kerültek papírra. Most
nem, amikor ilyen összetörtnek és fáradtnak látszik. Sze-
rencsére Zoltán már nem figyelt rá, mivel a vonat begör-
dült a budapesti pályaudvarra. Emma kíváncsian nézett
ki az ablakon.

Az Orient expressz érkezése valóságos szenzáció volt
Budapesten. Rengetegen várták az állomáson a vonatot,
amely a varázslatos, irigyelt Nyugat levegőjét hozta ma-
gával. Sokan csak kíváncsiskodók voltak, néhányan az is-
merősük vagy szeretteik érkezését lesték, elegáns dámák és
urak, a különleges alkalomhoz illő öltözetben. Csak úgy
nyüzsögtek a hordárok, a szolgák, valamint a különböző
szállodák alkalmazottai. Emma kapkodta a fejét, annyi
volt a látnivaló. Párizsban szálltak fel a vonatra, a francia
főváros azonban sokkal kevésbé érdekelte őt, mint Buda-

pest – a csodás, ragyogó, fiatal Budapest, nem az öreg Párizs, amit már különben is sokszor látott. Hatéves koráig ott élt, és később, mikor már Kanadában laktak, néha meglátogatták francia nagymamáját, *Mémé* Corát. Apa intett a hordároknak, akik felrakták a csomagjaikat egy konflisra, majd ők is felszálltak.

1907. július 7. délelőtt
Itt vagyunk hát. Megérkeztünk a szállodába Apával, amelynek az ablakából egyenesen a Dunára lehet látni. Milyen hatalmas ez a folyó! Így élt az emlékeimben is, de azt hittem, csak azért, mert akkoriban még nagyon kicsi voltam. De most látom, hogy valóban óriási és méltóságteljes. Sokkal nagyobb a Szajnánál – vagy háromszor olyan széles. Alig várom, hogy sétáljunk egyet a partján, de azt hiszem, Apának pihenőre van szüksége. Nem is nyaggatom őt, egyelőre beérem azzal, hogy az ablakból nézelődöm…

Az utcákon villamosok csilingeltek, rikkancsok kiáltoztak, párocskák és családok sétáltak kiöltözve, egymásba karolva, matrózblúzos kisfiúkkal és fodros szoknyás, szalmakalapos kislányokkal a napos nyári délelőttön. A Dunán fehér sétahajók ringatóztak, valahonnan cigányzene szólt. Milyen csodálatos!

– Emmuskám, gyere csak ide! – szólt Zoltán az ablakban bámészkodó lánynak.

– Tessék, Apa!

Zoltán elmosolyodott. A lány megnyomta az „Apa" szót, és minden porcikájából sugárzott, hogy igyekszik az apja kedvében járni. Milyen kedves!

– No, hogy tetszik Budapest?

VIRÁGSZÁL

(Részlet)

PROLÓGUS

1902. újév napján sűrűn hullott a hó. Az egyre vastagodó, hófehér szőnyeg puha, pelyhes csöndbc burkolta a szilveszteri mulatozás után pihenő Budapestet. Kornélia nővér, az idős irgalmasrendi apáca, az aznapi portaszolgálatos nővér elmélázva nézte a levegőben táncoló hópelyheket, olyan sokáig, míg káprázni nem kezdett a szeme. Nagyot ásított, és öklével megdörzsölte a szemét. Nocsak, hiszen ő nem is korhelykedett az éjjel – gondolta mosolyogva. Úgy látszik, az általános hangulat, ami a városból áradt, őrá is álmosító hatással volt. Innen, a budai kolostor ablakából szép kilátás nyílt a fehér, vattacukor-takaró alatt alvó Budára. „Esteledik" – szőtte tovább a gondolatait a nővér, mikor látta, hogy egymás után gyulladnak fel odalent az utcai lámpák. Milyen szép így! Akár egy meseváros.

Ebben a pillanatban hangosan megkondult a kolostor kapucsengője. Kornélia nővér összerezzent – a békés, behavazott nap csendje után szinte fizikai fájdalmat okozott a csengő türelmetlen, éles hangja. Kornélia nővér bosszankodva vette fel a mellette heverő óriási kulcscsomót.

– Jövök már, jövök! – motyogta. – Ki a csuda lehet az ilyenkor?

Kinyitotta a kaput, és hunyorogva nézett ki a hóesésbe. Nem látott senkit.

– Nocsak! – mondta fennhangon, csodálkozva. – Hiszen csöngettek!

Ekkor a lábánál megmozdult valami. Mikor lenézett, látta, hogy a küszöbre valaki letett egy meleg pokrócba csomagolt batyut. Lehajolt, felhajtotta a takarót, és alatta egy kisgyermek mosolygós arcocskáját pillantotta meg. Kornélia nővér, az első döbbenet elmúltával szélesen visszamosolygott a kicsire, és gyengéden a karjába vette őt.

– Hát te meg honnan kerültél ide, angyalkám? Méghozzá ebben a kutya időben! – tette fel a kérdést, amelyre nyilvánvalóan nem érkezhetett válasz. Kornélia becsukta a nehéz tölgyfa kaput, és a gyerekkel azonnal a főnöknő, Ernesztina nővér szobájába sietett.

A komoly, szigorú Ernesztina gondterhelten ráncolta a homlokát, miközben az ágyára tett, továbbra is rendületlenül mosolygó csöppség arcát fürkészte. No, nem azon lepődött meg, hogy valaki télvíz idején egy gyereket tett a küszöbükre. Mivel a kolostorban árvaház és bentlakásos leánynevelő intézet is működött, az ilyen esemény sajnos szinte mindennaposnak számított. Egy-két szokatlan körülmény azonban nyugtalanította őt.

Először is: a gyermek már nem újszülött volt, hanem már akár egyéves is lehetett. Jól táplált, derűs, ápolt kislány, szép tiszta ruhában. Fején már sűrű csigákban göndörödött puha, barna haja, nagyra nyílt, csillogó sötétbarna szemével pedig feltétlen bizalommal tekintett minden körülötte lévőre. Milyen gyönyörű a kicsike! – gondolta Ernesztina nővér, miközben szúrós tekintete a kislány arcát pásztázta. Vajon miért csak most tették ide? A nővér tapasztalatból tudta, hogy ha egy anya meg akart szabadulni a kisbabájától, azt minél előbb megtette, általában közvetlenül a gyerek születése után. Így az elválás kevesebb fájdalommal járt. Ám egy ennyi idős, szép, egészséges kislányt elhagyni… Itt valami sötét titok lappanghat.

A másik zavaró körülmény az volt, hogy semmi üzenetet nem hagytak a gyermek mellett. Pedig többször is átkutatták a kicsi finom, illatos ruháit. Hogy lehet ez? Még a rongyosabb, piszkosabb gyermekek mellett is szoktak legalább egy papírfecnit hagyni, általában gyakorlatlan macskakaparással, amelyben közlik a csecsemő nevét, és a kedves nővérek gondjaira bízzák őt. Most azonban semmit sem találtak.

– Talán elveszett az üzenet – töprengett Kornélia nővér félhangosan.

– Vagy nem is létezett… – válaszolta még mindig elgondolkodva Ernesztina. – Ennek a gyereknek pedig már biztosan volt neve! No, mindegy! – emelte fel hirtelen, határozottan a fejét. – Ha már a jó Isten hozzánk vezérelte, befogadjuk ezt a szegény báránykát. Mivel maga találta meg, nővér, Kornélia lesz a neve. Az öreg, ráncos arcú, nyájas tekintetű Kornélia nővér büszkén kihúzta magát.

– Virág Kornélia – folytatta Ernesztina nővér a névadást, a kicsi fodros, fehér ruhácskájára mutatva, amelynek a szegélyére apró, színes virágok voltak hímezve. Látszott, hogy valaki egykor nagy gonddal és szeretettel készítette neki ezt a ruhát.

– Igen, ez nagyszerű név – lelkendezett Kornélia. – Illik hozzá. Olyan szép, mint egy kis virág. Egy virágszál!

– Elég legyen! – dorgálta meg Ernesztina mosolyogva az öreg apácát. – Tudja, nővér, hogy itt nálunk nem számít a külső, csakis a belső értékek. A szépség is csak belülről fakadhat. A lányokat pedig nem szabad hiúságra szoktatni. Virág Kornélia itt nálunk csak olyan, mint a többi árva, bárki is volt azelőtt. Szóljon, kérem, Klementina nővérnek, hogy fürdesse meg, és öltöztesse át ezt a gyermeket. Utána pedig állítsanak be neki egy kiságyat az egyik terembe, ahol a hozzá hasonló korú neveltjeink vannak.

Kornélia nővér erre szó nélkül bólintott, felnyalábolta a kislányt, és kisietett vele a folyosóra. Mikor már biztonságos távolságba került a főnöknő szigorú, éles fülétől, magához szorította a gyereket, és a fülébe suttogta.

– De én akkor is úgy vélem, hogy te egy valóságos kis virágszál vagy, kincsem!

ELSŐ FEJEZET

Flóra

Borus Sándor a tenyerébe támasztott állal, a kemény pultra hajolva nézte az odakint szállingózó hópelyheket. Milyen pocsék idő! Felsóhajtott, és csak ekkor vette észre, hogy a karja elzsibbadt, a könyöke pedig megfájdult a kényelmetlen testtartás miatt. Vajon mióta bámulhatott kifelé mozdulatlanul? – töprengett, miután felegyenesedett, és nyújtózkodott egyet. Hiába, más tennivaló nemigen akadt ebben a nyomorult üzletben. Reménytelenül körülnézett az apró rövidáruboltban, amely egy belvárosi bérház sötét, penészszagú udvarában egy eldugott sarokban húzódott meg, szinte szégyenlősen egy cipészüzlet és egy kalaposbolt között. Igaz, hogy odakint az utcán is volt egy poros kirakatuk, ám mivel maga az utca is egy félreeső, szűk belvárosi sikátor volt, néhány lépésre a Ferenciek terétől, ahová legfeljebb az tévedt be, aki valamelyik itt lakó ismerősét látogatta meg, vagy aki maga is itt lakott, a kis boltba csak elvétve lépett be egy-egy alkalmi vásárló. Ilyen időben pedig még erre sem volt semmi esély. Sándor akár egész álló nap bámulhatta volna a táncoló hópelyheket, amelyek eleinte nyomtalanul elolvadtak az udvar sárga kockakövén, ám egy idő óta makacs, vékony fehér réteggel kezdték jótékonyan eltakarni a csúf köveket.

Sándor megvető tekintettel fordított hátat a kihalt udvarnak. Szép, szabályos vonásaira ismét kiült valami meghatározhatatlan kifejezés: fájdalom, undor és unalom egyvelege, amolyan századvégi mélabú. Úgy érezte magát, mintha valami fojtogató csapdába esett volna, és képtelen lenne szabadulni. Mintha ez a bolt valamiféle börtöncella lenne, amelyben el sem követett bűneiért kell vezekelnie.

Sándor már egy éve dolgozott a rövidáruboltban. Tavaly, 1898-ban, a búcsúzó évszázad egyik utolsó tavaszán költözött Budapestre telve reményekkel és nagyra törő tervekkel – no és szinte egyetlen vas nélkül. De hát ez mégis a főváros – vélte akkor –, a lehetőségek tárháza, ahol mindenki megcsinálhatja a szerencséjét, kivált egy magafajta jóvágású, tehetséges ifjú. Sándor úgy képzelte, hogy Budapest tárt karokkal fogja várni, és így cseppet sem aggódott amiatt, hogy olyan ágrólszakadt volt.

A fiú az első húsz évét Balassagyarmaton töltötte, ahol az édesapja gimnáziumi matematikatanár volt. A köztiszteletben álló Borus Imre mindig is azt remélte, hogy egyetlen fia egy nap majd a nyomdokaiba lép, és átveszi tőle a stafétabotot: vagyis megpróbálja beleverni a matematika rejtelmeit a kemény diákkobakokba. Ám Sándornak ehhez egyáltalán nem fűlt a foga. Az érettségi után nem jelentkezett egyetemre – azt mondta, szüksége van egy kis időre, amíg eldönti, mit is akarna tanulni. Ehelyett egy patikában vállalt munkát, amellett otthon lézengett, verselgetett, írogatott, és a munkáit elküldözgette különböző helyekre, fővárosi és vidéki lapokba, kiadókhoz. Abban reménykedett, hogy valaki, mondjuk valamelyik újság szerkesztője felfigyel rá, és alkalmazza. Mikor az egyik verse megjelent a helyi lapban, a fiút szinte megrészegítette, hogy a sorait nyomtatásban látta maga előtt. Édesanyja, aki fenntartások nélkül rajongott a fiáért, osztozott a lelkesedésében. Egyedül a gyakorlatias édesapa hümmögött tömött, magyaros bajsza alatt.

– Poéta akarsz lenni? Poéta! No hiszen, abból nem lehet megélni.

Sándor azonban ebben a mámoros pillanatban elhatározta, hogy őneki bizony semmi máshoz nincs kedve és tehetsége sem. Nos, talán nem lesz milliomos, de a mindennapi betevőjét így is meg tudja keresni. Kivált Budapesten! Csak egyszer jusson el oda. A szülei azonban hallani sem akartak erről. Az anya addig nem akarta őt elengedni a szoknyája mellől, amíg csak lehetett, az apa pedig kijelentette, hogy egyetlen feltétellel mehet: ha beiratkozik az egyetemre valamelyik tanári szakra. Ő ugyan nem bánja azt sem ha valami haszontalanságot tanul, és nem matematikát. Csak szerezzen egy diplomát, utána pedig annyi verset írhat, amennyit nem szégyell!

Borus Imrét nem sokkal ezután, kilencvenhét szeptemberében elgázolta egy lovas kocsi, amint kilépett az iskola kapuján, hóna alatt a tanév első kijavítandó dolgozataival. Azonnal szörnyethalt, a felesége pedig, az érzékeny, kissé egzaltált teremtés, aki már amúgy is régóta betegeskedett, néhány hónappal később, közvetlenül karácsony előtt követte őt a sírba. Sándor egyedül maradt, és a gyász első hónapja után elhatározta, éppen itt az ideje, hogy végre a saját kezébe vegye a sorsát. Élénk levelezésbe kezdett különböző fővárosi kiadókkal, irodalmi lapokkal, majd később nem irodalmiakkal is, ám a levelezés mindvégig egyoldalú maradt. Válasz ugyanis soha nem érkezett.

– Ej! – morfondírozott Sándor. – Biztosan azért nem mozgatják a fülük botját sem, mivel csak levélben érintkezem velük. Talán fel sem bontják, el sem olvassák a leveleimet! Legjobb lesz, ha odamegyek, és személyesen keresem fel őket.

Fel is kerekedett, és az első tavaszi napsugarakkal megérkezett Budapestre. Itt azonban – ahogy az várható volt – egymás után érték a csalódások. A személyes varázsa, amelyben az elkényeztetett ifjú olyannyira bízott, a rideg budapesti szerkesztőkre a legcsekélyebb hatással sem volt. A verseit pedig egyenesen megmosolyogták. Még az *Őszi falevél* címűt is, amelyet a balassagyarmati újság közölt. Sándor minden egyes alkalommal lógó orral távozott, ám nem adta fel. Néhány nap múlva – miután kiheverte a sértett büszkeségén esett csorbát – újra útnak indult, és elszántan bekopogtatott a következő, ki tudja, hányadik szerkesztő irodájának ajtaján is. Miután otthonról hozott pénzecskéje elfogyott, az olcsó hotelből albérletbe költözött, abból is mindig egyre olcsóbba, ám hamarosan ablaktalan kis bútorozott szobájában is csak úgy tudott megmaradni, ha a barátaitól kért kölcsön pénzt. Mikor beköszöntött a tél, végre eldöntötte, hogy valami munka után néz. Végül egy újsághirdetés alapján találta meg ezt a rövidáruüzletet, amelynek tulajdonosa – bizonyos Kulcsár Mór – alkalmazottat keresett. Kulcsár úrnak tetszett a rokonszenves, sápadt, bánatos tekintetű, ám becsületes képű vidéki fiú, így azonnal közölte vele, hogy szívesen alkalmazza, még úgy is, ha csupán csekély kereskedelmi gyakorlattal rendelkezett. Majd idővel beletanul! A felajánlott fizetés ugyan nevetségesen alacsony volt, Sándor mégis elfogadta az állást, mivel úgy gondolta, hogy itt nem kell majd megszakadnia a munkában, és az írásra is bőven jut ideje.

Nos, ideje az valóban volt, bőségesen. Csakhogy az ihletét és ezzel együtt az életkedvét veszítette el teljesen az eldugott, sötét, penészszagú odúban, ahonnan a kirakaton keresztül naphosszat csak a szűk belső udvart látta. Szép időben néha betévedt ide egy verklis, de ezenkívül csupán a házban lakó gyerekek, a pletykás vénasszonyok és az udvarban található üzletek vendégei loptak némi életet az egyhangúan vánszorgó hétköznapokba. Sándor az idő múlásával egyre reményvesztettebb és búskomorabb lett – egyre jobban illett hozzá a vezetékneve, hogy *Borus*. A barátai legalábbis ezzel ugratták vasárnaponként, amikor együtt beültek egy olcsó kávéházba. Neki azonban nem volt kedve ezen tréfálkozni.

– Meglátjátok, egy nap majd az arcotokra fagy a mosoly – mondta ilyenkor a fejük felett a távolba révedve. – Tudom, hogy így lesz! Én ennél többre, jobbra vágyom. És el is fogom érni. Még nem tudom, hogyan, de érzem, hogy valami szebb, színesebb, értékesebb élet vár rám. Nem elsősorban a gazdagságra gondolok, hanem valami magasabb rendű életformára. Nem is tudom megfogalmazni, mit értek ez alatt. Talán nem is lehet szavakba önteni. Csak érzem itt, mélyen belül.

Sándor ilyenkor az öklével a szívére ütött, sötétbarna

szemében pedig mintha égővörös szikrák gyulladtak volna. A többiek – a léha, korhely cimborák – kissé megilletődötten néztek rá, és egy kis ideig csendben kortyolták a sörüket. Ez a Sándor egy kicsit hóbortos, de azért jó fiú! – ez volt a tekintetükben, amikor lopva egymásra pillantottak. Nem is sejtették, milyen kavargó szenvedélyek örvénylenek ilyenkor szelíd, halk szavú barátjuk szívében.

A NÉMET LÁNY

(Részlet)

ELSŐ FEJEZET

Szerelem és háború

Sepp mélyeket szippantott a levegőbe. A jó időnek köszönthetően az ormótlan katonai terepjáró teteje nyitva volt, és a hátsó ülésen egyedül helyet foglaló férfi kedvére nézelődhetett, kissé mélán boldog mosollyal, amely azóta ült ki az arcára, hogy átlépték a határt, és amelyre – tudtán kívül – az elöl ülő ezredes, közvetlen felettese, fel is figyelt. „Mit vigyorog ez az idióta? – gondolta megvetően. – „Mintha csak hájjal kenegetnék. Azt hiszi, vakációzni jöttünk?"

Sepp valóban boldog volt, és minden porcikájával próbálta élvezni az utat. „Hiába, itt még az illatok is mások!" – gondolta elégedetten, miközben lehunyt szemmel újra nagyot szippantott a vibrálón forró, nyári levegőből. Persze főként a száraz útról felvert port és a benzingőzt érezte, de nem törődött ezzel a mellékes, zavaró tényezővel. „Franciaország illata!" – mosolyodott el újra. – *„La douce France!"** "

A hirtelenszőke, áttetszőn kék szemű Joseph Weinbach százados, azaz eredeti nevén Borpataky Jóska, a derék ba-

---

* Az édes Franciaország! (francia)

ranyai sváb fiú, tizennyolc évesen, miután leérettségizett egy pécsi német gimnáziumban, a jómódú, bár egyszerű körülmények között élő paraszti család legnagyobb örömére megnyert egy németországi egyetemi ösztöndíjat, Münchenbe, egy esztendőre. Mindez még 1925-ben történt – egy örökkévalósággal ezelőtt. Jóska a tanév letelte után is kint maradt, és habár ekkorra már Seppnek nevezték, teljesen soha nem vált németté. Ránézésre ezt ugyan senki meg nem mondta volna: Sepp maga volt a megtestesült „árja" férfiideál. Szőke, kék szemű, magas, izmos, vastag nyakú, csontos arcú és markánsan jóképű. A kissé zord külső azonban érző szívet rejtett. A tizennyolc éves Jóska, aki a család unszolására pályázta meg a német ösztöndíjat, a lelke mélyén titokban mindig is Franciaországba vágyott. Maga sem tudta, miért. Már a gimnáziumban is szívből rajongott mindenért, ami francia – persze elsősorban mindenért, ami magyar, hiszen a jó baranyai svábok az évszázadok során még a tősgyökeres magyaroknál is magyarabbak lettek –, a francia nyelv, a kultúra és az emberek amolyan rögeszméjévé váltak. Ezzel szemben a német gyökereit ugyan tisztelte, de a lojalitáson, és az őszinte csodálaton kívül egyéb érzelmet ősei hazája és kultúrája nem ébresztett benne. Ezért is végezte el a német mellett a francia szakot is az egyetemen, és a szép, elegáns, puhán omló nyelvet is folyékonyan beszélte – ámbár furcsa módon nem németes, inkább magyaros akcentussal. Hiszen mégiscsak az volt az anyanyelve. Hogy miért maradt mégis kint, és miért nem tért vissza a festői szépségű Ófaluba, annak ellenére, hogy kint tartózkodása minden egyes napján gyötrő honvágy kínozta? Ennek csakis egy oka lehetett: a szerelem. Sepp még egyetemista korában, mindössze húszéves fejjel vette feleségül a szép, és hozzá hasonlóan szőke és kék szemű Elsét, aki egy kávéházban dolgozott pincérnőként. Szegények voltak, mint a templom egere, de felhőtlenül boldogok. Legalábbis Sepp ezt hitte. Ám a színésznői álmokat dédelgető csinos Else egy szép nap megszökött egy filmiparban tevékenykedő üzletemberrel, aki fényes karriert ígért a lánynak, amiből a jelek szerint semmi sem lett – Sepp ugyanis szorgalmasan járt moziba, és mindig árgus szemekkel figyelte, felbukkan-e a lány a vásznon, akárcsak egy futó jelenetben. Ám egyetlen egyszer sem látta őt viszont. Ahogyan többé hús-vér valójában sem. Sepp azóta nem nősült meg, sőt még tartós kapcsolata sem volt, és mára „megrögzött" agglegénynek számított.

A másik szerelme azonban éppen úgy lángolt, mint egykor – sőt, ha lehetséges, még jobban, és most ez a szerelem beteljesülni látszott! Íme, Franciaország földjére lépett, és úgy érezte, hazatért. Szívének *második* legkedvesebb hazájába – Magyarország után. Csakhogy, egy megszálló, idegen hadsereg tagjaként, az ő egyenruhájukat viselve. A helyzet fonáksága azonban ebben a pillanatban egyáltalán nem zavarta. Boldog volt, és meghatottságában szinte a könnye is kicsordult. Lopva a szeméhez kapott, és megtörölte. Ekkor észrevette, hogy Weiner ezredes szúrós tekintete a visszapillantó tükörből merőn rá szegeződik. Vajon mióta?

– A mindenit, micsoda por van itt! – mondta zavartan nevetgélve, és a szemét tovább dörzsölve az ezredesre mosolygott. A fekete terepjárót valóban szinte teljesen beborította az utakról felszálló finom, fehér por. Weiner nem viszonozta a mosolyt. Sepp tudta, hogy a felettese nem kedveli, sőt, ami még rosszabb, nem bízik benne.

A háta mögött a bajtársai mindig is úgy nevezték: „*der Ungar**."

Helmut Weiner, a német hadsereg ezredese valóban nem bízott a „magyarban". Sepp ugyan semmivel sem szolgált rá erre a gyanakvásra, hiszen minden utasítást és parancsot késlekedés nélkül, hűségesen végrehajtott. Soha semmi olyat nem tett, és nem is mondott, amellyel megkérdőjelezte volna bármelyik felettese tekintélyét vagy hozzáértését. Akkor miért? Talán a tekintetében – a kék „árja" szemekben – volt valami idegen és nyugtalanító, valami *nem német*. Azt viszont az ezredes is elismerte, hogy a jelenlegi helyzetben nem nélkülözheti Sepp Weinbach szolgálatait. Weiner ugyanis egy kukkot sem beszélt franciául, és nem is szándékozta megtanulni a nyelvet, így nagy szüksége volt egy tolmácsra. A főparancsnokságon pedig ezt a „magyart" jelölték ki mellé. Az ezredes fegyelmezett, tekintélytisztelő, ízig-vérig német katonaként pedig zúgolódás nélkül elfogadta a döntést. „Jó, ha Weinbach százados, hát legyen Weinbach százados" – gondolta. – „Legalább rajta tarthatom a szemem."

Egyébként pedig, ha Weiner őszinte akart lenni saját magához, rajta is valami különös jó érzés, izgatott várakozás uralkodott el, mióta átlépték a határt. Ez rendkívül bosszantotta, és többször is megvizsgálta a visszapillantó tükörben az arcát, nehogy rajta is megjelenjen az elmélázó, ostobán boldog mosoly, mint fiatalabb beosztottja ábrázatán. No, még csak az kéne! Ámbár – Párizs, az mégiscsak Párizs! Már csak órák kérdése, és megérkeznek a városba, ahol még Weiner ezredes sem járt soha éle-

---

* A magyar (német)

tében, de amiről tudta, hogy a kultúra, a művészetek, és nem utolsósorban az élvezetek európai központja. Hiába, akarata ellenére az ő szíve is némileg izgatottabban dobogott – emellett persze lelkifurdalása is volt. Micsoda, hiszen nem szórakozni jönnek! De... mindenesetre egy-két napot rászánhatnak arra, hogy megtekintsék a nevezetességeket, és elmenjenek néhány híres-hírhedt helyre. Elvégre rájuk fér egy kis kikapcsolódás.

Weiner kihúzta magát az első ülésen, megigazította az egyenruhája övét, majd hátrafordult, és megszólította a gondolataiba merült Seppet.

– Mondja, Weinbach, ismeri maga a várost? Járt már ott valaha?

– Még soha – felelte Sepp megrezzenve. – De rengeteget olvastam róla, különösen mióta megtudtam, hogy ide fogunk jönni.

Az ezredes bólintott.

– Helyes. Azt jól tette. Állítson össze nekem egy tervet, hogy az első napokban miket érdemes megnézni. Nincs sok időnk: kemény munka vár ránk. De ha már itt vagyunk, kicsit kiaknázhatjuk a lehetőségeinket, nem igaz?

Mintha Weiner kacsintott volna – vagy Sepp rosszul látta?

– Hogyne, uram! – vágta rá azonnal. – Habár... már készen is áll a tervem. Itt ni!

Ujjával megbökte a homlokát, mire az ezredes újra helyeslőn biccentett.

– Helyes! Látom, remekül fogunk mi ketten együttműködni.

Sepp válaszul az ezredesére mosolygott, a szájában azonban valami keserű íz jelent meg. Talán valami rossz előérzet. Ám gyorsan elhessegette ezt a kellemetlen gondolatot, majd az ülésen hátradőlve, a szemét behunyva maga elé képzelte a várost, amelyről már annyit álmodozott, és amelyet nemsokára a valóságban is megláthat.

A német hadsereg június 14-én, pontosan egy hónappal a francia nemzeti ünnep előtt, verőfényes, gyönyörű nyári időben vonult be Párizsba. Az utcák szinte teljesen kihaltak voltak, ami Seppet némileg meglepte. No persze, ő sem számított ujjongó tömegre, sem örömteli fogadtatásra, de azért azt hitte, hogy néhány közömbös, vagy éppen kíváncsi járókelő azért valamennyire benépesíti majd a világváros utcáit. Ám Párizsban síri, baljós csend honolt.

– Hol lehetnek az emberek? – kérdezte csodálkozva, félhangosan, mintegy önmagától. Weiner azonban meghallotta, és hevesen, jókedvű ábrázattal hátrafordult.

– Megijedtek vagy megsértődtek. Majd előbújnak, ne féljen! Így kellemesebb: legalább nincs nagy zaj.

Az ezredes felkacagott, és a mellettük ülő sofőr udvariasan vele nevetett. Sepp komor arcán azonban egy mosoly sem látszott. Nem, ez így nem volt az igazi! A lakói nélkül minden város csak kísértetek tanyájának tűnik, és nem volt ez másképp Párizs esetében sem. De talán Weinernek igaza lesz, és előbb-utóbb kibújnak a vackaikból a párizsiak. Mihelyt rájönnek, hogy *ők* békés szándékkal érkeztek.

Sepp ugyanis mélységesen hitt ebben. Minden szavát elhitte a náci propagandának, miszerint a jövőben a németek által vezetett egyesült Európában minden nemzetnek meglesz a maga nemes, hozzá illő feladata. A franciáknak is. Tehát most nem *megszállják* őket – Seppnek ez a szó eszébe sem jutott – sokkal inkább *felszabadítják*. Most még a franciák ezt nem látják, de idővel ők is rájönnek majd arra, hogy ha ez a két nagyszerű nép egyesíti a tehetségét és az erejét, együtt csodákra lesznek képesek. És akkor majd vége lesz az évszázados, értelmetlen ellenségeskedésnek. „Hiszen testvérek vagyunk!" – gondolta Sepp kicsit fájó szívvel. Mint Európa két legnagyobb kultúrnemzete.

Miután megérkeztek ideiglenes szállásukra – a Diadalív közelében, egy csendes, árnyas utcában lévő hotelbe – lezuhanyoztak, átöltöztek, és elindultak „felfedezni" a várost. Mint minden valamirevaló turista, legyen akár utcai, akár egyenruhában, ők is elsőként az Eiffel-toronyhoz mentek. Kötelességtudón kifizették a belépti díjat, és Sepp észrevette, hogy a pénztárosnő, aki előbb még merev, mozdulatlan arccal elbámult mellettük, ezen őszintén meglepődött. Csak nem hitte, hogy ingyen akarnak felmenni? Sepp elgondolkodott – akár ezt is megtehették volna. Ám egyikük fejében sem fordult meg ilyesmi.

Odafentről lenyűgöző látvány tárult a szemük elé. A napfényben fürdő város épületei felülről mintha mind makulátlan hófehérben pompáztak volna, közöttük a Szajna vékony, szeszélyesen kanyargós kék szalagjával, és a parkok smaragdzöldjével. Távolabb, egy dombtetőről a Sacré-Coeur kissé keleties, csipkés, fehér tornyai illegették magukat.

– Csodálatos! – rebegte Sepp, magáról kissé megfeledkezve az anyanyelvén, magyarul.

– Was?* – vakkantott rá a mellette álló Weiner ezredes, amire Sepp világosszőke haja tövéig elpirult.

– Wundershcön!** – javította ki magát sietve.

---

* Micsoda? (német)
** Csodálatos! (német)

– *Na, ja!* – helyeselt az ezredes békülékenyen. – Tényleg egészen szép! No, menjünk! – tette hozzá hirtelen. – Még sok látnivaló van ezen kívül is.

Sepp bosszankodott. Az ezredes valahogy úgy viszonyult ehhez a városnézéshez, mint egy elvégzendő feladathoz. Amolyan németes precizitással. Még a szállodában készíttetett a beosztottjával egy lajstromot az egy nap alatt körbejárható nevezetességekről, és amikor Sepp nem tudta, hogy egyes épületek megtekintéséhez pontosan menynyi idő szükséges, láthatóan elégedetlen volt vele.

– Mi is a következő a listánkon? – kérdezte Weiner.

– A Notre-Dame – válaszolta Sepp engedelmesen, ám magában duzzogva. Még szívesen nézelődött volna egy kicsit itt, a szédítő magasban, a szélben kissé imbolygó acélkolosszus tetején.

– Á, igen. Nagyszerű! – Weiner bólintott, és már el is indult lefelé. Sepp vonakodva követte, magában elnyomva egy sóhajt.

A katedrálisban mind levették a sapkájukat, és Sepp a szenteltvíztartóba nyúlva benedvesítette az ujjait, és a térdét meghajtva keresztet vetett. Mikor felegyenesedett, látta, hogy a felettese egy pillanatig meglepődve néz rá. Újra elpirult, és zavartan lehajtotta a fejét.

„Á, hiszen Weinbach katolikus is!" – gondolta Weiner ezredes (aki tőrőlmetszett vesztfáliai protestáns volt). „Magyar és katolikus. Pápista. Valóban jó lesz, ha rajta tartom a szemem."

Sepp közben megindult befelé, az oltár irányába a két padsor között. Közben mindvégig a hátában érezte ezredese szúrós tekintetét.

Két nap maratoni és igencsak kimerítő városnézés után Helmut Weiner, néhány másik tiszttel egyetértésben úgy döntött, hogy az igazi „kemény munka" megkezdése előtt megérdemelnek még egy kis szórakozást. El is döntötték, hogy egy görbe estét csapnak a híres-hírhedt Moulin Rouge-ban, és hogy tolmácsként magukkal viszik Sepp Weinbachot is.

Sepp az orrát lógatva, a műsorra alig figyelve üldögélt a jókedvű tisztek között a lokálban. Eleddig nem sok igény volt a szolgálataira – a Moulin Rouge alkalmazottai hozzá voltak szokva a külföldi vendégekhez, és a közös nyelv nélkül is tisztában voltak vele, hogy mit szeretnének. Ám a százados nem ezért szomorkodott – még örült is neki, hogy békén hagyták.

ULPIUS-HÁZ BOLTHÁLÓZAT

Legyen törzsvásárlónk!

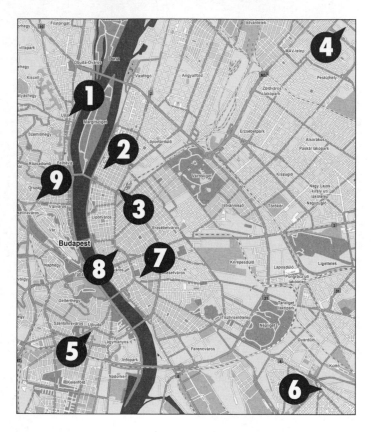

1. KOLOSY TÉR
1036 Budapest, Kolosy tér 1.
tel.: 240-1976; e-mail:
kolosy@ulpiushaz.hu

2. POZSONYI ÚT
1137 Budapest, Pozsonyi út 23.
tel.: 349-2753; e-mail:
pozsonyi@ulpiushaz.hu

3. VÁCI ÚT (a WestEnddel szemben,
a Nyugati térnél)
1132 Budapest, Váci út 6.
tel.: 330-2670; e-mail:
vaci@ulpiushaz.hu

4. PÓLUS CENTER,
Sunset Boulevard 138.
1152 Budapest,
Szentmihályi út 131.
tel.: 06-20-569-7948; e-mail:
polus@ulpiushaz.hu

5. MÓRICZ ZSIGMOND KÖRTÉR
1114 Budapest,
Móricz Zsigmond körtér 2.
tel.: 452-1759; e-mail:
moricz@ulpiushaz.hu

6. EUROPARK (I. emelet)
1191 Budapest, Üllői út 201.
tel.: 06-20-346-2746; e-mail:
europark@ulpiushaz.hu

7. MÚZEUM KÖRÚT
1053 Budapest,
Múzeum körút 41.
tel.: 266-7134; e-mail:
muzeum@ulpiushaz.hu

8. BAJCSY-ZSILINSZKY ÚT
1065 Budapest, Bajcsy-Zsilinszky út
9. (a Deák térnél)
tel.: 235-0212; e-mail:
deak@ulpiushaz.hu

9. MAMMUT I.
1024 Budapest, Lövőház u. 2. (föld-
szint, P016 üzlet) e-mail:
mammut@ulpiushaz.hu

10. GYŐR
9021 Győr, Baross Gábor út 33.
tel.: 06-96-952-235; e-mail:
gyor@ulpiushaz.hu

11. TATABÁNYA
(Interspar áruház)
2800 Tatabánya, Győri út 25.
tel.: 06-34-309-230; e-mail:
tatabanya@ulpiushaz.hu

12. SZOLNOK
(Interspar áruház)
5000 Szolnok,
Mátyás király u. 29.
tel.: 06-56-342-684; e-mail:
szolnok@ulpiushaz.hu

13. DEBRECEN
4024 Debrecen, Piac utca 16.
tel.: 06-52-249-268; e-mail:
debrecen@ulpiushaz.hu

Részletek és nyitva tartás honlapunkon

WWW.ULPIUSHAZ.HU

Elindult webshopunk, ahol teljes kínálatunk
megtekinthető és megvásárolható.

Ezenkívül interjúkat olvashatnak szerzőinkkel, információkat,
ajánlásokat könyveinkről, könyveinkhez.

Legalább 20% kedvezmény minden könyvre!

Jó vásárlást, jó böngészést kívánunk!

Regisztráljon hírlevelünkre, hogy újdonságainkról, dedikálásainkról,
akcióinkról az elsők között értesüljön.

Ulpius-ház Könyvkiadó, Budapest
Felelős kiadó Kepets András
Felelős szerkesztő V. Detre Zsuzsa

Nyomás és kötés: *mondAt Kft.* • www.mondat.hu
Felelős vezető: Nagy László